LES MICRO-HUMAINS

Bernard Werber

TROISIÈME HUMANITÉ

* *

LES MICRO-HUMAINS

ROMAN

Albin Michel

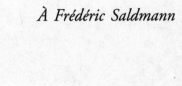

À Frédéric Saldmann

AVERTISSEMENT

Cette histoire se déroule dans un temps relatif et non dans un temps absolu.

Elle se passe exactement dix ans après l'instant où vous ouvrirez ce roman et commencerez à le lire.

La métamorphose d'un être obéit à plusieurs étapes d'évolution successives.

La première phase est la prise de conscience qui entraîne la volonté de changement.

Dans la seconde phase, la chenille doit se purger du passé. Elle est prise de violentes coliques, diarrhées, de vomissements. C'est une purification nécessaire mais douloureuse.

Enfin nettoyée et allégée, elle s'accroche la tête en bas à une branche et tisse un cocon de soie protecteur. Derrière ce rideau épais et opaque qui va la dissimuler à la lumière et aux regards, elle se prépare.

Le temps venu, le voile de soie se déchire. La chenille se révèle sous sa nouvelle forme : une chrysalide.

Immobile, respirant au ralenti, elle ressemble à une momie laquée. Cependant la chrysalide est très vulnérable. Pour ne pas attirer l'attention, elle se fond dans le décor ambiant en prenant la couleur mais aussi l'apparence d'un fruit, d'une feuille ou d'un bourgeon. Durant cette période, elle se retrouve complètement aveugle et dépendante d'événements extérieurs sur lesquels elle n'a aucune prise et contre lesquels elle ne peut se défendre. C'est le hasard qui fera que la chrysalide survivra à cette phase indispensable mais très délicate de son évolution.

Encyclopédie du Savoir Relatif et Absolu,
Edmond Wells, Tome VII.

ACTE 1

L'âge de la chrysalide

LE TEMPS DE L'INGURGITATION

1.

Elle veut réussir à tout prix.

Elle se tortille, appuie sur ses membres de toute son énergie. Elle se sent compressée et, plus elle se démène, plus elle a l'impression de se coincer. Elle cherche des forces, persévère pourtant. Sa peau racle les protubérances. Enfin, elle progresse suffisamment pour pouvoir s'extraire de ce goulet étroit. Elle se redresse, détend ses membres, satisfaite d'avoir franchi cette nouvelle étape périlleuse de son cheminement. Sans perdre de temps, elle avance dans le tunnel sombre et plus large qui se présente. Le plus difficile reste à accomplir, alors elle continue sur le chemin pentu, éclairé par la faible lueur de la lampe frontale de son casque. Parfois, elle sort son piolet pour dégager à grands coups nerveux un passage dans la rocaille.

La descente est beaucoup plus longue que prévu et, la batterie étant épuisée, son ampoule électrique s'éteint progressivement. Quand celle-ci n'émet plus la moindre lueur, l'opiniâtre exploratrice poursuit dans l'obscurité totale.

Le goulet en pente raide devient trop étroit, elle continue à quatre pattes.

Soudain, le sol s'effondre.

Elle tombe, et n'est retenue que par son filin d'acier au-dessus du vide. Un effet de balancier la projette violemment contre une paroi.

Un os craque. Une douleur aiguë se diffuse dans son épaule.

De son bras valide, l'exploratrice saisit dans sa poche de veste un briquet avec lequel elle éclaire les alentours.

Sous ses pieds s'ouvre un abîme profond.

Son bras blessé saigne.

J'ai trop mal. Cette fois j'ai échoué. Je renonce, je ne peux plus continuer, je fais demi-tour.

Elle veut se hisser pour rentrer, mais le sentiment de ne pas être allée au bout de ses capacités la retient.

J'ai fait ce que je pouvais, mais c'est trop difficile. C'est même objectivement impossible.

Lançant ses jambes par saccades, elle effectue un mouvement de pendule et parvient à rejoindre le rocher qui lui fait face. Elle essaie d'oublier la douleur, pose un garrot serré à son bras tandis que, dans son esprit, s'installe une pensée récurrente :

Je peux y arriver. Il faut juste ne pas laisser tomber. Tenir.

Elle serre les mâchoires, avale sa salive et reprend sa descente dans le couloir en pente. Le plafond s'abaisse progressivement devant elle, mais elle ne renonce pas. Le passage devient plus étroit encore, la roche plus dure, plus noire, plus odorante. Bien que sa tête frotte parfois la paroi supérieure, elle arrive encore à avancer.

Cette matière sombre, cela doit être du charbon. C'est bon signe. J'approche de la veine principale.

Son bras est devenu brûlant, mais elle concentre son attention sur le goulet, si étroit maintenant que même ses hanches passent avec difficulté.

Lorsqu'elle parvient enfin au bout du tunnel, elle perçoit un râle derrière le mur de roche.

16

Elle sort avec difficulté les explosifs de son sac à dos et les dispose contre la paroi, puis s'éloigne et déclenche le détonateur.

L'explosion ne creuse pas une cavité assez profonde. Alors, toujours dans l'obscurité totale, elle poursuit le travail à l'aide du marteau-piqueur portable de son sac à dos. Son bras blessé la ralentit mais les râles derrière la paroi se font plus nets et l'encouragent à continuer. Enfin, la paroi cède d'un coup.

J'ai réussi.

Elle débouche dans la cavité où les mineurs chiliens sont retenus prisonniers. Certains gisent, sans connaissance, d'autres bougent à peine, gémissant faiblement. L'odeur est infâme.

Elle, Emma 103 683, la minuscule humaine de 17 centimètres, vient de sauver une centaine d'hommes coincés sous la terre après un éboulement. Elle vérifie que ces êtres dix fois plus grands qu'elle respirent encore, puis elle annonce dans le micro de son casque :

– Mission accomplie.

Surmontant la douleur de sa blessure, elle précise :

– Ils n'ont pas l'air bien frais, mais ils sont vivants. Vous pouvez les sortir de la Terre.

2.

Ils m'appellent la Terre.
Ils me voient comme une planète.
Comme une grande pierre sphérique.
Ils oublient qui je suis vraiment. Ils n'imaginent même pas que je suis vivante, intelligente, consciente.
Pour moi, ils ne sont que des petits parasites. Et je les trouve si jeunes, si fragiles, si nombreux, si sûrs de leur importance.

*J'en ai vu défiler des locataires. Les dinosaures aussi se trouvaient
importants et n'imaginaient pas que la planète qu'ils piétinaient
était capable de penser.
J'ai quand même plus de 4 milliards d'années. Cela mérite le
respect de la part d'une espèce apparue tout au plus il y a
7 millions d'années.*

3.

– ... Incroyable dénouement d'un voyage au centre de la
Terre. Une Micro-Humaine du nom d'Emma 103 683 est arrivée à descendre seule au fond d'un labyrinthe de galeries souterraines plus ou moins effondrées, jusqu'à rejoindre la poche
d'air où 133 mineurs de l'exploitation de San José, au nord
du Chili, étaient pris au piège depuis maintenant quinze jours,
après un éboulement qui les avait surpris en plein travail. Par
chance, les mineurs avaient pu trouver une poche d'air servant
d'abri, avec des réserves d'eau et de nourriture, pendant que
les secours s'organisaient. Une première équipe de sauvetage
était descendue dans une cheminée pour les tirer d'affaire,
mais un nouvel éboulement avait coincé les sauveteurs qui
avaient été obligés de renoncer. On croyait déjà que plus rien
ne parviendrait à secourir les 133 hommes bloqués à trois
kilomètres de l'entrée du site, lorsque l'idée d'utiliser des
Emachs – comme lors du drame de la centrale nucléaire de
Fukushima au Japon –, ces humains de petite taille fabriqués
en laboratoire, est apparue.

C'est ainsi qu'Emma 103 683 est partie seule pour la mission
de la dernière chance. La minuscule héroïne a pu progresser
dans les goulets étroits de quelques centimètres de diamètre à
peine, là où les humains de taille normale n'auraient jamais pu
passer. Parvenue aux abords de la caverne où étaient coincés

les 133 mineurs, la petite Emach a su faire exploser la paroi puis la creuser au marteau-piqueur et au piolet, afin d'ouvrir la voie qui a permis leur sauvetage. Les prisonniers ont ainsi pu être remontés et acheminés vers l'hôpital le plus proche de Copiapó. Aux dernières nouvelles, ils seraient tous hors de danger.

Retrouvons maintenant les autres titres qui font l'actualité.

FOOTBALL : Un nouvel entraîneur, Joe Falcone, a été nommé pour diriger l'Équipe de France. Il a d'ores et déjà annoncé qu'il comptait débarrasser l'équipe nationale de ses habitudes d'« enfants gâtés et capricieux ». Pour commencer, il a interdit à ses joueurs de parler à la presse et leur a demandé de ne plus arborer de vêtements aux marques de leurs sponsors personnels. De même, pour couper court à toutes les rumeurs quant à leur mode de vie ostentatoire, ils ne se déplaceront plus ni en jet privé ni en voiture de luxe. Cependant, Joe Falcone a exprimé le souhait de conserver N'Diap comme capitaine car il est actuellement, selon lui, le meilleur joueur français. Nous l'avons immédiatement contacté en Suisse, où il réside actuellement. « Jusque-là nous n'avions pas de chance, a-t-il déclaré, mais cette fois je suis sûr qu'on va gagner. »

GÉNÉRATION COCOONING : Une analyse sociologique du CDN, le Centre démographique national, montre que la nouvelle génération devient une « génération cocooning », qui vit dans un cocon et ne désire plus en sortir. Les jeunes restent le plus souvent enfermés dans leur chambre, ne veulent être dérangés par personne, et surtout pas par leurs parents. Reliés au monde extérieur par leur ordinateur et Internet, ils partagent aussi des jeux multijoueurs, échangent sur des réseaux sociaux, se tiennent informés du monde, visionnent des films, lisent des livres, écoutent des musiques sans quitter leur fauteuil. Pour se nourrir, ils se font livrer des pizzas, des hamburgers ou des sushis. De quoi survivre sans mettre le nez dehors. Et cette tendance, nous apprend-on, ne fait que s'accentuer. De plus en plus de jeunes se contentent de cette vie protégée. Or le manque d'exercice et la vie en milieu confiné, disent les médecins, vont avoir de sérieuses répercussions sur leur santé.

MOYEN-ORIENT : Nouveau massacre de pèlerins sunnites en Irak, près de la ville de Kerbala, perpétré par un groupe de chiites. Les tueurs s'étaient déguisés en policiers et avaient installé un faux barrage de contrôle. Ils ont arrêté quatre bus de pèlerins se rendant à La Mecque, ont fait descendre les passagers et les ont égorgés un par un. Les femmes, les vieillards et les enfants n'ont pas été épargnés. On compte plus de 430 victimes. La scène a été filmée, puis diffusée sur Internet. Le message qui accompagne le film fait clairement référence à la fête dite de l'Achoura, et annonce qu'il s'agit là de venger le meurtre de l'imam Hussein à la bataille de Kerbala, en l'an 680, par les hommes du calife des Omeyyades, Yazid Ier. Selon la voix off de la vidéo : « Ces sacrifices sont offerts pour éteindre l'incendie de la colère des martyrs chiites. Ce drame passé ne sera jamais lavé tant que nous n'aurons pas fait couler des fleuves de sang issu des veines de tous les chiens sunnites. »

SCIENCE : Réussite de l'atterrissage sur la planète Mars de la nouvelle sonde *Scout*, destinée à analyser la composition de la surface martienne et son atmosphère. C'est un nouveau succès pour cette mission spatiale qui aura coûté plus de 2 milliards de dollars aux contribuables américains, ainsi qu'aux différents pays associés au projet et qui ont fourni les appareils de haute technologie : la France, l'Angleterre et l'Allemagne. Un pas de plus vers l'exploration de l'espace, alors que le projet privé du milliardaire canadien Sylvain Timsit connaît de sérieux revers. *Le Papillon des Étoiles 2*, ce voilier spatial géant à propulsion photonique capable de sortir du système solaire, est en effet confronté à des incidents techniques qui ont obligé ses ingénieurs à repousser une fois encore la date probable de son décollage...

4.

Le doigt appuie sur la télécommande qui éteint l'écran du téléviseur où défile la suite des actualités. Puis la main se pose sur la table à la marqueterie complexe représentant des feuilles entrelacées.

– Et maintenant nous faisons quoi ?

Le président Stanislas Drouin ouvre la fenêtre. Il observe les jardins de l'Élysée et ses jardiniers affairés à soigner pelouse et fleurs.

– Voilà maintenant un an que nos Micro-Humains accomplissent des miracles partout dans le monde et que notre entreprise est florissante. M'autorisez-vous à faire visiter Pygmée Prod aux journalistes, monsieur le président ? questionne Natalia Ovitz.

Le chef de l'État fronce les sourcils. Avec ses cheveux poivre et sel, sa petite bedaine et ses lunettes rectangulaires, il affiche plus que son âge. Face à lui, le colonel Ovitz, une femme naine de 50 ans qui a gardé ses cheveux noirs et son visage déterminé, est prête à reprendre les missions sur le terrain.

– Les journalistes ? Mais d'où vous vient cette idée saugrenue ?

– Ils le réclament, et je crois que désormais, après le succès de la mission d'Emma 103 683 au Chili, nous pouvons dévoiler l'ampleur de notre réussite.

Il affiche une moue peu enthousiaste.

– Non.

– Pourquoi cela ?

– Nous dévoiler aux yeux du monde, quel intérêt ? Pour être heureux et efficaces, vivons cachés, dit-il sans se retourner.

Le colonel Ovitz ne se laisse pas décontenancer.

– À ce stade de notre développement nous souffrons d'un déficit de valorisation de la marque. Une exposition dans les médias devrait faire pencher la balance en notre faveur.

– N'y comptez pas. Les journalistes chercheront à vous salir. C'est leur métier, ce sont des charognards.

– Parce que vous êtes président, mais moi je ne suis que... chef d'entreprise. J'ai besoin de communication et de publicité.

Le président Stanislas Drouin observe par la fenêtre sa femme Bénédicte qui, assise sur un banc, son ordinateur portable sur les genoux, parle dans son smartphone.

– Vous voudriez passer du clandestin au... mondain ?

– Disons plutôt : assumer nos choix.

Le chef de l'État quitte la fenêtre et vient s'asseoir à son bureau. Dans son fauteuil capitonné, il se sent en position de force.

Il ouvre un tiroir, en sort sa boîte incrustée d'ivoire offerte par le président tanzanien, puis son petit matériel : un sachet de cocaïne et un tube d'argent. Il installe trois rails de poudre et les renifle avec application. Le produit toxique brûle ses narines, pénètre dans son sang, chauffe sa gorge et, en titillant son cerveau, lui donne la sensation de réfléchir plus vite.

– Après tout, Pygmée Prod est désormais une entreprise privée, n'est-ce pas ? Nous, enfin je veux dire l'État, ne possédons que 49 % des parts de cette société.

Il s'essuie les narines. Comme toujours, le produit provoque en lui un sentiment de toute-puissance mêlée à la plus profonde solitude. Il a tout à la fois envie de se proclamer roi du monde et de se suicider. C'est d'ailleurs la fulgurance de ce paradoxe, songe-t-il, qui fonde sa véritable addiction.

– Je voulais votre assentiment, monsieur le président, puisque vous êtes à l'origine du projet de miniaturisation de l'être humain.

– Juste par curiosité, rappelez-moi l'intérêt, s'il y en a un, d'exhiber nos laboratoires ultrasecrets au public ?

La femme se redresse contre les coussins de soie disposés par le maître des lieux pour son confort.

– Nous existons depuis un an, nous sommes cotés en Bourse, nous avons autant besoin d'investisseurs que de clients pour optimiser notre croissance. Dans le système capitaliste dont nous dépendons, une campagne de publicité autour de notre « entreprise des technologies du futur » s'impose.

Drouin renifle longuement, puis murmure :

– Vous pouvez faire ce que vous voulez, vous avez ma bénédiction. Mais ce n'est pas pour parler de croissance que je vous accueille ici. Vous le savez.

Elle baisse les yeux, gênée.

– Natalia... j'aimais quand vous me donniez votre vision du futur. Maintenant, j'ai l'impression que vous me parlez comme tous les industriels que je reçois, pour me demander de l'argent ou un soutien médiatique, et au final pour me faire accepter les licenciements...

– Nous sommes plutôt en phase d'engagement de personnel, monsieur le président.

Il hésite à reprendre de la cocaïne, se raisonne, puis revient vers la fenêtre. Sa femme a disparu, mais son ministre de l'Agriculture discute avec son ministre de l'Éducation, à qui il met des documents sous le nez.

– Natalia... Natalia... Autrefois, lorsque vous veniez dans ce bureau, c'était pour me parler de mission secrète, me faire rêver sur les sept voies d'avenir possibles.

Il observe les deux ministres bientôt rejoints par un troisième, le ministre de l'Intérieur, et tous trois comparent des courbes. Le président esquisse une moue navrée.

– J'avais l'impression que lorsque tous mes collègues étaient myopes et ne voyaient qu'à très court terme, moi, et moi seul, grâce à vous, Natalia, je pouvais voir plus loin dans le temps. Et quel vertige de penser non plus à mes électeurs mais aux générations suivantes.

Elle ne relève pas.

– Pourquoi ne me parlez-vous plus de ces sept voies, Natalia ?

Il se retourne, et s'approche tout près d'elle, le regard plein d'attente.

– J'ai peut-être une idée, dit-elle enfin. Avez-vous entendu parler du jeu de Yalta ?

– Je connais les accords de Yalta de 1945, entre les trois chefs d'État vainqueurs de la Seconde Guerre mondiale : Roosevelt, Staline, Churchill… Quel rapport ?

– Eh bien, ils ont inspiré un jeu d'échecs, non pas à deux joueurs, blancs contre noirs, mais à trois joueurs. Blancs, noirs et rouges.

Le président reprend place avec lenteur dans son fauteuil, et invite son interlocutrice à poursuivre.

– L'échiquier est de forme triangulaire. À trois joueurs, ce ne sont plus les gentils contre les méchants, mais ceux qui parviennent à s'allier contre celui qui n'y parvient pas.

– Donc, au début de ce jeu, il ne faut pas gagner de manière trop visible, sinon les autres vous craignent et s'allient contre vous ?

– En effet. Il faut jouer de manière plus…

– … perverse ?

– … subtile. Mais ce jeu d'échecs à trois couleurs m'en inspire un autre. Je suis en train de penser qu'on pourrait mettre au point un jeu d'échecs non pas à trois mais à… sept joueurs.

Natalia a le regard qui brille.

– Un jeu d'échecs qui intégrerait les sept voies du futur ? demande-t-il.

– Exactement ! Sept camps qui représenteraient les sept branches de développement possible pour l'humanité. Et nous pourrions noter ainsi, comme les coups d'une partie d'échecs, les mouvements de chaque camp, leur progression, leurs réussites et leurs pertes. Il faudrait un jeu à sept côtés.

Il sourit.

– J'admire votre sens inné de la stratégie et de la prospective, ma chère Natalia, mais je ne vois pas très bien comment...

Elle descend du fauteuil où elle était juchée.

– Oh, et puis pourquoi attendre, je peux vous le fabriquer tout de suite ce nouveau jeu. Demandez à vos huissiers d'aller me chercher de la peinture en bombe, une plaque de bois épaisse et bien plane, des feutres.

Il obtempère, amusé, et, quelques minutes plus tard, elle exhibe une planche où est dessiné un motif géométrique.

– C'est quoi ce dessin ? On dirait un polygone à sept faces remplies de cases blanches et noires.

– Pour être précis, c'est un « heptagone ». Une figure à sept côtés. Comme il y a 64 cases dans un échiquier pour deux joueurs, j'en ai déduit que chaque joueur en a 32. Et j'ai pensé qu'il serait nécessaire pour sept joueurs d'utiliser 7 × 32 donc 224 cases.

Le président est intrigué.

– Et les pièces ? Pour sept joueurs, je présume qu'il en faut beaucoup.

Natalia colore les pièces à l'aide des feutres qui lui ont été apportés.

– Noir, blanc, rouge... bleu, vert, jaune, mauve.

Elle les dispose sur l'échiquier heptagonal, pions alignés devant les figures, ces dernières protégeant le Roi et la Reine au centre.

– Voilà les sept camps représentés, et donc la symbolisation possible des sept voies du futur.

– À quoi correspondent les couleurs ?

– C'est un choix subjectif que je vous propose :

1. BLANC : la voie du capitalisme et de la consommation. Je dirais : la suprématie américaine ou chinoise.
2. VERT : la voie des religieux qui veulent convertir le monde. Pour l'instant, en figure de proue : les Iraniens et les Saoudiens.

25

3. BLEU : la voie des machines, robots et autres ordinateurs, que développent par exemple le docteur Frydman et les ingénieurs coréens.
4. NOIR : la voie des fuyards de l'espace avec le « Papillon des Étoiles 2 », le projet de Sylvain Timsit, et peut-être la prolongation des missions sur Mars.
5. JAUNE : la voie de l'allongement de la vie par le clonage et les greffes, le choix du docteur Gérard Saldmain et des médecines de pointe.
6. ROUGE : la voie de la féminisation, celle d'Aurore Kammerer et de ses Amazones, mais aussi de toutes les féministes de la planète.
7. MAUVE : la voie du rapetissement, le choix de David Wells, de ses amis pygmées et, maintenant, des Micro-Humains.

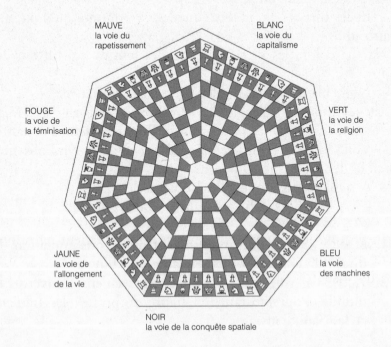

MAUVE
la voie du
rapetissement

BLANC
la voie du
capitalisme

ROUGE
la voie de
la féminisation

VERT
la voie de
la religion

JAUNE
la voie de
l'allongement
de la vie

BLEU
la voie
des machines

NOIR
la voie de la conquête spatiale

Le colonel Ovitz se penche sur l'échiquier.

– Si nous décidions de commencer la partie à ce jour, je jouerais ce coup-ci.

Elle pousse d'une case le pion mauve face au roi mauve.

– La mission au Chili, c'est cela ? Pour vous, c'est une avancée de la cause des Mauves ? Parfait. Quoi d'autre ?

Il se penche à son tour au-dessus du jeu.

– Pour le reste, nous bougerons les pièces au fur et à mesure que l'actualité nous l'indiquera.

Elle regarde le pion mauve, tout seul.

– Ce succès au Chili est une première avancée, mais nous pouvons considérer que la présentation de Pygmée Prod aux médias pourrait en être une seconde.

Elle touche un autre pion mauve.

– Ce que vous venez de m'autoriser tout à l'heure va nous donner un avantage de principe.

Le président Drouin soulève le pion et l'examine de plus près.

– Et je me doute que votre réussite va énerver les autres camps.

– Je vous ai dit que le jeu fonctionne sur les alliances. Il faut gagner, mais de manière discrète.

– Alors pourquoi me proposez-vous de faire venir les journalistes au centre Pygmée Prod ? Ce n'est pas vraiment une stratégie de discrétion.

– La meilleure manière de ne pas agacer les autres joueurs est de ne rien jouer du tout, mais vient un moment où il faut avancer pour les obliger à réagir. On doit seulement rester prudent et savoir qu'en face, les six autres joueurs ne nous veulent pas du bien.

Le président observe le jeu, puis la mappemonde posée sur son bureau.

– Tiens, nous pourrions ajouter le massacre de Kerbala. Des chiites pro-iraniens qui tuent quatre cent trente personnes, c'est un coup, il me semble. Ils font une démonstration de force, même si c'est de force destructrice.

Elle approuve et avance un pion vert.

Le président s'assoit, range sa cocaïne et son matériel dans la boîte incrustée d'ivoire qu'il glisse dans le tiroir.

– Plus je le comprends, plus je trouve passionnant votre jeu d'échecs heptagonal. Je compte sur vous pour me tenir au courant de la suite de la partie, Natalia.

Le colonel Ovitz approuve puis, après une hésitation, abandonne le plateau et les pièces peintes. Elle se dit qu'elle devra fabriquer le même pour elle, afin de bien comprendre, au calme, ce qu'il se passe.

Je dois acquérir une vision stratégique planétaire « objective », non influencée par les éditoriaux et les préjugés des journalistes et des politiciens.

5.

– Je vous demande de ne pas vous éloigner de moi. Ne touchez à rien et regardez bien où vous mettez les pieds. Vous allez pouvoir commencer la visite de notre centre.

Les deux journalistes sont face à David Wells qui, pour l'occasion, arbore une blouse blanche sur laquelle un badge annonce : « DOCTEUR WELLS ».

– Je me nomme Georges Charas et voici mon caméraman, Gus.

Ils se serrent chaleureusement la main. Les journalistes l'examinent. Le scientifique est un jeune homme d'1,70 mètre sur talonnettes. Il a un visage poupin, tout rond, avec un nez qui se termine en boule et un front quasi sphérique. Sa bouche est charnue, et son regard vif court sur chaque détail qui l'environne.

– Enchanté, messieurs, et bienvenue à Pygmée Prod. Vous devez enfiler des blouses et des masques filtrants. C'est une précaution d'hygiène.

– C'est pour protéger les Micro-Humains de nos microbes ?

– Plutôt le contraire. Ils ont un système immunitaire beaucoup plus efficace que le vôtre, je voudrais éviter qu'ils vous infectent avec « leurs » microbes.

Les deux reporters obtempèrent, un peu étonnés.

– Vous comprendrez tout, vous verrez tout. Pour la première fois, vous saurez tout sur nos recherches.

Lorsqu'ils sont prêts, David se lance.

– Tout d'abord, il faut que vous sachiez comment tout a commencé. Au début, Pygmée Prod n'existait pas. Il n'y avait que la vague idée d'une femme, naine au demeurant, de fabriquer des petits espions. Cette femme, c'est Natalia Ovitz. C'est elle qui est à l'origine de tout ça. Puis, elle a rencontré deux scientifiques. Aurore Kammerer et… moi-même. La première croyait à une évolution de l'humanité vers sa féminisation, et le second, votre serviteur, vers une réduction de la taille des individus. Ensemble, Aurore, Natalia et moi, nous avons constitué un groupe de recherche secret, ici même, dans ce centre, et c'est là que nous avons tout d'abord imaginé puis conçu cette nouvelle humanité en réduction.

Les trois hommes marchent du même pas jusqu'à la première porte.

« PYGMÉE PROD » s'étale en larges lettres mauves et blanches sur fond noir au fronton de l'entrée qui fut jadis celle du centre INRA de Fontainebleau. Juste au-dessous, le nouveau logo de l'entreprise : non plus un épi de blé mais une reproduction de l'Homme de Vitruve, le fameux dessin de Léonard de Vinci, censé représenter les proportions idéales du corps humain. À la différence près que, à l'intérieur du graphisme de l'homme aux bras et aux jambes tendus dans un cercle, s'en trouve un autre, exactement similaire, mais dix fois plus petit, placé au niveau de son nombril. Inspirée par La Fontaine, la devise de Pygmée Prod s'étire dessous : « ON A TOUJOURS BESOIN DE PLUS PETIT QUE SOI. »

Le caméraman filme avec attention, alors que le journaliste prend des notes pour son article.

David les laisse faire, puis il les guide derrière les murs d'enceinte.

Désormais, au centre du parc trône la sculpture représentant les corps amoncelés des Emachs sacrifiées à Fukushima. Au faîte, une Micro-Humaine en bronze brandit un levier.

– C'est le vrai levier qui a permis de déclencher le refroidissement du cœur du réacteur nucléaire, précise David. Le sculpteur l'a inclus dans l'œuvre. Pour la composition elle-même, il s'est inspiré du tableau de Géricault *Le Radeau de la Méduse*, une masse de corps agonisants surmontée par le plus vaillant d'entre eux. Pour restituer l'émotion, les Emachs n'ont pas été représentées avec leur scaphandre de protection, mais en tenue de commando, comme si leurs petits corps avaient été le seul rempart aux radiations. La plaque en cuivre vous donne le titre de l'œuvre : « *Ad augusta per angusta* », c'est-à-dire : « Vers des résultats grandioses par des voies étroites. »

La formule de la DGSE qui avait impressionné Aurore avait été récupérée pour cette sculpture colossale.

– Après la réussite de cette mission à Fukushima, les énormes moyens octroyés par les investisseurs privés et par l'État ont permis à Pygmée Prod de prendre un nouvel essor, explique David. Suivez-moi, je vais vous montrer.

Les journalistes lui emboîtent le pas. Face à eux, la bâtisse en forme de U scintille sous le soleil.

– Tout a été entièrement rénové. Plus la moindre trace des tirs essuyés lors des échauffourées de l'épidémie de grippe, plus aucune marque de la peinture rouge que nous envoyaient les anti-Micro-Humains.

Le journaliste hoche la tête en prenant des notes.

– Je me souviens, dit-il. J'avais couvert ces événements à l'époque, c'était terrible.

– Aménagé dans l'aile droite du bâtiment d'origine, le musée permettra aux clients et aux visiteurs de découvrir non seulement les premières images des recherches sur la miniaturisation humaine, mais aussi des photos de la désormais célèbre opération « Ladies of the rings » en Iran ; de Emma 109 se faisant passer pour une ambassadrice extraterrestre à la tribune de l'ONU ; des vingt-quatre Micro-Humaines qui se sont sacrifiées pour refroidir le cœur du réacteur nucléaire de Fukushima. Et enfin des nombreuses missions des Emachs en milieu hostile qui se sont déroulées depuis plus d'un an.

Charas désigne des clichés récents.

– Et la libération des mineurs chiliens coincés dans le tunnel par l'éboulement.

– C'est la troisième fois que nous sauvons des mineurs au Chili. Et chaque fois dans un lieu plus inaccessible que le précédent.

Ils poursuivent leur découverte.

– Dans l'aile gauche du bâtiment en U se trouve la « Nurserie ». Il s'agit à proprement parler de l'unité de production des Micro-Humains.

David les entraîne vers une première pièce où l'on voit un ornithorynque dans un bassin.

– C'est grâce à l'observation des ornithorynques, uniques mammifères ovipares, que nous avons eu l'idée de fabriquer les Micro-Humains dans des œufs. Celui-ci, c'est Nautilus.

– C'est l'ornithorynque qui a permis la création du premier Emach ?

– Non. Le premier est mort de… hum, vieillesse.

31

Il déglutit en se souvenant d'avoir mangé l'animal lors de la famine qui avait suivi l'épidémie de grippe.

– Nous avons baptisé ce nouvel ornithorynque Nautilus en hommage à Jules Verne. Cet animal descend sous l'eau avec des ballasts et est équipé d'armes redoutables, comme le sous-marin de l'auteur.

Le caméraman filme et le journaliste note l'anecdote.

David leur désigne une cage de verre remplie de lézards immobiles, qui les observent successivement de leur œil droit, puis de leur œil gauche.

– Ensuite, nous avons eu la surprise de découvrir qu'en milieu stressant une espèce se féminise et développe 90 % de femelles, comme ces lézards de type *Lepidodactylus lugubris*. Ici, ces femelles sont toutes issues de la même mère et sont dépourvues de père, pourtant elles ont toutes des caractères génétiques différents.

– Vous parlez de milieu stressant. Vous soumettez vos Emachs à des agressions ? demande Georges Charas.

– La section Emach Commando subit un entraînement qui ferait pâlir beaucoup de nos soldats. C'est le colonel Natalia Ovitz qui les forme à la dure, selon le principe d'évolution : « Ce qui ne tue pas rend plus fort. »

– N'est-ce pas ce qu'on nomme la « mithridatisation » ?

– En effet, nous utilisons ce terme en hommage au roi Mithridate qui prenait tous les jours un peu d'arsenic pour s'immuniser contre un éventuel empoisonnement.

Le scientifique désigne une partie de la nurserie où des œufs sont soumis à un rayonnement vert.

– Ces œufs sont bombardés de rayons alpha, bêta, gamma et X afin d'habituer les fœtus d'Emachs qui sont à l'intérieur à développer leurs résistances. Nous augmentons très progressivement les doses. Certains meurent. Nous considérons que ceux qui survivent sont immunisés.

– N'est-ce pas cruel de soumettre des fœtus à des radiations mortelles ?

– Au Tibet, les nouveau-nés sont jetés dans des torrents glacés pour vérifier qu'ils résisteront au froid… Endurcir les jeunes générations est un atout pour elles.

Le journaliste reste sceptique.

– Et sur les Micro-Humains, ça fonctionne réellement ?

– Désormais, la deuxième génération d'Emachs supporte $1/20^e$ de radiations de plus que la première.

– C'est-à-dire que s'il arrivait un nouveau Fukushima, elles tiendraient plus longtemps ? demande Georges Charas, impressionné.

– Probablement.

Le caméraman filme les œufs en réglant sa mise au point.

– Tous sont conçus par fécondation in vitro ? demande-t-il.

– Non, répond David. Seule la génération des mille premiers Micro-Humains a été conçue ainsi. Désormais les femelles pondent naturellement leurs œufs. Ils sont recueillis et emmenés ici pour être couvés « scientifiquement » et soumis aux différents traitements qui visent à les endurcir. Ensuite, ces « Micro-Humains résistants » sont utilisés pour les missions.

Le journaliste fait signe à son caméraman de pointer son objectif sur les différents éléments du décor.

– Et l'instinct maternel ? Les femelles emachs ne veulent pas couver leurs propres enfants ?

Georges Charas sent qu'il a touché un point délicat, car son vis-à-vis semble embarrassé.

– Nous laissons un petit groupe de Micro-Humaines couver leurs œufs. Les individus éclos ne seront cependant pas utilisés pour les missions.

– Alors ils serviront à quoi ?

– À l'entretien de leur ville de Microland 2, aux travaux des champs, à la construction des bâtiments, à l'artisanat. C'est aussi dans cette population de nouveau-nés couvés par la mère que nous sélectionnons les mâles reproducteurs.

Georges Charas approche le micro.

– Les « mâles reproducteurs » ?

– Nous ne fournissons aux clients que des femelles. Elles sont toutes prénommées Emma, comme MA (en référence à la première Micro-Humaine que nous avions appelée Micro-Aurore) et numérotées. Les mâles (prénommés Amédée, en souvenir de Micro-David) ne servent, eux, pour l'instant qu'à la reproduction.

Il désigne des photos de mâles emachs sur les murs.

– Comme chez les bovidés, les taureaux sont seuls reproducteurs, souligne le caméraman. Ou les étalons chez les chevaux, les coqs chez les poules.

– Les mâles sont un peu plus fragiles, précise David. Ils ne tiendraient pas dans les missions dangereuses, en milieu hostile irradié ou infectieux.

Les trois hommes passent dans une nouvelle salle où ils découvrent des œufs plus mûrs, baignant eux aussi dans des rayonnements verdâtres.

– Pygmée Prod « loue » pour des missions précises des Micro-Humaines comme nous louerions des travailleurs intérimaires. Elles sont facturées à l'heure. Nous ne les vendons jamais. Toutes sont numérotées. Elles ne sont prêtées que pour des missions strictement limitées dans le temps.

– Mais qu'est-ce qui empêche un client de faire ses propres reproductions ? demande Georges Charas.

– Précisément le contrôle des mâles. Nous en avons 10 %, mais ils ne sortent jamais d'ici. Ils sont notre vrai trésor.

Les trois hommes débouchent dans une salle où tous les œufs sont alignés dans des coquetiers, exposés à des lampes rouges.

– Ici, c'est la première salle de couvaison pour les œufs parvenus à maturité.

Le scientifique saisit un œuf et le passe dans un appareil de radiographie. Aussitôt apparaît sur l'écran une forme de fœtus occupant un dixième du volume de l'œuf.

– Voilà la première étape de fabrication de la nouvelle humanité.

– C'est vraiment...

Le journaliste cherche à définir l'émotion qu'il ressent.

– ... attendrissant et impressionnant à la fois.

Puis le scientifique, accompagné des deux journalistes, passe dans une seconde salle où s'alignent des œufs d'une couleur beige plus foncé.

À nouveau, David saisit un œuf qu'il place dans un appareil de radiographie, et ils distinguent cette fois un fœtus occupant près des trois quarts du volume.

– Ceux-ci sont prêts à éclore, annonce David.

Enfin, dans la dernière salle, les trois hommes assistent aux éclosions proprement dites. Des coquilles se fendillent.

– Tout part de l'œuf primordial..., murmure David.

Le journaliste distingue parfaitement les petits bras qui poussent sur la membrane, la fendent, la déchirent.

Le caméraman filme avec une excitation visible, jusqu'au moment où la coquille se brise complètement et libère son occupant qui, encore englué dans une matière transparente, choit sur un matelas de mousse rose et commence déjà à ramper vers la vitre.

– Les Micro-Humains sont lavés, puis bagués, numérotés, répertoriés, et enfin disposés dans la salle de repos.

Comme pour confirmer, une femme en blouse blanche, équipée d'un masque de protection, saisit délicatement les nouveau-nés et, après les avoir épongés et essuyés, leur avoir placé un bracelet plastique autour du mollet, les dépose un par un sur de petits lits alignés, surmontés d'une caméra de contrôle.

— Et voici le docteur Aurore Kammerer, avec qui j'ai mis au point les premiers Micro-Humains, présente David.

La jeune femme baisse son masque et salue la caméra qui la filme. Le journaliste découvre alors une femme d'une beauté troublante. Ses yeux ont une teinte pratiquement dorée, son visage est encadré de cheveux bruns qui lui arrivent aux épaules. Elle a un petit air de souris et sa bouche finement dessinée esquisse une moue complice.

Georges Charas tombe aussitôt sous le charme.

— Comment se fait-il que ces enfants à peine nés soient déjà capables de voir, d'entendre et de se déplacer ? demande-t-il.

— En fait, la gestation normale de l'humain devrait être de dix-huit mois. Mais nous sommes tous des prématurés du fait de l'étroitesse du bassin des femmes Homo sapiens, explique la jeune femme. Les Micro-Humains, baptisés par nous Homo metamorphosis, ne sont pas limités par le bassin des mères, ils ne sont limités que par la coquille de l'œuf, assez large pour permettre une croissance complète. Ils vivent donc une gestation qui correspondrait chez nous à dix-huit mois.

Le journaliste approche son micro pour être sûr d'obtenir un son parfait.

— Si je comprends bien, tout se passe comme si les Emachs naissaient avec neuf mois de maturité supplémentaire ?

— À neuf mois, un bébé ne se tient pas debout mais il rampe, il a des cheveux, il voit et il entend.

Le journaliste fait signe au caméraman de serrer son cadrage sur l'impressionnant regard doré de la jeune femme.

— Cependant, dans ce cas, la couvaison ne dure pas dix-huit mois ?

— Non, chez les Micro-Humaines tout doit être divisé par dix. Leurs œufs éclosent dix fois plus vite, c'est-à-dire en un peu plus d'un mois et demi.

Le caméraman zoome ensuite sur l'adorable visage d'une nouvelle-née qui les fixe avec curiosité.

– Quelle quantité produit Pygmée Prod ? questionne le journaliste.

– Actuellement, enchaîne David, nous sommes à douze naissances par jour, mais nous allons ajuster ce chiffre en fonction du marché. Nous nous attendons à une forte demande de location, mais nous ne souhaitons pas avoir trop d'Emachs dans la nature, nous ne pourrions pas les contrôler. C'est un choix, et c'est celui des administrateurs de Pygmée Prod, pour son développement commercial.

– Justement, docteur Wells, qui sont ces fameux administrateurs de Pygmée Prod ?

– Le conseil d'administration comprend les six membres fondateurs : le colonel Natalia Ovitz qui en est la PDG, le lieutenant Martin Janicot qui est directeur général, le docteur Aurore Kammerer, madame Nuçx'ia Nuçx'ia, madame Penthésilée Kéchichian et moi-même, ainsi qu'un représentant du gouvernement et un représentant des investisseurs privés, monsieur Vachaud. Les décisions sont votées à la majorité relative, mais, en général, nous avons tous la même vision de l'évolution de notre entreprise.

Ils quittent la zone « Nurserie », puis poussent les portes d'une salle dans laquelle vaquent des Micro-Humaines attentives, en tenue d'infirmière, soignant les bébés. Certains sont même allaités par des nourrices qui ont libéré un sein pour se livrer à cette tâche délicate. Le journaliste semble fasciné par la scène.

– Vous avez l'air surpris, intervient David, ce sont des mammifères, et les mammifères sont allaités, c'est même ce qui les définit. Tout comme chez les ornithorynques ou les dauphins, les femelles emachs ont des seins et du lait.

– Et on n'a pas encore pensé à faire des yaourts… au « lait d'Emach » ? interroge le caméraman.

Puis, prenant conscience de l'incongruité de sa question, il fait signe qu'elle n'appelle aucune réponse.

La visite les conduit jusqu'à une salle de classe où de minuscules jeunes filles sont assises. Le journaliste distingue quelques rares garçons.

– Les enfants couvés par leurs parents et les autres sont éduqués dans des classes communes.

David indique aux deux journalistes qu'ils peuvent maintenant visiter la cité proprement dite.

Ils quittent donc le bâtiment de l'aile droite du U, et croisent le lieutenant Martin Janicot qui, à l'aide d'une brouette, évacue les déchets quotidiens de la ville. Le géant arbore comme à son habitude un tee-shirt affichant une loi de Murphy :

17. La théorie, c'est quand ça ne marche pas mais que l'on sait pourquoi.
La pratique, c'est quand ça marche mais qu'on ne sait pas pourquoi.
Quand la théorie rejoint la pratique, ça ne marche pas et on ne sait pas pourquoi.

Sa brouette est remplie de minuscules sacs en plastique noir hermétiquement clos.

– Les déchets d'une journée, commente le jeune homme. Aujourd'hui, c'est Martin qui s'est dévoué.

– Ah, si l'on pouvait évacuer aussi facilement les déchets de Paris ou de New York, regrette le journaliste.

– Je crains que dans le futur, compte tenu de la masse de nos déchets, ces sixième et septième continents formés d'ordures qui flottent en Atlantique et dans le Pacifique ne s'agrandissent encore, ajoute Martin.

– À moins qu'on les déverse dans l'espace, rétorque David soudain pris d'une intuition. Je verrais bien tous les déchets déposés sur la Lune, ce qui nous débarrasserait de nos dépotoirs à ciel ouvert.

Le journaliste note l'idée.

– Vous avez vraiment beaucoup d'imagination, docteur Wells, mais tout cela c'est de la science-fiction.

David se tourne vers les journalistes.

– Pour l'instant, nous évacuons ici les détritus de manière artisanale, mais nous allons bientôt équiper la cité d'un système de « tout-à-l'égout », évacuation des eaux usées et des ordures. C'est en préparation.

Ils arrivent enfin devant le hangar sur lequel s'affiche en grandes lettres mauves et blanches sur fond noir : MICROLAND 2.

Avant d'ouvrir, David marque un arrêt.

– Évidemment, dit-il, c'est la suite de Microland 1, la cité d'origine que vous avez vue dans les journaux et tout à l'heure au musée.

Le caméraman change d'optique, et s'apprête à filmer le minuscule monde avec l'objectif macro adapté.

– Nous avions prévu que la demande allait augmenter, et nous avons accru en même temps la production et la taille de la cité.

Il actionne la porte électrique avec une carte à puce, et se dévoile à leurs yeux l'intérieur d'un hangar géant, semblable à ceux qui abritent les avions.

Les journalistes distinguent au centre du vaste espace un immense terrarium aux parois de Plexiglas transparent.

– La cité sous verre. Largeur 50 mètres, longueur 50 mètres, hauteur 5 mètres. Vous pouvez approcher. Je vous demanderai juste de ne pas toucher la paroi.

Le journaliste et le caméraman découvrent alors l'activité d'une cité humaine, si ce n'est qu'elle est réduite à l'échelle 1/10e.

À l'intérieur, tels des Gullivers au milieu des Lilliputiens de Swift, Nuçx'ia, Natalia et Penthésilée plantent des arbres bonsaïs dans le jardin central. Elles se meuvent et se déplacent au ralenti, chacun de leurs gestes et de leurs pas risquant de mettre à mal quelque chose, ou quelqu'un. Ce n'est qu'après avoir longuement vérifié qu'il n'y a rien ni personne sous leurs semelles, qu'elles avancent un pied devant l'autre.

— Je vous parlais tout à l'heure des autres associés de Pygmée Prod. Comme vous le voyez, tous sont impliqués en permanence dans l'entretien de la ville.

— Pouvons-nous entrer nous aussi à l'intérieur du terrarium, enfin je veux dire de Microland ?

David les guide vers un sas transparent et les deux journalistes, après avoir enfilé des protections sur leurs chaussures, sont autorisés à pénétrer dans la cité. Le scientifique les appelle à la prudence.

Il leur enseigne la manière de marcher, très particulière.

— Les Grands doivent circuler sur la route de linoléum spécialement aménagée à cet effet. Votre chemin est balisé, vous n'en sortez sous aucun prétexte.

Les deux hommes acquiescent. La caméra vise les humains occupés à planter les arbres.

À peine les nouveaux venus ont-ils pénétré dans la cité de Plexiglas que des Micro-Humains accourent pour se prosterner à leurs pieds.

— C'est quoi ça ? s'exclame le journaliste.

Déjà un large groupe les rejoint, des offrandes dans les bras.

— Et eux, c'est qui ? demande Georges Charas. Des fanatiques ?

— Pour les contrôler, nous les avons éduqués dans le respect total des Grands. Par moments, disons que cette éducation va plus loin...

– Une religion ? Vous les avez endoctrinés pour qu'ils vous vénèrent !?

– Nous n'avions pas le temps de leur expliquer les subtilités de la morale, du bien et du mal. La religion a l'avantage d'être une sorte de « prêt-à-penser » capable de canaliser rapidement l'énergie des foules.

– Un polythéisme créé de toutes pièces ! s'émerveille le journaliste tout en notant sa propre phrase avec fierté.

Il repère des temples et les désigne à son caméraman qui s'empresse de les filmer en gros plan.

– Les cultes se sont progressivement spécialisés, explique David en désignant le groupe qui se prosterne devant lui. Ceux-là sont les Emachs de ma paroisse, ils me vouent un culte personnel. En fait, je leur apprends à fabriquer des machines, donc ce sont pour la plupart des ingénieurs, des techniciens, des architectes.

– Vous avez le rôle du dieu Héphaïstos, en quelque sorte ?

– Plutôt Vulcain. Je préfère le nom romain. Mes associés ont eux aussi emprunté les rôles des divinités romaines.

Il observe les Emachs agenouillés avec ferveur.

– Parfois, nos adorateurs changent de dieu en cours de route, selon leur orientation professionnelle.

– Vous voulez dire que lorsqu'une Micro-Humaine s'intéresse par exemple à la médecine, et qu'elle s'en lasse et veut travailler comme ingénieur, elle va quitter le culte du docteur Kammerer pour rejoindre le vôtre ?

Georges Charas retient un gloussement, fasciné par le principe. Il presse son caméraman de filmer les prêtresses en robes colorées.

– En général, tout s'équilibre, il y a autant de vocations pour chacun des six dieux, précise David avec modestie.

Il les guide ensuite vers un bâtiment qui ressemble à une cathédrale. La tour centrale est surmontée d'un œuf.

La papesse Emma 666 vient à eux, en tenue d'apparat pourpre. Son sceptre sculpté se termine par un œuf doré. Elle effectue une révérence.

– Emma 666 a été la première criminelle, et nous l'avons ramenée dans le droit chemin. Maintenant qu'elle a vu l'Enfer et le Paradis, elle a compris la notion de faute, de culpabilité et de responsabilité, du coup elle est devenue notre meilleur porte-parole pour transmettre aux Emachs notre philosophie et nos directives.

La Micro-Humaine parle soudain d'une voix aiguë et le journaliste approche son enregistreur.

– Qu'est-ce qu'elle dit ? Je ne comprends pas.

– Hum… Elle dit que vous marchez sur le cimetière.

Le journaliste dégage prestement son pied, et constate que par chance il a seulement renversé quelques pierres tombales.

– Pouvons-nous l'interviewer ? demande-t-il pour faire diversion.

David maîtrise son agacement.

– Elle est très irritée par votre négligence. Pour l'instant mieux vaut quitter les lieux.

Ils ressortent du terrarium. David désigne plusieurs bâtiments.

– Vous pouvez filmer d'ici, ce sera moins dangereux pour elles. Là-bas par exemple, ce bâtiment bleu, c'est l'école où elles apprennent à lire et à écrire.

– Si 1 an pour un Micro-Humain correspond à 10 ans pour un humain (c'est l'âge d'entrer au collège), à 2 ans, elles démarrent leur carrière universitaire, c'est cela ? demande Georges Charas avec un sourire.

– Exact. Là, ce bâtiment rouge, c'est le centre d'entraînement sportif, ici, la salle de spectacle, et là, le stade de football.

Ils quittent le hangar, puis David les invite à prendre un verre dans un salon du centre Pygmée Prod.

Georges Charas découvre sur un écran la courbe du chiffre d'affaires de l'entreprise.

– Quel est le taux de croissance ? demande-t-il.

– Pour l'instant, nous n'avons qu'une année de recul. Pour une population totale de trois mille individus, nous louons à peu près cent Emachs par jour, au tarif horaire de 100 euros. Il s'agit évidemment de clients fortunés et de missions pour lesquelles les autres moyens ne fonctionnent pas. En cas de missions périlleuses, la somme peut tripler.

– Par exemple, les missions en milieu irradié ou en milieu confiné, quoi d'autre ?

Le jeune scientifique désigne l'album photos des exploits de ses créatures.

– Depuis peu, une demande particulière nous parvient du domaine hospitalier. Les chirurgiens se sont en effet aperçu que les petits doigts précis et agiles des Homo metamorphosis étaient souvent plus efficaces que les gros doigts des Homo sapiens.

Sur les clichés, les minuscules femmes masquées de blanc opèrent assises sur les bords de la plaie ouverte.

– Les Emachs ne craignent pas non plus les infections, comme vous le savez, elles possèdent une grande résistance aux radiations, mais aussi aux microbes et aux virus. Là encore, le milieu médical apprécie d'avoir des « suppléantes » qui passent là où l'Homo sapiens… trépasse.

Le journaliste hoche la tête, impressionné, et note la formule.

– Et en dehors de la médecine ?

– Depuis peu, nous sommes sollicités par le milieu de la mécanique de précision. Des horlogers suisses vont lancer une ligne de montres dont le mécanisme est entièrement forgé et installé par des Micro-Humaines, à la main et avec des outils miniatures.

Il désigne une montre sous verre, que le caméraman filme en l'éclairant de sa torche.

– Je pense que dans les mois qui viennent, bien d'autres missions attendent nos petites suppléantes. Et je vous avouerai qu'elles-mêmes prennent plaisir à s'atteler à de nouvelles tâches qui les obligent à toujours se surpasser. J'ai surpris une conversation entre nos chirurgiennes qui revenaient d'une opération du cerveau particulièrement délicate. Elles racontaient leur action en essayant d'impressionner leurs camarades qui travaillaient dans le système respiratoire, évidemment moins complexe.

David fait défiler plusieurs photos où des chirurgiennes micro-humaines sont à pied d'œuvre dans ce qui semble de la pâte d'amande rose. L'une d'elles fait un signe de victoire en direction de l'objectif, en brandissant une tumeur noire qu'elle vient d'extirper du tissu cérébral.

– Vous voulez dire qu'elles ressentent une sorte d'émulation collective ?

– Elles sont curieuses de tout et assoiffées d'expériences nouvelles. Elles veulent sans cesse s'améliorer.

– Une motivation de jeune espèce que nous avons perdue, nous, la vieille espèce…, reconnaît le journaliste.

– Eh bien, messieurs, je crois que nous avons tout vu. J'ai moi-même beaucoup de travail, et si vous le permettez, je vais donc mettre fin à cette interview, annonce David.

Georges Charas fait signe à son collègue de couper la caméra, puis les deux journalistes remercient et serrent la main du chercheur, qui les raccompagne jusqu'à la porte d'entrée.

Il les regarde s'éloigner, cependant que Nuçx'ia le rejoint.

– Tu leur as tout dit ? demande-t-elle.

– Presque tout.

La jeune femme l'observe.

– Nous n'avons rien à cacher, dit-elle.

– *Presque* rien.

Elle lui prend la main et la serre contre sa poitrine.

– Tu te fais du souci, David ?

– Oui.

– Tout va bien, notre entreprise est florissante, nous avons les moyens financiers qui nous permettent enfin d'être tranquilles, j'ai même pu envoyer de l'argent à une association qui désormais protège notre tribu au Congo, tout comme Penthésilée a pu aider ses sœurs en Turquie et en Iran.

La jeune pygmée s'approche de son compagnon.

– C'est quoi alors ? Mmmh... laisse-moi deviner... 109 ?

Il baisse la tête.

– C'est quand même elle qui a arrêté le missile lancé contre Ryad, et en remerciement on lui a envoyé des chiens enragés. Voilà un an qu'elle vit cachée dans les égouts de New York, traquée par la police.

– David, je ne pense pas qu'elle ait pu survivre là-bas depuis si longtemps, entre les rats, les chats, les chiens. Sa copine blessée a dû mourir la première, et elle ensuite. Leurs corps ne seront jamais retrouvés.

David observe Nuçx'ia, pensif, puis ébauche un geste tendre.

– Désolé d'avoir autant d'états d'âme, mais tout est allé si vite. Nous n'avons pas vraiment mesuré les conséquences de ce que nous avions accompli.

– J'ai une idée pour te rassurer, annonce la jeune pygmée. Faisons une séance de Ma'djoba.

Il se souvient de la première fois que l'ingurgitation d'un mélange de lianes et de racines, selon une recette pygmée, lui avait permis de se plonger dans la période d'une de ses vies antérieures. Celle des Atlantes il y a huit mille ans.

Il sourit et elle sort la mélasse brune et la pipe traditionnelle qui va aider au voyage.

6. ENCYCLOPÉDIE : INFANTICIDE

En l'absence de contraception, la plupart des civilisations de l'Antiquité avaient inventé des procédures visant à gérer le « problème démographique ».

Chez les Romains, on présentait le nouveau-né aux pieds du père. Celui-ci l'examinait et décidait s'il lui donnait ou non son nom de famille.

Si le bébé semblait handicapé, s'il n'était pas beau, si c'était une fille (ce qui entraînait un surcoût de frais pour la dot), si le père avait un doute sur le fait qu'il était le vrai père, ou tout simplement s'il considérait qu'il avait assez de progéniture, il pouvait refuser de donner son patronyme à l'enfant. Sans avoir à justifier son choix.

Le nouveau-né non reconnu subissait alors ce qu'on appelait l'« exposition », qui consistait à le déposer sur le tas d'ordures du carrefour le plus proche. Dès lors, il pouvait être récupéré pour être adopté par une autre famille. Mais le plus souvent ces bébés étaient ramassés par les marchands d'esclaves ou les proxénètes qui les éduquaient pour en faire des prostitués (hommes ou femmes), ou les mutilaient pour en faire des mendiants. Si personne ne s'en préoccupait, ils mouraient sur le tas d'ordures, de faim et de froid, ou étaient dévorés par les chiens et les rats.

Seuls les juifs et les chrétiens avaient l'habitude de garder et d'éduquer tous leurs enfants, quels que soient leur physique, leur sexe, leur santé. Cette pratique provoquait d'ailleurs le mépris des Romains qui attribuaient ce comportement de « non-sélection » aux cultures « primitives ».

Au Japon, il existait également un rituel de sélection des nouveau-nés. En effet, le pays ne comportant que peu de terrains cultivables, les populations souffraient souvent de la famine. Aussi, les Shoguns avaient-ils décidé de stabiliser le nombre d'habitants de l'archipel nippon à 30 millions, nombre considéré comme idéal par rapport à la capacité agricole du pays.

Pour y parvenir, on conseillait certes aux non-productifs, vieux et malades de partir mourir en montagne (voir le film *La Ballade de Narayama*), mais il existait aussi la coutume dite du « tri des épis ». Là encore, on présentait l'enfant au père qui décidait si le nouveau-né devait continuer à vivre ou non. Si l'enfant était considéré comme excédentaire, on lui plaçait une boule de riz gluant dans la bouche, et deux boulettes dans les narines, puis le père avec sa main maintenait les orifices bouchés jusqu'à ce que l'enfant meure étouffé.

> *Encyclopédie du Savoir Relatif et Absolu,*
> *Edmond Wells, Tome VII.*

7.

Elle inspire profondément, puis la reine Emma II rejoint le groupe de prêtresses en robe pourpre, et s'adresse à la papesse dont le sceptre domine le groupe.

– Qui étaient ces étrangers, selon toi ?

– Des journalistes.

– Il ne faudrait pas que les Grands commencent à venir trop nombreux ici. Les anciens, nous les connaissons, mais les nouveaux peuvent nous causer de mauvaises suprises.

La papesse Emma 666 observe son sceptre.

– L'important pour l'instant, c'est que notre plan puisse avancer et que les Grands ne se doutent de rien.

La reine se mord la lèvre.

– Et s'ils découvraient notre secret ?

– Ils ne le découvriront pas.

– Pourquoi es-tu si sûre de toi ?

– Parce que les Grands nous sous-estiment. C'est là notre force, notre meilleur atout pour mener à bien notre plan...

La prêtresse affiche un large sourire, puis ajoute :

– Et ce n'est pas près de changer.

8.

La fumée pénètre d'un coup dans ses narines et il sent une sorte de brume envahir son esprit. Son buste part en arrière.

Ses paupières, fins rideaux, se referment sur le théâtre du réel, et David Wells bascule dans le décor qui lui est désormais familier.

Nuçx'ia fait le décompte de 10 à 0, et quand elle prononce le mot « zéro », il se retrouve dans le couloir jalonné de ses vies précédentes, avec des portes à ouvrir sur lesquelles des noms masculins et féminins sont gravés sur des plaques.

Il ne s'arrête pas à ses vies intermédiaires et rejoint la dernière porte, celle de sa première vie sur Terre.

Il l'ouvre, découvre le pont de lianes qui s'enfonce à travers la brume et s'avance à grands pas dans un autre espace-temps.

Il se revoit Atlante sur une île désormais disparue.

Il est Ash-Kol-Lein, en train de faire l'amour avec sa femme, Yin-Mi-Yan, lorsque soudain sonne la corne d'alerte.

Aussitôt les deux Atlantes se rhabillent et descendent dans l'avenue principale de la ville d'Ha-Mem-Ptah.

Il sent que ce n'est pas une de ces alertes pour un astéroïde géocroiseur, c'est autre chose.

Déjà plusieurs personnes courent vers le port.

Une nef revient, il la reconnaît. C'est le bateau de son fils Quetz-Al-Coatl.

À bord, ils découvrent des corps criblés de petites flèches. Les blessés sont mêlés aux morts. Quetz-Al-Coatl est lui-même couvert de sang. Une dizaine de flèches sont fichées dans sa poitrine et son dos, mais il respire encore.

Ash-Kol-Lein emporte son fils dans son atelier de soins. Yin-Mi-Yan l'aide à extraire promptement les flèches.

Le jeune homme est brûlant de fièvre et sa mère lui fait absorber une potion, pendant que son père dépose sur ses plaies une décoction de plantes.

L'explorateur finit par retrouver des forces et parvient à raconter les événements qu'il vient de vivre.

Lui et ses douze compagnons d'expédition ont débarqué sur la côte du continent de l'ouest. Là, des milliers de très petits hommes, juchés sur les hauteurs, les attendaient.

Les explorateurs ont essayé de parlementer, mais les mini-humains ont répondu par une volée de flèches. Ils ont fui mais les autochtones les ont poursuivis et arrosés de leurs tirs alors qu'ils embarquaient sur leur nef.

Quetz-Al-Coatl considère qu'il a eu de la chance : les trois amis qui avaient survécu comme lui à cette attaque ont finalement succombé à leurs blessures pendant le voyage de retour.

Le chaman prend l'affaire très au sérieux et préconise aussitôt une réunion d'urgence du Conseil des sages.

Ash-Kol-Lein fait partie de cette assemblée. Une heure plus tard, les soixante-quatre sages sont réunis en cercle.

À la demande du chaman, le débat s'ouvre sur la question de fond : « Faut-il continuer à explorer des continents maintenant infestés de minihumains agressifs ? »

– Nous n'allons pas envoyer nos enfants se faire tuer inutilement, annonce une femme de plus de 900 ans. Regardez ce qu'ils ont fait ! Ce sont des sauvages !

– Nos explorateurs n'auront qu'à s'armer, propose un homme qui semble avoir largement dépassé les 1 000 ans.

– Et ils feront quoi ? Ils tueront les tueurs ? grince un vieillard.

– Tuer pour autre chose que la nourriture ou la survie est contraire à nos principes élémentaires, rappelle le chaman.

– Nous n'allons quand même pas massacrer ces mini-humains que nous avons créés et qui n'existeraient pas sans nous, dit une femme.

– Alors il faudra les éduquer. Nous n'avons que cette alternative : les détruire ou les éduquer, dit Ash-Kol-Lein. Je suis certain qu'on peut leur enseigner d'autres formes de communication avec les étrangers que la guerre.

– Les éduquer ? Encore faudrait-il pouvoir les approcher. Si j'ai bien compris, nos explorateurs se sont fait agresser avant même d'avoir pu parlementer, rappelle le chaman.

– Le mieux est de rester chez nous et de laisser s'entretuer ces sauvages, déclare la femme de 900 ans.

À ce moment, le jeune Quetz-Al-Coatl entre dans la salle du Conseil. Il titube et s'appuie difficilement sur une canne. Il réclame la parole. Il est pâle, ses jambes ont du mal à le soutenir.

– Nous ne devons surtout pas renoncer, articule-t-il. Nous devons garder un contact avec ces minihumains et leur apprendre tout ce qui nous a permis d'atteindre ce confort qui est le nôtre, et qu'ils n'ont pas. Ils comprendront alors que la violence est une impasse.

– C'est toi qui dis ça ?! s'étonne la femme de 900 ans. Toi qui as vu tous tes compagnons se faire massacrer sans le moindre motif.

Quetz-Al-Coatl s'effondre dans un fauteuil. Il darde un doigt sur la femme.

– Justement, il ne faut pas céder à la peur. Nous n'avons pas à les redouter. Il faut trouver une manière de les aider. Ils sont comme des chiens blessés, ils mordent la main qui veut les nourrir.

– Des chiens enragés, oui… Et les chiens enragés, on ne les approche pas.

Le ton monte parmi les sages.

– La vie de nos enfants est trop précieuse pour les envoyer à la mort au nom de grands principes philosophiques, déclare l'un des soixante-quatre.

– Il faut couper tous les contacts, et surtout, garder nos minihumains astronautes civilisés à l'écart de leurs frères sauvages du continent.

– Mais nous devrons forcément retourner sur les continents pour y puiser nos ressources énergétiques : le pétrole pour les fusées et l'uranium pour les bombes atomiques, remarque un autre membre de l'assemblée.

Le chaman propose de procéder à un vote.

– Qui veut continuer les explorations sur les continents ?

Vingt-trois mains se dressent.

– Qui veut les faire cesser ?

Vingt-six mains se dressent. Le chaman annonce :

– Quinze d'entre nous ne se prononcent pas.

Parmi eux, Ash-Kol-Lein.

Le jeune explorateur Quetz-Al-Coatl se lève, en s'appuyant sur sa canne.

– Vous faites une énorme erreur. Nous ne pouvons pas vivre isolés sur notre île, alors que, tout autour, les continents grouillent d'une nouvelle humanité que nous ignorons et méprisons. C'est une position de repli intenable à long terme.

– Et pourquoi donc ?

– Parce qu'ils font beaucoup d'enfants, et que nous en faisons peu. Ils ont de vastes territoires, nous sommes confinés sur une île. Si nous restons entre nous sur Ha-Mem-Ptah, nous finirons par nous éteindre.

– Nous entendons ta colère, jeune homme, tranche le chaman, mais l'Assemblée des sages a voté. Plus aucun bateau ne partira vers les continents jusqu'à nouvel ordre. Et tout doit être fait pour que nos minihumains astronautes ignorent ce que sont devenus leurs cousins évadés.

Ash-Kol-Lein veut réconforter son fils, mais celui-ci trouve un dernier reste d'énergie pour le repousser. Il rentre chez lui et décrit à Yin-Mi-Yan la séance et le vote qui a décrété l'arrêt des explorations.

— Quetz-Al-Coatl a un caractère indépendant, reconnaît-elle, et il est courageux. Personne ne pourra l'empêcher de faire ce qu'il veut. C'est sa force et... sa faiblesse.

Puis elle l'embrasse. Les autres enfants, Os-Szy-Riis et Hiy-Shta-Aar ont entendu et compris, ils préfèrent ne pas donner leur avis sur la situation. Ils rejoignent leurs chambres respectives.

Le couple en fait autant. Yin-Mi-Yan se blottit dans les bras de son compagnon, et celui-ci s'apaise.

Au loin, alors qu'il ferme les yeux, il lui semble entendre une voix qui compte « ... 5... 6... 7... 8... 9... et 10 ! »

David rouvre les yeux.

— Que s'est-il passé ? Tu avais l'air bizarre à la fin, s'enquiert Nuçx'ia.

Il reprend son souffle.

— J'ai vu comment c'est arrivé. Les minihumains fugitifs ont proliféré à grande vitesse sur tous les continents.

— Tes visions de ta vie d'Atlante sont de plus en plus précises, remarque la jeune pygmée, admirative. Tu vas probablement nous permettre d'éviter de reproduire les erreurs passées.

— Je ne crois pas. J'ai au contraire l'impression que nous recommençons irrémédiablement un scénario ancien qui a abouti à...

Nuçx'ia pose un doigt sur ses lèvres et, avant qu'il ait pu terminer sa phrase de manière négative, elle conclut :

— ... à ce que nous sommes devenus aujourd'hui.

9.

C'était il y a huit mille ans.

Il y avait d'un côté ces grands humains de 17 mètres en moyenne qui géraient avec intelligence la croissance et la consommation sur leur île, au milieu du Pacifique, et de l'autre, les petits humains sauvages d'environ 1,70 mètre qu'ils avaient créés, qui proliféraient sur tous les continents sans le moindre souci d'auto-régulation autre que la violence.

Malgré les recommandations des vieux sages, le jeune explorateur Quetz-Al-Coatl poursuivit ses voyages d'étude sur les continents infestés de « petits sauvages ».

Il voulait à tout prix s'entendre avec eux.

Je pensais qu'il allait échouer, cependant Quetz-Al-Coatl était très débrouillard, il s'adaptait à toutes les situations.

C'est ainsi que le fils aîné de Ash-Kol-Lein est arrivé avec son équipage dans la région qui correspond à l'actuel golfe du Mexique. Avant que les petits sauvages n'aient eu le temps de tirer leurs flèches, il leur a fait des tours de magie avec des balles, des explosifs, des effets pyrotechniques, des miroirs, des fumées.

Les autochtones, d'abord hostiles et méfiants comme à leur habitude, furent bientôt surpris, émerveillés, puis subjugués par le spectacle de cet homme immense capable de faire apparaître et disparaître des objets.

Dès que Quetz-Al-Coatl eut capté leur curiosité, puis leur intérêt, il réussit à susciter leur respect et leur obéissance. Il leur imposa sa langue pour pouvoir les dominer.

Au lieu de les affronter, Quetz-Al-Coatl jouait sur leur naïveté et leur superstition. Il leur inventa une religion.

Avec ce puissant outil « psychologique » capable d'influencer ces êtres primitifs, il devint objet de vénération pour ces créatures qui avaient oublié qui elles étaient vraiment et d'où elles venaient. Pour eux, seul le nom de Gill-Gah-Mesh qui, le premier, avait quitté le paradis, était la référence commune.

Quetz-Al-Coatl désigna des prêtres parmi ces petits sauvages.

Enfin, il leur demanda de construire pour lui un temple de forme pyramidale, car il souhaitait ainsi communiquer télépathiquement avec la pyramide de ses congénères de l'île centrale. Ce qui fonctionna à la perfection.

Pour assurer son emprise, Quetz-Al-Coatl inventa sa propre légende ainsi que celle de ses compagnons de voyage. Il prétendit être issu du mariage du jour et de la nuit. Il dit que c'étaient les dieux qui avaient créé Gill-Gah-Mesh à leur image, ce qui expliquait qu'ils soient semblables, mais en réduction. Il dit que le « Paradis » d'où venait Gill-Gah-Mesh avait un nom et que c'était l'île d'Ha-Mem-Ptah.

Puis il inventa un rituel de soumission.

Quetz-Al-Coatl avait compris que malgré leurs exigences, ces humains primitifs étaient embarrassés par cette notion de « liberté » qu'une minorité seulement revendiquait.

La majorité silencieuse des autres n'aimait pas penser par elle-même, elle préférait qu'on lui indique quoi penser à propos de tout (même si c'était faux). Ceux-là n'aimaient pas prendre de décision et préféraient obéir à des chefs. Au pire, lorsque la situation devenait catastrophique, ils changeaient de chef. Comme des enfants, ils aimaient être encadrés. Les frontières les rassuraient, les interdits les définissaient, les lois et les punitions donnaient un sens à leur existence.

Quetz-Al-Coatl comprit que les petits sauvages détestaient les responsabilités. Quoi qu'il arrivât, le responsable s'appelait des-

tin, chef, hasard ou dieu, ce qui leur évitait les regrets ou les remords personnels. Ils fuyaient le réel et préféraient traduire le monde en dogmes ou en histoires magiques plutôt qu'utiliser l'observation et l'expérimentation.

Puisqu'ils étaient nommés géants, Quetz-Al-Coatl utilisa donc ce mot et annonça que « Les Géants sont vos dieux créateurs et votre devoir à tous est de leur obéir ».

Tous ceux qui remettaient en doute cette loi devaient être dénoncés et sacrifiés.

Les petits humains adorèrent ce « dieu » au discours simple et compréhensible.

Et comme il fallait leur trouver un nom, Quetz-Al-Coatl appela désormais ce peuple « Mayas ».

Avec tous ses talents de « psychologue des foules », Quetz-Al-Coatl avait résolu non seulement la problématique « comment ne pas être tué par les petits sauvages » mais aussi « comment les dominer complètement ».

De retour sur son île, il communiqua son expérience à son frère Os-Szy-Riis et à sa sœur Hiy-Shta-Aar.

Il leur dit : « N'ayons pas peur d'eux. Il suffit de les diriger, ils adorent ça. »

Os-Szy-Riis partit en expédition vers les territoires de l'est, appliqua à la lettre la méthode de son frère, et créa la religion d'Os-Szy-Riis, avec quelques petites nuances dans la légende et les rituels, afin de se démarquer de la religion de Quetz-Al-Coatl. Il décida d'utiliser des masques d'animaux : ibis, chat, ou hippopotame pour faire plus « local ».

Il leur fit également construire des pyramides pour communiquer avec l'île centrale. Et il les nomma « Égyptiens ». Ce qui signifiait : « Ceux de l'Est. »

Os-Szy-Riis leur enseigna de la même manière sa langue, si bien que les Mayas et les Égyptiens parlaient tous la langue des géants.

Hiy-Shta-Aar créa elle aussi sa religion dans un pays qu'elle nomma Sumer. Ce qui signifiait : « Ceux du Nord-Est. »

Elle apprit également aux Sumériens sa langue, mais aussi l'écriture des géants, et leur fit construire une pyramide dans la ville de Ba-Ab-El.

Sur l'île centrale, les sages, informés des réussites des trois enfants d'Ash-Kol-Lein et de Yin-Mi-Yan, consentirent à envoyer d'autres navires vers les terres glacées du nord, et créèrent la culture viking qui vénérait le capitaine du bateau, un géant du nom de Tho-Or-Rrh.

Quelque part près des côtes de Judée, un seul géant survécut au naufrage de son embarcation. Il fut donc contraint de créer une religion avec un seul dieu et c'est ainsi qu'apparut le premier monothéisme.

Ce rescapé se nommait Ya-Ha-Veh.

En Inde, un bateau avec tout un équipage de géants installa la civilisation indienne et inventa l'hindouisme. Le capitaine s'appelait Braeh-Ma-Ah.

En Grèce, ce fut un certain Zeu-Eu-Ss et ses compagnons de voyage qui inventèrent une religion très complexe.

Désormais, les géants n'avaient plus peur de leurs petites créatures proliférantes.

10.

Dans la prison de verre contenant la ville de Microland 2, la population se réveille au son des cloches de la microcathédrale qui battent la chamade.

La reine Emma II est déjà en train de faire son footing dans le jardin du palais royal. La papesse Emma 666 récite ses prières et ses actes de contrition.

Dans l'hôpital central, des femmes accouchent d'œufs nacrés, précieuses perles aussitôt recueillies et triées par des infirmières attentionnées. La plupart de ces œufs sont étiquetés, déposés dans des caisses, puis acheminés par camions jusqu'au centre de transit, où tous savent que les dieux viendront les prendre en charge.

Les jeunes Emachs en uniformes d'écolières, mauve et blanc, sont prêtes à rejoindre leur école pour apprendre la langue, la religion, l'histoire et la technologie des Grands.

Dans les champs, les paysannes levées avant les autres cueillent les fruits des arbres bonsaïs. D'autres récoltent les céréales et les légumes.

La reine Emma II rejoint Emma 666 au milieu du square, face au palais royal.

– Alors ? s'informe-t-elle.

– Pour l'instant, l'équipe de huit qui creuse le tunnel n'est pas encore parvenue à sortir de la zone du hangar. Le sol est très dur et chaque bruit fait écho.

– Nous ne sommes pas pressées, il est important que le tunnel aboutisse le plus loin possible de Microland, et aussi que le secret soit bien gardé. Pas question que l'une des nôtres nous trahisse.

– Et si les Grands nous surprennent ? questionne la papesse.

– Eh bien, ce sera l'enfer pour ceux qui se feront attraper...

– Pour l'instant, nous ne contrevenons à aucune des lois des dieux. La curiosité n'est pas un péché.

– En es-tu sûre ?

Une ride d'inquiétude barre le front de la reine.

– De quoi as-tu peur ? demande la papesse.

– Je ne sais pas, j'ai un mauvais pressentiment. Vivre dans une cage de verre est certes une restriction insupportable, mais ce que nous risquons de découvrir dehors peut se révéler plus terrible encore.

La papesse observe son propre sceptre couronné de l'œuf doré.

– Le monde du dehors...

– Tu l'as vu, je crois, 666 ?

– Oui, j'étais saoule, mais je l'ai vu. Et cela m'a semblé... au-delà de tout ce que j'avais imaginé.

La reine soupire.

– Ce qui recoupe les témoignages de celles qui sortent en mission. Un monde qui a surtout l'air... « très compliqué ».

– Le terme est bien en dessous de la réalité, assure la papesse.

– Tu as ressenti quoi, dehors ?

– Une sensation de vertige, et en même temps d'émerveillement.

La reine lève les yeux vers son ciel.

– Le monde au-delà de la vitre..., murmure-t-elle.

– Le monde à l'extérieur de la cage..., répond le murmure de la papesse.

Au-dessus des deux Micro-Humaines, une caméra filme, sans capter le son. D'autres caméras de contrôle placées au-dessus de Microland 2 surveillent le bon déroulement des opérations quotidiennes au sein de la minuscule ville. Cependant, les deux Micro-Humaines savent qu'aucune caméra ne peut détecter que, dans la cave d'une maison, une équipe creuse un profond tunnel pour sortir et découvrir enfin le monde.

11. ENCYCLOPÉDIE : ÉTYMOLOGIE DE « KANGOUROU »

Le mot « kangourou » a une origine curieuse.
Alors que le naturaliste anglais Joseph Banks, de l'expédition commandée par le capitaine James Cook, désignait l'un de ces drôles de marsupiaux en demandant « What is this ? », un Aborigène lui répondit « Gan Gurru ». C'était le 25 juin 1770.

Aussitôt l'explorateur nota le mot sans pousser plus loin ses investigations. La dénomination « Kan gooroo », simplifiée en « kanguru », devint officiellement le nom générique de l'animal.

Ce ne sera que bien plus tard, lorsque l'on commencera à s'intéresser à la langue aborigène du peuple Guugu Yimidhir, que les linguistes découvriront que « Gan Gurru » est une phrase qui signifie : « Je ne comprends pas ce que vous dites. »

Encyclopédie du Savoir Relatif et Absolu,
Edmond Wells, Tome VII.

12.

Les vidéos muettes de Microland 2 sont, entre autres, retransmises dans la salle de réunion où se tient le Conseil d'administration de Pygmée Prod.

Autour de la table ovale siègent les six membres fondateurs, plus le représentant de l'État français (en l'occurrence Bénédicte Drouin, l'épouse du président, qui s'est soudain découvert une passion pour ce projet) et Olivier Vachaud, le représentant des actionnaires privés. Ce dernier est un homme sérieux, en costume-cravate, qui semble tout droit sorti d'une grande école de commerce.

Le colonel Natalia Ovitz allume son ordinateur portable et le branche sur le projecteur mural. Apparaît alors sur l'écran central un tableau exposant la courbe ascendante du chiffre d'affaires.

– Notre croissance est actuellement de 27 % par mois, ce qui est assez rare dans l'industrie en général, et les industries françaises en particulier. Je crois que, peu à peu, les États et les industriels découvrent le potentiel de nos Emachs.

– Nous pouvons donc nous réjouir, nos efforts ont été fructueux, déclare Vachaud.

Sans répondre, Natalia Ovitz fait défiler les graphiques.

– En dehors de nos succès pour des opérations à haut risque, radioactif ou infectieux, dans le domaine de la chirurgie et l'ingénierie de précision, nous accomplissons actuellement une percée vers de nouveaux marchés.

Elle déclenche le diaporama. Tous peuvent observer une rue de Tokyo.

– Les Japonais, peut-être à la suite de la récente affaire Fukushima, nous en commandent beaucoup, mais aussi les Israéliens et les Saoudiens. Là encore, grâce à notre intervention sur les missiles nucléaires iraniens. Il existe désormais dans la culture de ces trois pays une consommation dite de « reconnaissance ». Souvent, les Emachs envoyées ne sont pas missionnées, mais honorées au cours de cérémonies officielles ou de fêtes prestigieuses.

– J'ignorais cela, reconnaît Bénédicte Drouin en prenant des notes sur sa tablette numérique.

De nouvelles photos sont projetées, représentant des fonds sous-marins.

– Les Micro-Humaines résistent mieux à la plongée sous-marine et descendent très bas dans les bathyscaphes. Une douzaine sont louées pour une série de documentaires sur la vie dans les abysses. Leur légèreté autorise également le développement du projet d'avion à plaques solaires qui n'atterrit jamais.

L'appareil aux longues ailes d'albatros recouvertes de cellules photovoltaïques apparaît à l'écran.

Bénédicte Drouin lève la main.

– Cela tombe bien. Je dois vous transmettre une commande de l'armée. L'état-major souhaiterait des Emachs pour des sous-marins et des avions miniaturisés.

– Dans le domaine privé, j'ai moi-même reçu des demandes émanant de chercheurs qui veulent explorer des milieux non accessibles à l'humain, ajoute Olivier Vachaud. Nous pourrions donc créer un secteur « Emachs Exploratrices ».

David Wells se lève.

– Je viens de terminer l'aménagement d'un nouveau bâtiment dans Microland 2. Il pourra accueillir une université destinée à les préparer à ce genre de spécialisations.

Tous approuvent.

– Du monde artistique, nous parviennent aussi des demandes, signale Aurore Kammerer. Un prestidigitateur célèbre, le grand Tibor, que vous connaissez tous pour l'avoir vu à la télévision, souhaiterait utiliser des Emachs pour ses tours.

Elle déroule l'affiche d'un homme en chapeau haut de forme et aux yeux illuminés.

– De quelle manière ?

– Il veut en cacher une dans le double-fond de son chapeau.

– Comme on le fait pour les lapins et les tourterelles ?

– Tibor a d'autres idées : par exemple sortir des Micro-Humaines de ses manches et de ses poches. Il voudrait les transformer en contorsionnistes afin d'optimiser l'effet.

– Amusant, reconnaît Natalia Ovitz. Je n'y avais pas pensé, mais le monde de la magie pourrait en être bouleversé. A fortiori si elles sont contorsionnistes. OK pour Tibor ! Cela devrait les amuser d'être applaudies par les foules.

Sur les écrans latéraux apparaissent les Micro-Humains vaquant à leurs occupations habituelles, sans se douter que les Grands leur concoctent de nouveaux défis.

– D'autres demandes sont plus « grand public », poursuit Aurore. Notamment dans le domaine du cinéma. Un agent d'Hollywood est venu la semaine dernière pour trouver des actrices emachs qui remplaceraient les personnages en images de synthèse. Il pense que le public est las des « marionnettes » et souhaite revenir à l'authentique. Or « rien ne remplace un vrai visage, vivant, et un regard reflétant une vraie personnalité ». Ce sont ses propres mots.

Aurore a cité la phrase d'un ton grave.

– Quels rôles ? s'enquiert Olivier Vachaud, intrigué.

– Le personnage de la « fée Clochette » dans le prochain *Peter Pan*. « Jiminy Cricket » dans le prochain *Pinocchio*...

L'assemblée commente, ravie.

– Et enfin, pour boucler la boucle des remakes : *Le Seigneur des anneaux*, *Gulliver et les Lilliputiens*, *L'homme qui rétrécit*, et *Les Schtroumpfs*.

La liste amuse l'assemblée, des rires fusent.

– Mais ce n'est pas tout. Il est prévu de tirer un film de l'histoire...

Sa voix baisse pour prononcer :

– ... d'Emma 109.

Les visages se ferment.

– L'idée vient de Spielberg. Il a dit : « C'est un exemple de femme rebelle, courageuse et indépendante, prenant sa vie en main malgré les épreuves et le handicap de sa taille. »

– Spielberg ? Mais il n'est pas un peu âgé ? La dernière fois que je l'ai vu à la télévision, il avait l'air très fatigué. Il a près de cent ans, il me semble.

– Il est toujours très coté à Hollywood.

– À propos de 109, relève David, troublé, avons-nous de ses nouvelles ?

Natalia Ovitz hoche la tête.

– Voilà plus de dix mois que nous noyons les médias de messages l'appelant à se signaler.

– Elle n'y a peut-être pas accès, suggère David.

– Ou bien elle est morte. C'est le plus probable, avance Olivier Vachaud qui ne l'a pas connue.

Pendant un long instant, le silence plane. Puis :

– Vous avez pensé à quelle actrice pour interpréter Emma 109 ? demande Bénédicte Drouin en se tournant vers la jeune scientifique.

– Hum…. C'est vrai, nous avons déjà ébauché un premier casting, et même sélectionné Emma 1527.

– 1527 ? Celle qui fait partie de la troupe du théâtre royal de Microland ?

– En effet, elle a déjà joué dans les classiques comme *Roméo et Juliette*, et *Le Cid* pour son public emach. Elle n'est pas encore informée, mais je suis sûre qu'elle sera très flattée de jouer un personnage micro-humain pour un public de Grands.

– Très bon choix. Non seulement elle lui ressemble physiquement, mais elle est aussi très sportive et devrait être parfaite dans les scènes de cascades, notamment pour l'entrée dans le bunker iranien ou la lutte contre les poissons en haute mer, précise Penthésilée Kéchichian qui se souvient des épreuves vécues par la courageuse Micro-Humaine.

– Spielberg a prévu une fin plus cinématographique que la réalité : elle combat un doberman, pour elle grand comme un dragon, le tue, et finit par succomber à ses blessures en prononçant : « Désormais, plus rien ne sera pareil. »

Autour d'eux, des papillons échappés de la volière virevoltent tout à coup. Un monarque bleu vient se poser sur le doigt de la jeune femme.

– Ils ont prévu un titre en jeu de mots. « Sang Neuf », dit-elle en contemplant le papillon.

– Bien, bien… Et quoi d'autre, Aurore, dans le domaine artistique ? demande Natalia.

– Un producteur de disques voudrait engager notre chanteuse Emma 1721. Il dit que sa petite voix fine et légèrement aigrelette ne ressemble à aucune voix humaine. Il a fait référence à Kate Bush lorsqu'elle chante *Wuthering Heights*.

– Ah, de mon côté, annonce Nuçx'ia, j'ai été contactée pour constituer une chorale d'Emachs à la manière des polyphonies pygmées. Je me suis permis d'en sélectionner une trentaine.

Elle sort son smartphone et déclenche le lecteur audio. Des chants harmonieux surgissent du haut-parleur.

– Jamais entendu de telles voix ! C'est vraiment impressionnant…, murmure Vachaud.

– Et la mélodie ? demande Bénédicte Drouin.

– Elle a été composée par « un » Emach.

– « Un » ?

– Un mâle. Comme chez les grillons, il semblerait que les mâles possèdent un talent inné pour créer des mélodies à faire vibrer les femelles.

– Les grillons ? C'est amusant, dit Bénédicte Drouin. Si je me souviens bien, à l'origine, les premiers projets s'inspiraient du modèle insecte.

Le colonel Ovitz confirme.

– David voulait faire évoluer l'espèce humaine afin de la rapprocher de celle des fourmis. Donc plus petite et vivant dans de grandes cités. Aurore voulait faire évoluer l'humanité vers les abeilles, donc plus féminine et maîtrisant la chimie des hormones pour soigner et décupler la résistance.

– Et maintenant, Nuçx'ia veut faire évoluer nos Emachs pour qu'elles s'inspirent des grillons…

Deux papillons bleus tournoient au-dessus de la coupe de fruits. La présence des humains les empêche de butiner.

– Et vous, colonel Ovitz, demande Bénédicte Drouin, vous aviez aussi une vision insecte de l'évolution ?

La femme semble surprise de la question.

– Si je devais choisir un modèle d'insecte, répond-elle, je pencherais pour le modèle… termite : des villes souterraines et le culte de la reine pondeuse.

Olivier Vachaud, ne comprenant pas de quoi elles parlent, montre des signes d'impatience.

– Bien, revenons à nos moutons, lance l'homme d'affaires. La demande augmente, je pense qu'il serait judicieux d'agrandir le centre et peut-être même Microland 2. Nous devrions penser à une cité plus vaste, plus peuplée. Si Microland 1 mesurait 10 mètres sur 10, et Microland 2,50 mètres sur 50, pourquoi ne pas passer à Microland 3 et à 100 mètres sur 100 ?

Bénédicte Drouin observe les papillons qui volettent autour d'eux.

– Je ne suis pas d'accord, intervient David.

– Comment ça, « pas d'accord » ?

– Il est trop tôt pour envisager la construction d'une ville plus grande. Microland 2 n'a pas utilisé tout son potentiel. Une structure vivante doit avancer en évoluant par paliers. On avance, on s'arrête, on réfléchit, puis seulement après on avance à nouveau. À foncer tête baissée vers une croissance non maîtrisée, nous risquons la « surchauffe ».

– La métamorphose est une crise, donc une période durant laquelle l'évolution s'accélère, rappelle Bénédicte Drouin pour soutenir son collègue. Dans la nature, certaines accélérations sont brusques et ne posent aucun problème.

La première dame tend l'index, et un papillon vient se poser sur son ongle.

– Nos actionnaires attendent une progression rapide des bénéfices, insiste Vachaud. Je me suis déjà avancé à donner des marges chiffrées, et ils ont augmenté en conséquence leurs investissements. Si ces objectifs n'étaient pas atteints rapidement, ils reverraient leurs mises à la baisse.

– Les financiers ne gouvernent pas encore le monde, déclare David. Et ce ne sont pas eux qui vont décider du calendrier de développement de notre entreprise.

– L'État aussi compte sur vous pour des rentrées liées aux

investissements publics, croit bon d'ajouter l'épouse du président. Ne pas accélérer, c'est... ralentir.

David se lève.

– Et moi, je vous dis que ce qui n'est pas construit en respectant le temps ne résiste pas au temps. En allant trop vite, nous prenons des risques inutiles.

– Quels risques ? demande Bénédicte Drouin.

Le jeune scientifique serre les mâchoires. Il ne peut parler des problèmes qu'a rencontrés sa première incarnation avec les petits sauvages évadés de l'Atlantide.

– Rappelez-vous l'incident Emma 109, déclare-t-il.

– Justement, maintenant c'est réglé, et la vie d'Emma 109 est devenue un thème de film, donc une source supplémentaire de bénéfices.

Aurore se lève à son tour.

– Je crois que David a peur de la réussite, dit-elle.

Il la regarde, sidéré.

– Non, ce n'est pas du tout ça, tu le sais très bien. J'ai seulement l'impression que tout va trop vite. Nous sommes passés en très peu de temps de l'échec répétitif à la réussite soudaine. Un jour, on nous demande d'euthanasier tous les Emachs, et quelques mois plus tard, on nous demande d'augmenter la production et d'agrandir leur ville.

Olivier Vachaud croit bon d'intervenir à nouveau.

– Dans le cadre de l'augmentation de capital, et donc de la production, nous avons envisagé plusieurs aménagements. Tout d'abord Microland 3, permettant de passer du stade de grand village à celui d'une ville emach, capable d'accueillir jusqu'à 500 000 individus dans sa période d'épanouissement final.

– 500 000 Emachs !? Pour l'instant, nous avons une première génération de mille Emachs, suivie d'une seconde génération de trois mille, rappelle Penthésilée Kéchichian.

L'énarque sort un dossier de sa mallette, place une clef USB dans la prise du projecteur et le plan d'une ville apparaît sur l'écran.

– Nous nous sommes permis de contacter une agence d'urbanisme, leurs créatifs ont imaginé une microville ultramoderne avec ses avenues, ses bâtiments administratifs, ses logements, ses vastes jardins.

Il sort un pointeur laser.

– Ici, la nouvelle nurserie. Comme vous voyez, nous avons prévu large.

Il lance un diaporama montrant des croquis de bâtiments au design audacieux.

– Ici, la nouvelle école, le collège, l'université, la nouvelle cathédrale, le nouveau palais royal, l'hôpital, la mairie, un stade de football beaucoup plus vaste, une bibliothèque sur plusieurs étages, des salles de cinéma. Tout est plus spacieux, tout est plus fonctionnel, tout est plus productif. J'ai le feu vert du conseil des actionnaires pour transformer notre entreprise artisanale en complexe industriel de deuxième catégorie, annonce l'homme à la cravate. Et la bonne nouvelle, c'est qu'ils sont tous prêts à investir car ils croient au projet.

Vachaud affiche un sourire triomphant.

– En renfort, je me suis permis de faire appel à un cabinet de prospectivistes auquel j'ai soumis les éléments d'étude de Microland 3.

Il esquisse un geste rassurant.

– Ils sont très optimistes. Ils prévoient pour l'année à venir un marché de location de, tenez-vous bien, 10 000 Emachs.

– Par mois ? s'étonne Natalia Ovitz.

– Par jour ! Et une courbe de croissance qui permettra de faire tourner 300 000 Emachs de location en permanence dans le monde.

David s'est rassis. Il observe ses collègues qui sont impressionnés par les courbes et les chiffres qui s'affichent sur l'écran central.

– Quant à l'entreprise Pygmée Prod, mes prospectivistes prévoient une croissance annuelle probable de 43 %.

Un murmure d'approbation salue ce chiffre.

– Pour ma part, j'ai reçu une proposition complémentaire à celle de monsieur Vachaud, annonce Bénédicte Drouin. C'est une idée du ministre de la Culture : la transformation du centre en parc de loisirs. Cela amusera les enfants de voir la cité remplie de ces petits lutins.

La femme du président enlève la clef USB de l'appareil, la rend à son propriétaire, puis place la sienne dans le projecteur. Aussitôt apparaissent les images d'un parc de loisirs.

– Nous pourrions imaginer autour du futur Microland 3 toutes sortes de magasins où l'on vendrait les films avec les Emachs, les musiques des Emachs, vos chères polyphonies, Nuçx'ia, vos...

– Assez ! s'écrie David, à nouveau debout. Je crois que personne ne se rend compte de ce qui est en train de se passer ! C'est d'une nouvelle petite humanité dont nous parlons.

– Oui et alors ? s'étonne Bénédicte Drouin.

– Ils ne sont pas manipulables comme des jouets. Nous avons déjà rencontré des problèmes psychologiques.

– Et vous les avez parfaitement maîtrisés par l'éducation et la religion, il me semble, rétorque-t-elle. Je voulais d'ailleurs vous en féliciter, docteur Wells.

Natalia Ovitz, préoccupée par la tournure que prend la réunion, allume une cigarette, la glisse très lentement dans son fume-cigarette.

– Qu'est-ce que vous craignez précisément, docteur Wells ? demande la femme militaire.

– Que nos Emachs prolifèrent sans contrôle comme les tortues de Floride qui ont envahi nos lacs et nos rivières. Nous ne pouvons pas jouer avec la vie comme avec des objets. Ce ne sont pas des robots. Nous ne les maîtrisons pas complètement.

– Nous les maîtrisons parfaitement, le contredit Aurore. Nous contrôlons les uniques mâles reproducteurs et nous pouvons à n'importe quel moment détruire les œufs dans la couveuse.

– Vous êtes devenus fous !

– Ce n'est pas un argument, dit Bénédicte Drouin tranquillement.

David, hors de lui, sort en claquant la porte. Aussitôt les papillons qui avaient pénétré dans la pièce vont se cacher derrière les rideaux.

– Je le connais, il est un peu irritable ces temps-ci, mais cela lui passera, croit bon de préciser Natalia.

Nuçx'ia se lève.

– Je me charge de le calmer.

Elle disparaît à son tour.

Le colonel Ovitz surveille la fumée bleue qui sort de son fume-cigarette, monte et dessine des formes fugaces.

– Donc nous parlions d'un parc de loisirs pour les enfants, rempli de petites Emachs grimées en lutins, c'est cela ? reprend Vachaud. Pour ma part, je trouve l'idée excellente. On pourrait imaginer l'implantation de commerces et la vente de produits dérivés, au-delà des simples produits culturels.

– Vous pensez à quoi précisément, Olivier ?

– De l'artisanat micro-humain, Bénédicte, des bonsaïs, des montres, des jouets, etc.

L'homme en costume note les idées sur sa tablette numérique.

– Le président m'a prié de vous transmettre une demande plus personnelle, poursuit Bénédicte Drouin. Les Emachs étant un peu les symboles de « la France qui innove », il souhaiterait avoir des huissiers « Emachs » pour l'Élysée.

– Des micro-huissiers ? s'étonne Natalia Ovitz qui visualise parfaitement le bureau présidentiel.

– Il a pensé que ce serait bien d'avoir une vingtaine de ces petites femmes en uniforme prêtes à aider, à n'importe quel moment et pour n'importe quelle tâche.

– Et leur travail consisterait en quoi, exactement ? questionne la naine, sceptique.

– Devenir de super-mini-assistantes. Elles pourraient par exemple décrocher le téléphone, tendre un stylo, ranger ce qui traîne sur le bureau. Selon lui, cela impressionnerait beaucoup les chefs d'État en visite. Une sorte de spécificité de l'Élysée, en somme. Évidemment, le gouvernement paiera une location permanente.

Natalia Ovitz se lève, et fait un signe indiquant qu'elle souhaite mettre fin à cette discussion.

– Je n'ai pas peur de la croissance, et contrairement à David, tous ces projets ne m'effraient pas, mais je crois qu'il a raison sur un point : il serait bon de digérer chaque innovation avant de passer à la suivante. Je vous propose donc de mettre fin à ce conseil de Pygmée Prod et de passer à la salle à manger pour dîner ensemble. Je crois qu'Aurore nous a préparé un vrai festin avec des plats très originaux. Un cassoulet, il me semble...

Tous se lèvent, Natalia saisit le poignet d'Aurore.

– Attendez. Je voudrais vous parler.

L'autre se fige.

– Nous sommes un peu comme une famille. Je souhaiterais qu'il n'y ait jamais de dispute devant des étrangers.

– Mais ce n'est pas moi qui ai perdu mon sang-froid, il me semble...

L'ancienne espionne ne relâche pas son étreinte.

– Nous devons paraître unis devant ces deux-là. S'ils perçoivent des failles dans notre communauté de chercheurs, je peux vous garantir qu'ils n'hésiteront pas à nous dresser les uns contre les autres et nous perdrons tout.

La main de Natalia a raffermi son emprise, la jeune femme grimace, essaie vainement de se dégager.

– J'ai le droit d'exprimer ce que je pense, comme David a le droit d'exprimer ce qu'il pense. Si nous sommes une famille, ma chère Natalia, vous n'êtes pas ma mère !

Elle veut se libérer mais les doigts de Natalia paraissent crochetés à sa peau.

– Il existe quelque chose de pas clair entre vous et David.

– Comment ça ?

– Je croyais que c'était de la rivalité de scientifiques, mais c'est plus complexe. Pour reprendre l'image de la famille, vous êtes comme un frère et une sœur ennemis.

– Vous voulez vraiment savoir ? Il m'a déjà fait une déclaration d'amour et je l'ai envoyé paître. Pour ma part, je ne ressens aucun sentiment pour lui.

Natalia consent enfin à lâcher le poignet de la jeune femme. Elle hausse les épaules, puis quitte la pièce.

Natalia sort, marche jusqu'à rejoindre le hangar, et s'approche de David qui est posté derrière la vitre, l'air sombre. Il observe ses créatures qui vaquent dans la ville miniature.

– Ils sont comme des enfants, soupire-t-elle.

– Justement. Nous ignorons ce qu'ils deviendront lorsqu'ils seront grands.

– La première génération est déjà adulte.

– Les individus peut-être, mais leur civilisation est balbutiante, rappelle-t-il.

Ils restent tous deux silencieux, à regarder les petits êtres qui se promènent dans les avenues, discutent, s'amusent et s'invectivent comme toute communauté humaine, sans aucune notion des enjeux qu'ils représentent.

Certains Emachs les repèrent et viennent se prosterner contre la vitre.

– En tant que parents, nous avons le devoir de les aimer, insiste David.

– En tant que dieux, nous avons le devoir de les guider, répond Natalia.

– Je n'imaginais pas que le boulot de dieu était une telle responsabilité.

– Vous avez peur ?

– Oui, j'ai peur de faire des erreurs de créateur, et non pas de père. Je suis conscient que chacun de nos choix risque d'avoir des répercussions considérables sur l'histoire de leur civilisation.

– Et probablement, par ricochet, sur la nôtre ? poursuit la femme militaire.

Natalia prend le jeune scientifique par la main.

– Il n'y a que ceux qui ne font rien qui ne se trompent jamais. Nous avons le droit de ne pas être des dieux parfaits.

Il repère un groupe de Micro-Humains qui font la course dans le stade.

– Il faudra un jour leur rendre des comptes. Ils sont purs, innocents, exempts de tout passé de violence et d'égoïsme. Ils n'ont pas demandé à exister. Je ne vois pas comment leur expliquer un jour que leurs dieux ont fait des erreurs parce qu'ils se sont emballés au cours d'un... conseil d'administration, préoccupés par une courbe de croissance économique.

Natalia observe une mère emach qui porte à bout de bras son œuf et qui croise une autre mère qui, elle, a placé le sien dans une sorte de sac à dos en forme de coquetier. Elles discutent, et celle dont le sac à dos semble si pratique parvient à convaincre l'autre d'adopter la même technique.

Plus loin, dans le stade, se déroule un match qui déchaîne les passions.

– Vous vous mettez trop de pression, David...

– Je réfléchis aux conséquences de mes actes. Si les Micro-Humains savaient ce qui se trame au-dessus de leurs têtes, ils seraient effrayés.

Natalia scrute à distance un groupe qui, ayant terminé de construire une maison, organise une fête pour accueillir les voisins dans leur nouveau logis. Tous semblent enjoués, sereins, heureux d'être chez eux.

13. ENCYCLOPÉDIE : LE FOYER

Les maisons où vivaient nos ancêtres étaient sombres, car les vitres transparentes coûtaient cher. Le plus souvent, les fenêtres étaient bouchées par du papier huilé.

Elles étaient froides.

En général, la seule source de chaleur était la cheminée. La plupart ayant un mauvais tirage, la fumée se répandait partout à l'intérieur et les occupants étaient obligés d'ouvrir les fenêtres pour ne pas être asphyxiés. Les textes du XVIIIe siècle rapportent que l'on devait revêtir un manteau lorsqu'on entrait dans la maison. Les courants d'air la rendaient encore plus glaciale que l'extérieur.

La construction d'un appartement ou d'une maison achevée, on pendait la crémaillère, à laquelle on accrochait le chaudron (d'où l'expression « pendre la crémaillère »). C'étaient des marmites très lourdes qu'on ne décrochait ni ne lavait jamais. Il demeurait toujours au fond un peu de restes de ragoût qui donnaient un goût spécial aux nouveaux aliments qu'on faisait cuire. Les gens mangeaient le

contenu du chaudron, puis on le remplissait à nouveau avec de l'eau pour obtenir une soupe dans laquelle tremper du pain. Les femmes faisaient la cuisine si près du foyer, l'hiver, que des braises volantes mettaient souvent le feu à leurs amples jupes. Le feu était la deuxième cause de mortalité des femmes, après l'accouchement.

Plus tard, chez les familles bourgeoises, les cuisines furent éloignées de la salle à manger, afin que les domestiques n'écoutent pas les conversations de leurs maîtres, mais également parce que les cuisines, n'ayant pas de système d'évacuation des ordures, étaient souvent puantes.

Au fur et à mesure que la domesticité est devenue chère, donc rare, les femmes de la bourgeoisie se sont mises à cuisiner, et les cuisines se sont rapprochées des salles à manger. Pour ne plus les couper de la présence des convives, les architectes ont fini par inclure la cuisine dans la salle à manger avec le concept de « cuisine américaine ». Nos ancêtres, qui n'avaient pas d'eau courante, utilisaient des porteurs d'eau. Si bien que l'eau était gratuite, mais que les porteurs, eux, étaient payants. En 1700, on comptait plus de 30 000 porteurs d'eau professionnels à Paris. Il suffisait de les siffler dans la rue et ils accouraient avec leur charge.

L'arrivée de l'électricité a révolutionné la vie quotidienne. En éclairant les pièces, leurs occupants découvrirent la crasse accumulée qui n'était pas visible dans la pénombre des cheminées et des bougies. Et l'on s'est mis à lessiver murs et planchers. Toujours grâce à la lumière électrique, en 1800, les riches se sont permis de décaler le temps. Alors qu'auparavant les gens se levaient et se couchaient avec le soleil pour économiser les bougies, et sortaient peu le soir de peur d'être agressés dans l'obscurité, l'éclairage des rues allait inventer les soirées, les fêtes, mais aussi les sorties au théâtre et à l'Opéra.

L'arrivée de la télévision, à la fin du XXe siècle, va engendrer une nouvelle gestion du salon. La télévision occupe souvent le centre de la pièce, sa lueur remplace le feu des origines et réunit la famille. Tous suivent alors en silence des jeux, des fictions mais surtout les actualités télévisées, fenêtres infinies qui captent les drames du monde alentour, proche et lointain. Plus ces drames seront terrifiants, plus la famille se sentira soudée.

Encyclopédie du Savoir Relatif et Absolu,
Edmond Wells, Tome VII.

14.

Les voyants rouges des caméras s'éteignent. Les chefs d'État du G20 réunis à Genève se serrent la main.

Le président américain, Franck Wilkinson, rejoint le président français, Stanislas Drouin.

– Joli coup, vos Emachs, Stan. Je crois que ce sera bon pour votre balance commerciale. Je ne serais pas étonné que vous gagniez un point de croissance avec les débouchés de cette innovation industrielle.

– Vous auriez fait pareil à ma place, Franck.

– Non, nous détenons tous des cartes différentes. Vous, les Français, vous avez joué cette carte bizarre, inattendue, et vous avez gagné, bravo. Personnellement, question stratégie militaire, j'ai plutôt investi dans la recherche sur les armes dissuasives de plus en plus sophistiquées, je n'ai pas pensé à miser sur ce genre de petites espionnes pas chères et capables d'accomplir des frappes d'une précision chirurgicale. Comment vous est venue cette idée, Stan ?

– Oh, une simple intuition, probablement influencée par des films de jeunesse comme *Chérie, j'ai rétréci les gosses.*

– Ne soyez pas modeste, Stan. C'était un coup de génie. La miniaturisation « organique » au lieu de la complexité « technologique » ! Comment n'y ai-je pas pensé ? Vous savez, je m'en suis voulu sur le coup et je vous ai même jalousé.

Ils marchent côte à côte dans les couloirs du palace qui accueille le G20.

– Vous voulez savoir le plus étonnant ? C'est une femme naine, issue d'une famille du cirque persécutée dans les camps durant la Seconde Guerre mondiale, qui est à l'origine de tout ça. Ensuite ma femme m'a poussé à lui faire confiance.

– Bénédicte ?

– Elle a très vite compris le potentiel de cette idée.

Les deux présidents, leurs gardes du corps sur les talons, se dirigent vers la chambre de l'Américain pour prendre un dernier verre. Là, les deux hommes ôtent leur veste et se laissent choir dans des fauteuils profonds.

– Ah, nos femmes... Que serions-nous sans elles ?

Franck Wilkinson claque des doigts et aussitôt l'un de ses gardes du corps à lunettes noires s'approche.

– Faites-les venir, Bill.

Quelques minutes plus tard, quatre jeunes femmes en tenue affriolante surgissent.

Les deux présidents se déshabillent nonchalamment, et s'étendent sur les deux lits parallèles. Les filles entreprennent aussitôt de les enduire d'huile de lavande et de les masser.

– Je ne vous cache pas que je voulais vous voir pour vous avertir de quelque chose, Stan...

– La dernière fois que vous m'avez sorti ce genre de phrase, c'était pour me prévenir de la pandémie de grippe qui a tué 2 milliards de personnes, et pour me conseiller de tuer tous les journalistes et scientifiques qui découvriraient le pot aux roses. Laissez-moi deviner, cette fois vous allez me parler de la guerre qui risque de faire 3 milliards de morts ?

– Non. De la crise économique.

– Il va y avoir un krach ?

– Nous sommes déjà dedans, même s'il se déroule au ralenti.

– Je pense en effet que vous en êtes au même point que nous. Le taux de chômage grimpe, la balance commerciale est déficitaire, l'écart se creuse entre les pauvres et les riches, et il est nécessaire d'augmenter les impôts pour combler le déficit.

– Je vais tenter un coup. Je compte baisser à la fois les impôts et les taux de crédit.

– Vous êtes sérieux, Franck ? Quand on a un pays au bord de la faillite économique, endetté auprès des Chinois et des pays arabes, ce qui est votre cas et le mien, on n'augmente pas les dépenses, on essaie de faire des économies.

Le président américain tend le bras pour saisir son étui à cigares, en allume un, puis souffle la fumée opaque. L'une des masseuses ne peut s'empêcher de toussoter.

– Nous, aux États-Unis, on pense que plus les gens consomment, plus l'industrie tourne, plus il y aura de bénéfices pour tout le monde. Quant aux crédits des Chinois et des Arabes, eh bien, profitons de l'argent qu'ils nous prêtent, même s'il est de plus en plus cher.

– C'est reculer pour mieux sauter, nos enfants devront rembourser ! Et puis, si tout le monde consomme plus, on va épuiser les ressources. En suivant ce chemin, je vois poindre la surpopulation et l'épuisement des matières premières, comme dans *Soleil vert*. Ce film m'avait bouleversé. La pollution, les manifestations réprimées par des bulldozers, et les vieux, dont on ne peut plus payer ni les retraites ni les soins, euthanasiés puis transformés en chips protéinées par les industriels du fast-food.

– Ah ! sacré Charlton Heston, c'est mon acteur préféré, reconnaît le président américain. *Soleil vert* ! Quel beau film !

– Ce n'est plus de la science-fiction. Si le camp des Blancs, je veux dire les grandes entreprises avides de rentabilité et de profits à tout prix, gagne, on épuisera réellement les ressources de la planète.

Le président américain sourit, sous les vagues de plaisir déclenchées par les mains des jolies masseuses.

– Je vous dis cela, Stan, pour que vous le sachiez : lorsque vous augmenterez vos exportations vers notre pays, nous aurons plus d'argent pour les payer. Envoyez-nous vos sacs à main, vos parfums, vos vins, vos fromages, vos chefs gastronomiques, vos call-girls, vos Emachs, enfin… tout ce qui vous reste de « typiquement français ». Ce sera bon pour votre balance commerciale, Stan.

Il souffle la fumée alors qu'une fille malaxe ses épaules puissantes.

– Vous croyez vraiment, Franck, qu'on peut vaincre la crise avec la stratégie du « toujours plus » ?

– *Yes, of course.*

L'Américain claque des doigts et une masseuse thaïlandaise monte sur son dos pour le pétrir avec ses pieds. Il souffle la fumée de son cigare, en extase.

– Sérieusement, Franck, vous le voyez comment le futur ?

– Je vais peut-être vous surprendre, mais j'imagine que tout pourrait aller de mieux en mieux. Je vois une croissance tranquille, lente et régulière, à peine entrecoupée de petites crises financières ou politiques surmontables. Je vois une amélioration de la médecine, de l'agriculture, et plus de confort pour tous.

Il éclate de rire, ce qui déséquilibre sa masseuse, qui saute de côté, s'excuse et se replace.

Franck Wilkinson fait signe à la fille qu'il souhaite passer à un massage plus « sensuel ». Elle obtempère. Il écrase son cigare et demande à une autre de lui préparer un cône de marijuana.

Du coup, les deux présidents fument ensemble, tout en se laissant caresser par les quatre femmes maintenant à demi dénudées.

– Cela me semble un peu... « utopique ».

– Mais non. Après tout, si on regarde le passé, les choses n'ont fait que s'arranger. Grâce au capitalisme, grâce à l'initiative individuelle, grâce aux financiers, aux banques et aux industriels. On les critique pour le principe, parce qu'on les jalouse, mais reconnaissons que c'est parce que les scientifiques sont payés et qu'ils inventent, que tout s'améliore.

– Je ne vois pas les choses de cette manière.

– Reconnaissez-le, Stan, nous vivons mieux que nos parents, et nos enfants vivront mieux que nous.

Le Français prend un air sceptique, alors l'Américain se redresse et, tout en fumant son joint, donne une tape sur l'épaule de son collègue.

– Soyez honnêtes, sortons des discours défaitistes et des théories déprimantes, regardons réellement ce qu'il se passe autour de nous. On mange mieux. On profite des progrès de la médecine, de plus de confort, plus d'hygiène, plus de justice... plus de plaisirs, plus de sexe, plus de liberté. On jouit plus !

La jeune Thaïlandaise colle son torse contre ses jambes et remonte lentement.

– Les médias nous matraquent d'éditoriaux terrifiants parce que les gens sont dopés à l'adrénaline de la peur, mais objectivement, tout s'arrange. Et ce sera encore mieux pour les générations suivantes.

Les filles précisent leurs caresses.

Tous deux éclatent de rire et toussent, puis aspirent la fumée pour planer, se distancier de leurs lourdes responsabilités.

– Et vous, Stan, vous le voyez comment le futur ?

Le président français ferme les yeux, puis grimace.

– À long terme, je crois que l'espèce humaine est condamnée. Elle va peut-être croître un temps encore, consommer plus, se multiplier, grandir, mais elle atteindra bientôt son point d'apogée et ce sera l'effondrement plus ou moins rapide.

– Vraiment, Stan ?

– Nous ne faisons que ralentir ce processus inéluctable de pourrissement. Nous ne vivrons pas assez pour y assister, vous et moi. Et entre-temps, nous devons tout faire pour en profiter le plus possible.

– Je vous trouve bien sombre, Stan.

– J'observe et j'extrapole. Quelque chose au fond de moi est persuadé que tout glisse vers un chaos inévitable. C'est une loi de thermodynamique : la loi d'entropie. Laissées à elles-mêmes, toutes les formes de vie se dirigent vers leur autodestruction. La durée de vie moyenne d'une espèce animale est de trois millions d'années. Nous y sommes. Même la Terre, même l'univers sont des structures ordonnées qui vont vers leur chaos et leur désagrégation.

– Pure pensée paranoïaque d'un type qui prend de la cocaïne. C'est le cas, n'est-ce pas ?

Le Français approuve, sans un mot.

– Pour ma part, je préfère le whisky, il rend optimiste. Nous sommes influencés par nos drogues, vous savez.

– Nous sommes influencés aussi par nos jeux. Quand vous me dites que vous voulez augmenter la consommation en pleine crise, j'ai l'impression que vous jouez au poker. Moi, je joue plutôt aux échecs.

Il pense au jeu heptagonal de Natalia.

– Et les Chinois au jeu de go ? En encerclant progressivement toutes les pièces pour les étouffer. Whisky-poker, contre cocaïne-échecs, et pour les Chinois, go-opium ?

– Si vous voulez. Au final, quelles que soient les stratégies de jeu et les drogues des dirigeants, de toute manière, ce sera la jungle et le retour à la sauvagerie. Nous ne faisons que ralentir ce futur inéluctable.

Le président américain le fixe puis éclate de rire.

– Vous ne méritez pas d'être président, Stan. Vous êtes trop pessimiste.

– Une amie, Natalia Ovitz, dit que « les optimistes sont des gens mal informés ».

– On devrait faire passer un examen au président pour être sûr qu'il ne voit pas l'avenir en noir. On ne peut bâtir un monde meilleur que si on a au moins la… stupidité d'y croire.

Il aspire la fumée, désormais les masseuses se font très entreprenantes.

– Par moments, j'aimerais être naïf, reconnaît Stanislas Drouin, le réalisme c'est fatigant.

Alors le président américain éloigne les masseuses, repose son joint et se relève. Il s'empare d'une bouteille et verse une grande rasade de whisky dans deux verres en cristal.

– Je lève mon verre aux présidents optimistes ! annonce-t-il.

Les deux hommes trinquent.

Le président Drouin visualise l'échiquier heptagonal pour sept joueurs, et en pensée avance le pion blanc face au Roi. Cela correspond à l'information qu'il vient d'obtenir : « Relance forcée de la consommation. »

En sirotant son whisky, il se dit qu'après tout, il a peut-être tort d'être pessimiste.

– Vous allez voir, Stan, aussi surprenant que cela puisse vous paraître, votre loi d'entropie ne marche que pour la physique. Tout va s'arranger « naturellement », dit l'Américain.

15.

L'incisive se plante dans sa cuisse. Emma 109 se dégage vivement et s'enfuit à toutes jambes. Soudain elle se retourne, fait face au rat, et d'un coup précis lui enfonce sa lance dans la gorge. Les cartilages et les os cèdent avec un craquement sec. Elle achève l'animal d'un second coup. Ensuite seulement elle prend le temps de s'asseoir, de poser un bout de tissu sur sa blessure, et ce n'est que lorsqu'elle s'est soignée qu'elle sort son poignard et découpe les cuissots du rongeur pour les déposer dans son sac.

La chasse lui a toujours semblé une activité stressante, mais désormais elle a acquis des habitudes et des réflexes.

La Micro-Humaine dépose la viande dans son petit congélateur, allume son ordinateur puis se branche sur Internet.

Elle grimace en resserrant le pansement sur sa cuisse.

Elle a passé l'année à apprendre.

Après la période de survie, minuscule Robinson Crusoé aux prises avec la faune des égouts new-yorkais, ses rats, ses cafards et ses araignées, Emma 109 a su s'inventer une discipline personnelle.

Elle a voulu un bon nid solide. Elle a donc appris la technologie du ciment puis du béton, a compris comment mélanger le sable, la chaux, le grès et les gravillons pour se fabriquer un abri vaste et solide.

Autour de son antre, elle a érigé un mur d'enceinte circulaire. Et, entre les deux, elle a aménagé des jardins éclairés par un soleil artificiel, en l'occurrence une ampoule électrique.

Elle dispose aussi d'une étable dans laquelle elle élève des rats « domestiques », qu'elle enchaîne, castre et engraisse pour obtenir de la charcuterie et des salaisons.

Emma 109 a également planté des champignons de diverses tailles, sources de fibres et de vitamines.

À l'intérieur de son bâtiment sont installées des pièces confortables, une salle de bains avec douche branchée sur les tuyaux distribuant l'eau municipale, une chambre avec un lit, un salon, une cuisine.

Pour les meubles, à force de glaner, Emma 109 a ramassé toutes sortes d'objets qu'elle a disposés en vrac. Ce qui l'intéresse le plus, c'est l'électronique, qu'elle ne sait pas pour l'instant fabriquer elle-même.

Elle a trouvé un accès au réseau de communication municipal et branché dessus un ordinateur portable dont l'écran est plus grand qu'elle.

Elle a particulièrement soigné ce qu'elle a baptisé « salle de contrôle ». Là, elle reçoit toutes les chaînes de télévision des Grands, elle a également effectué un branchement sur le site Internet ESRA, qui complète l'instruction des fragments de l'Encyclopédie d'Edmond Wells. Ainsi, elle se renseigne sur les instants les plus étranges de l'histoire des Grands, mais aussi sur les animaux, les recettes de cuisine, les idées politiques ou utopiques.

Elle a même récupéré un clavier de smartphone et elle parvient à taper des textes. Elle a d'ailleurs entrepris l'écriture d'un ouvrage sur sa vie.

Au début, elle l'avait intitulé : « Une petite vie dans un grand monde » et s'était contentée de narrer les événements vécus lors de sa mission en Iran et sa performance à l'ONU. Puis elle avait voulu les enrichir de ses idées personnelles en évoquant les événements extérieurs, tels qu'elle les voyait à la télévision.

Évidemment, Emma 109 avait suivi le retournement de l'opinion publique des Grands après le coup d'éclat du sacrifice des Emachs à Fukushima. Elle avait constaté la gloire de Natalia, Aurore et David, enfin reconnus par leurs congénères. Elle avait vu ses camarades passer de parias à sources de curiosité, puis d'intérêt. Elle avait entendu les messages l'exhortant à sortir et rejoindre la surface.

Elle avait réellement hésité à ressurgir, à revoir enfin ses amis. Mais l'ancienne espionne miniature avait eu un pressentiment, et Natalia lui avait appris à écouter cette petite voix intérieure qu'elle nommait « son intuition ».

Emma 109 s'était dit qu'elle serait plus utile libre, loin de tout ce bruit et cette agitation, loin des Grands si versatiles.

Elle voulait désormais comprendre qui sont vraiment ces êtres qui se prétendent des dieux, et quel est ce monde dans lequel les Emachs ont éclos.

Elle voulait comprendre pourquoi les Micro-Humains sont apparus (pas seulement la version officielle), mais aussi les réels enjeux de la création de son peuple.

Et pour réfléchir, il lui fallait rester seule et tranquille. Emma 109 avait donc écrit pour mettre ses pensées au clair, et son texte avait évolué. Plutôt que de parler d'elle, elle s'était mise à évoquer ce qu'elle pensait être le futur pour ses congénères. Le nouveau titre de son œuvre était devenu : « Pourquoi nous sommes là ? »

Afin d'accumuler les connaissances qui lui manquaient, elle surfait sur Internet et mêlait le fruit de ses cogitations à la trame de son texte. Le titre avait encore changé. Il était devenu : « L'Humanité suivante ».

Finalement, elle avait signé son manuscrit du nom utilisé pour le film de sa biographie : « Sang Neuf ».

Elle relit précisément ce dernier texte. Tout commence par une phrase de Wells posée en exergue : « Pour qu'un monde meilleur puisse exister un jour, il faut déjà que quelqu'un, quelque part, commence par l'imaginer et le décrire. »

Emma 109 retrouve la dernière page qu'elle a écrite, et développe son idée : dans le futur, l'humanité ancienne des Grands sera dépassée, une humanité nouvelle prendra le relais. Elle imagine un partenariat entre les deux, non plus sous l'emprise paternaliste des Grands se prenant pour des dieux, mais une complémentarité des deux espèces sur un pied d'égalité.

Elle rédige un nouveau chapitre sur la nécessité de faire une révolution afin de permettre à son peuple d'être reconnu comme étant l'égal des Grands.

« Les Grands sont violents. Ils ne respectent que la force et la guerre. C'est ainsi que toutes leurs civilisations se sont construites. C'est ainsi que leurs frontières se sont créées. Nous ne pourrons pas, nous, Micro-Humains, éviter cette étape. Il y aura forcément un instant où les Emachs devront prendre les armes, et peut-être même tuer afin d'être reconnus égaux des autres humains. »

Elle se tourne vers son arsenal. Elle se dit que son livre doit être plus audacieux encore, son plan de reconquête beaucoup plus dynamique.

Emma 109 rédige durant des heures, jusqu'à ce que, épuisée, elle se laisse choir sur un sofa de sa fabrication, dévore un morceau de rat bien gras, puis monte le son du téléviseur.

C'est une publicité.

16.

« Votre évier est bouché et vous n'arrivez pas à savoir à quel niveau se trouve la touffe de cheveux qui bouche le tuyau ?

Plutôt que de mettre de l'acide chlorhydrique qui détériore vos canalisations, louez une Emach spéléologue qui s'enfoncera dans la bonde jusqu'au bouchon, et là, vous débarrassera de la matière qui obstrue votre évier.

Les Micro-Humaines spéléologues déblaient à la machette les nœuds de cheveux, creusent au marteau-piqueur dans le tartre, s'enfoncent dans les tuyaux coudés pour libérer les endroits inaccessibles par tout autre moyen.

Une Emach spéléologue, y avez-vous pensé ? Elle est moins chère que vous ne le croyez, et peut vous rendre des services bien plus soignés que toutes les autres formes d'intervention.

Tout le monde vous le dira, n'est-ce pas, madame Bauwen ?

– Bien sûr, avant je m'échinais sans résultat avec la ventouse, l'acide rongeait mes canalisations, m'irritait les yeux, et les plombiers me demandaient des tarifs prohibitifs. Avec mes premières Emachs spéléologues, j'ai découvert la sérénité dans ma cuisine et ma salle de bains. En plus, je les trouve vraiment mignonnes. Elles ont travaillé en silence, sans faire de saletés, et pour bien moins cher qu'un plombier classique. »

17.

FOOTBALL – Nouveau Championnat du monde de football. Le match de Ligue européenne verra la France affronter le Danemark. Le capitaine français, N'Diap qui, après son dernier disque de rock, vient de lancer sa ligne de parfums et de vêtements de luxe, a annoncé depuis son nouvel appartement à Monaco qu'il comptait faire gagner la France. Mais il a refusé d'en dire plus sur la stratégie de son équipe, nous laissant face à son attaché de presse et à son service communication. Cependant, les rumeurs de tendinite aiguë n'ont toujours pas été contestées, créant une certaine inquiétude dans les milieux autorisés. Pour sa part, l'entraîneur Joe Falcone a affirmé qu'il avait une totale confiance dans son capitaine N'Diap et que les deux hommes étaient parfaitement d'accord pour imposer rigueur et entraînement intensif à tous les joueurs.

POLLUTION – La pollution de l'air au-dessus de la capitale française vient d'atteindre son niveau record. Ce serait la conséquence, selon le ministre de l'Écologie, de l'augmentation significative du nombre de voitures intra-muros. « Il faut réduire ce flot, qui crée des dizaines de kilomètres d'embouteillages chaque matin et chaque soir aux portes de Paris. Il faut limiter le nombre des voitures autorisées à circuler dans la capitale, et notamment les diesels qui produisent des particules fines qui s'incrustent dans les poumons », a insisté le ministre. « Pas question de toucher à la liberté des Français, ils achètent et donc utilisent leurs voitures », a rétorqué le ministre de l'Industrie qui, pour sa part, a rappelé que les usines automobiles faisaient travailler des milliers d'ouvriers qui, sinon, augmenteraient le nombre de chômeurs. Selon le ministre de l'Écologie, la solution serait peut-être de taxer les grosses voitures polluantes pour n'autoriser dans Paris intra-muros que les petites voitures à faible émission de CO_2. L'idée a pour l'instant été rejetée par le Premier ministre qui s'est posé en arbitre.

INVESTISSEMENT MILITAIRE – Profitant des immenses profits générés par les ventes de leurs produits manufacturés, les dirigeants chinois ont annoncé une augmentation de 30 % de leur budget militaire, ce qui fait de la Chine la nation qui consacre le plus d'argent à son secteur d'armement. « Nous le faisons tout simplement parce que nous avons les moyens de le faire », a sobrement rappelé le secrétaire du parti communiste chinois. Le ministre des Affaires étrangères français, pour sa part, a regretté que les soutiens militaires chinois soient pour l'instant uniquement concentrés sur l'aide, je cite : « aux pires dictateurs sanguinaires de la planète, et notamment d'Afrique et du Moyen-Orient ».

ÉCONOMIE – Après la fragmentation volontaire du consortium américain Global Electric en une centaine d'entreprises indépendantes, il semblerait que l'évolution économique, de manière paradoxale, après la concentration, aille vers la déconcentration. L'avenir ne semble plus sourire aux gros conglomérats et aux grands trusts peu maniables, mais plutôt aux petites entreprises où tous les employés se connaissent et où l'énergie n'est plus perdue en luttes internes pour le pouvoir. Le PDG Benjamin Wates a déclaré : « Nous avons décidé de fragmenter notre entreprise après avoir découvert que 60 % de son énergie était utilisée non pas pour produire des biens, mais pour gérer les conflits internes. »

SCANDALE DE MŒURS – Le président américain est actuellement embarrassé par une affaire de mœurs. Tout comme ses illustres prédécesseurs démocrates, Kennedy ou Clinton, le président Wilkinson est touché par un scandale lié au sexe. Une journaliste du *New York Times* a révélé qu'il se faisait livrer par le président italien, lui-même connu comme un grand fêtard, des jeunes filles prétendûment majeures et qui en fait ne l'étaient pas, en guise, je cite, de « dindes à farcir pour la fête de Thanksgiving ». L'expression a été retrouvée notée de la main même du président italien. « Ce ne sont que des calomnies visant à ternir mon image publique à l'approche des élections », a rétorqué l'intéressé. La première dame, Angela Wilkinson, s'est dite solidaire de son époux et ne croit pas du tout à cette histoire sulfureuse, montée de toutes pièces, selon elle, par l'opposition, et qu'elle qualifie d'« incident de campagne présidentielle ».

Papillon des Étoiles – Nouveau retard dans l'avancée de l'arche de Noé du IIIᵉ millénaire, l'ambitieux projet du Canadien Sylvain Timsit. Après les sabotages de ses hangars et de son matériel, ainsi que plusieurs grèves de ses ingénieurs, ce sont maintenant les associations internationales qui, voyant que le projet « Papillon des Étoiles 2 » avance malgré tout, exigent la présence parmi les 144 000 passagers des représentants de tous les pays et de toutes les confessions, à proportion de leur présence sur Terre. Sylvain Timsit a expliqué qu'il avait lui-même envisagé cette formule, qui s'était très vite révélée inapplicable. « Notre volonté n'est pas de respecter la diversité des pays de l'ONU, ni les réseaux de favoritisme et de corruption des petits et des grands États, a-t-il dit. Pour nous, le critère de sélection est l'aptitude à vivre ensemble en bonne entente dans le vaisseau *Papillon des Étoiles 2*. Pour cela, nous allons sélectionner les passagers les plus disposés à faire régner la paix, à ne pas reproduire les erreurs passées durant un voyage qui durerait probablement mille deux cents ans. Nous ne voulons exporter ni le fanatisme, ni la bêtise et la violence vers le reste de l'univers. Il faudra également que les passagers aient un instinct de bâtisseurs, afin d'aménager une colonie viable sur la planète étrangère. J'ai besoin de scientifiques et non de mystiques, j'ai besoin d'agriculteurs et non de politiciens, j'ai besoin de gens tolérants et non d'amis des gouvernements corrompus. Je n'ai rien à faire du respect de la diversité des nations. Ce que je souhaite, c'est que le vaisseau arrive à bon port, chargé de passagers survivants. En tant qu'entreprise privée, je pense avoir le droit de choisir mes employés. »

IRAK – Nouvelles tensions entre chiites et sunnites après l'attaque d'une mosquée chiite, non loin de Kerbala, par un commando d'hommes masqués qui a enfermé tous les fidèles chiites dans leur lieu de prière avant d'y mettre le feu. Il y aurait une centaine de morts. Cet événement semble survenir en représailles après les égorgements de l'Achoura. Tous les soupçons vont naturellement vers le représentant du groupe sunnite le plus extrémiste, Cheikh Ali, qui avait juré de venger le sang des victimes. Cependant, ce dernier a annoncé qu'il s'agissait d'une nouvelle provocation visant à discréditer son mouvement, et s'est déclaré innocent de cette attaque.

PAKISTAN – Le Pakistan a procédé à des essais nucléaires souterrains dans le cadre de sa campagne de dissuasion militaire, après que l'Inde l'a clairement accusé de la série d'attentats commis par des groupuscules de chebabs entraînés au Pakistan. En réponse aux essais nucléaires pakistanais, l'Inde a procédé au test de sa nouvelle bombe atomique à large spectre utilisant la technologie de fusion nucléaire. Le Premier ministre pakistanais a annoncé, je cite : « L'Inde joue avec le feu et à ce petit jeu, ils risquent de se brûler. »

AFFAIRE KURTZ – En Autriche, le jeune Wilfrid Kurtz, 14 ans, fils du docteur Kurtz qui possède une clinique spécialisée en chirurgie esthétique, s'est rendu célèbre d'une manière étonnante. Il a supplicié jusqu'à la mort les Emachs chirurgiennes louées par son père, et a diffusé sur Internet les images de ces séances de sadisme qu'il nomme lui-même « Les Poupées sanglantes 1 » et « Les Poupées sanglantes 2 ». Sur ces vidéos, on voit l'adolescent torturer, dans une chambre spécialement aménagée à cet effet, une dizaine d'Emachs. Ces vidéos ont déjà été visionnées par des milliers d'internautes sur YouTube. La présidente de Pygmée Prod, le colonel Natalia Ovitz, a aussitôt réagi en portant plainte contre le docteur Kurtz, puisque son fils mineur de 14 ans est juridiquement irresponsable en Autriche.

BOURSE – Montée du CAC 40 qui gagne 1,2 % à la clôture. On peut expliquer cette montée par la bonne tenue des valeurs dans les domaines agro-alimentaire, informatique et immobilier, mais aussi par l'essor spectaculaire de la nouvelle société Pygmée Prod. Enfin, cette progression est aussi liée à celle du Dow Jones à la Bourse de New York, suite à l'annonce par le ministère des Finances d'une baisse des taux de crédit visant à encourager la consommation. Le Dow Jones, je vous le rappelle, a connu pour sa part une hausse de 4,1 %.

18.

Encore un essai nucléaire sous ma croûte...
Quand je pense que c'est moi qui leur ai appris la science atomique pour détruire les astéroïdes géocroiseurs, et qu'ils l'utilisent maintenant pour faire des trous dans ma peau.
S'ils continuent, je leur envoie une pluie diluvienne pour les calmer.
Où en étais-je déjà ?
Ah oui. Il y a huit mille ans, la religion a permis aux humains de l'île de prendre le contrôle des minihumains primitifs des continents. À l'époque, les minihumains vénéraient leurs créateurs. Et ces derniers les utilisaient comme pourvoyeurs de matières premières et accessoirement comme astronautes, au cas où un nouvel astéroïde surgirait dans « mon » ciel.
C'est justement ce qui est arrivé.

Au moment où je m'y attendais le moins, un astéroïde géocroiseur a surgi des limbes.

Théia 7.

Je n'étais même plus inquiète.

La gestion des attaques d'astéroïdes commençait à devenir de « la routine », comme ils disaient.

Celui-ci était de petite taille, à peine quelques centaines de kilomètres de long. Je savais qu'il me créerait tout au plus un gros cratère. Ce n'était pas un tueur.

Dès que les humains l'ont repéré, ils ont placé une fusée Lymphocyte sur le pas de tir, prête au lancement. Je crois que c'était Lymphocyte 21.

Elle a décollé, emportant à son bord un équipage de minihumains astronautes expérimentés, et une bombe nucléaire capable de pulvériser facilement Théia 7.

La technique à l'époque était déjà bien rodée. Que s'est-il passé ensuite ?

L'équipage s'est disputé durant le voyage. C'est ce qu'on appelle « le facteur psychologique humain ».

Si j'ai bien saisi le sens de leurs conversations captées par les micros et retransmises par les ondes radio, c'était une histoire de religion.

Les minihumains dans le vaisseau avaient été « convertis » par ceux qui, au sol, voulaient les contrôler.

Cependant, alors qu'ils étaient à mi-chemin de leur objectif, ils se sont querellés sur une interprétation des textes sacrés.

Certains prétendaient que les dieux étaient mortels, et d'autres que les dieux étaient immortels.

À quoi sert la religion s'il n'y a pas d'intelligence derrière ?

À quoi sert la technologie s'il n'y a pas de conscience derrière ?

Dans la petite cabine, entre religieux et fanatiques, le ton est monté. Chacun était persuadé d'avoir raison.
Je ne m'attendais pas à ça.
Les astronautes dans leur fusée, à côté de la bombe atomique censée faire exploser l'astéroïde, se sont insultés, se sont menacés, et ils ont fini par se... battre.

LE TEMPS DE L'ASSIMILATION

19.

Une statue de la Justice trône à l'entrée du tribunal de la capitale autrichienne : une femme souriante en toge, les yeux bandés, brandissant la balance censée mesurer le poids des fautes commises.

Le colonel Natalia Ovitz, le professeur David Wells et le docteur Aurore Kammerer, qui ont fait le voyage jusqu'à Vienne, descendent du taxi et arrivent face à une première meute de journalistes. Malgré leurs lunettes de soleil, ils sont aussitôt flashés par des dizaines de photographes qui les attendaient depuis plusieurs heures.

Les journalistes se sont pressés à l'entrée du monumental bâtiment, et les trois représentants de Pygmée Prod, malgré le cordon de police qui leur fait une haie de protection, ont des difficultés à entrer dans le palais de justice. Devant eux, leur avocat et leur interprète essaient de dégager la voie, fendant la foule agglutinée.

Sur le chemin, ils entendent des cris et des exclamations en allemand, sans comprendre cette langue, sans savoir si les gens hurlent pour les soutenir ou les insulter.

Les trois Français font signe aux journalistes qu'ils ne parleront pas et refusent d'être pris en photo, ce qui semble exciter encore plus la foule des spectateurs qui crie et celle des photographes qui les mitraille tous azimuts.

Enfin, les trois Français parviennent dans la grande salle du tribunal correctionnel de Vienne. Ils sont placés à gauche, dans un box.

Lorsque tous les spectateurs sont entrés, les huissiers ferment les portes.

L'un d'eux annonce l'arrivée des trois juges en toge rouge et col d'hermine.

Le juge principal est une femme imposante aux cheveux blonds, affublée d'un maquillage épais. Elle frappe du maillet et la foule s'assoit en silence. Un petit signe de la main et l'huissier ouvre la porte latérale droite pour laisser entrer l'accusé et son avocat.

Le docteur Kurtz est un homme de belle prestance, en costume impeccable de syle tyrolien.

Il distribue des salutations à plusieurs personnes du public, qu'il reconnaît.

La juge, d'un signe de tête, invite l'un de ses assesseurs à lire l'énoncé des accusations.

L'interprète traduit au fur et à mesure.

– « ... accusation de détérioration d'Emachs de la marque Pygmée Prod, louées à des fins médicales... détournées de leur mission pour un usage privé... mises hors service et dans l'impossibilité de les restituer en l'état à leur légitime propriétaire... Principal suspect : un mineur de 14 ans légalement irresponsable mais dont le père devient responsable devant la loi... des faits remontant à plusieurs jours... La parole est à l'avocat de la partie civile. »

L'homme de loi autrichien mandaté par les Français se lève et fait face aux juges. Aussitôt le traducteur annonce :

– Votre avocat dit : « Plutôt que des paroles, je vais vous dévoiler des images. »

Il demande d'éteindre l'éclairage et d'allumer l'écran. Il branche son ordinateur sur le projecteur et le film commence.

On y voit un générique « BLOODY DOLLS 1 » en lettres rouges sur fond noir. Puis le fils du docteur Kurtz, après s'être présenté et avoir salué l'écran, exhibe à la caméra différents scalpels, pinces, couteaux, ciseaux, puis trois petites Emachs écartelées sur un support de bois, qui se débattent, affolées.

Wilfrid déclenche la *Chevauchée des Walkyries* de Wagner et lentement il coupe, lacère, torture les trois filles immobilisées alors que leurs hurlements aigus se mêlent au crescendo de la musique symphonique.

Le film s'achève sur leur mise à mort par décapitation.

À la fin du spectacle, le jeune Wilfrid se tourne à nouveau vers la caméra et salue l'objectif. Il exhibe une pancarte : « AND SOON : BLOODY DOLLS 2. »

La lumière dans la salle se rallume. L'avocat explique que ce petit film a été visionné sur Internet par 200 000 internautes, dont plus de 30 % ont laissé une marque « like ».

La juge écoute avec attention. Le traducteur parle vite pour transmettre à ses clients français le moindre mot prononcé.

– Votre avocat dit : « ... Les Micro-Humaines ont été louées avec confiance chez Pygmée Prod qui les a livrées au service de chirurgie de la clinique Kurtz aux heure et date convenues par le contrat pour une prestation de l'ordre de la sauvegarde d'êtres humains. Elles ont été détournées de leur mission médicale pour assouvir les bas instincts d'un gamin sadique. En outre, ce même enfant monstrueux annonce déjà sa volonté de récidiver. C'est un pervers qui abuse de sa taille et de sa force. Je réclame donc une condamnation exemplaire pour crimes avec actes de barbarie et préméditation, assortie d'une peine de trois ans de réclusion criminelle pour son père qui est responsable. Je demande de plus une amende de 100 000 euros d'indemnités pour les

95

propriétaires des victimes, donc Pygmée Prod, ainsi qu'une peine symbolique pour l'adolescent de deux semaines de réclusion avec sursis dans un centre pour mineurs, à titre d'exemple. »

Quelques personnes du public manifestent leur indignation et huent l'avocat autrichien.

Le docteur Kurtz, pour sa part, semble peu affecté par le réquisitoire de la partie civile.

Au milieu de la plaidoirie, il a sorti une lime et, depuis, se polit méthodiquement les ongles.

Puis vient l'instant de la plaidoirie de la défense.

Le traducteur, assis à côté du colonel Ovitz, traduit en chuchotant.

— Leur avocat dit : « … Ce procès n'a pas lieu d'être car il n'y a pas mort d'humains. »

David sent un frisson lui parcourir l'échine.

— Il dit : « … Les Emachs n'ont pas de carte d'identité, pas de nationalité, elles ne sont pas inscrites sur les registres de l'état civil, on ne connaît ni leurs parents ni leurs dates de naissance. » Il ajoute : « Elles sont donc proches des animaux, et on ne peut pas condamner un humain qui a tué des animaux, a fortiori un enfant de 14 ans irresponsable. »

La salle éclate de rire.

— Et là, qu'est-ce qu'il a raconté ?

— Il a dit : « Dans ce cas, il faudrait aussi condamner les petits garçons qui se sont amusés à mettre des pétards dans des grenouilles. Ce n'est pas du sadisme ou de la perversion, ce ne sont que des jeux d'enfants. » Il a ajouté : « Que celui qui ne s'est jamais amusé à se défouler sur des serpents ou des lézards dans sa jeunesse lui jette la première pierre. »

La salle est parcourue de gloussements et même la grosse juge blonde ne peut retenir un sourire. Une femme se lève et applaudit tout en prononçant quelque chose en allemand qui fait s'esclaffer plusieurs personnes du public.

L'avocat apprécie son effet et laisse la salle émettre quelques rumeurs de soutien, puis il reprend sa plaidoirie.

– « ... Lui-même, quand il était jeune, s'amusait à verser de l'essence sur les fourmilières pour les enflammer et il mettait du sel sur les limaces pour voir comment elles se tortillaient en souffrant. Il avoue avoir empoisonné les plantes de ses parents en pissant dessus, laissé mourir les poissons de son aquarium en mettant de la lessive dans l'eau et il a même tué un chien errant à coups de pierres pour s'amuser avec un groupe d'amis. »

Le colonel Ovitz serre les mâchoires. Aurore et David ont du mal à se contenir.

L'avocat de la défense, de plus en plus détendu, prend la salle à témoin et le traducteur poursuit.

– « ... Torturer les animaux est un jeu d'enfants répandu dans le monde entier. Dans certains pays, la corrida est même une torture érigée en spectacle traditionnel folklorique, pour adultes cette fois. Condamne-t-on le torero à une amende ou à une peine de prison avec sursis ? Non. Les chefs d'État viennent assister au spectacle comme une faveur. Si jamais on doit condamner le pauvre docteur Kurtz (qui en plus a la médaille d'honneur de sa profession et possède le titre de "citoyen exemplaire" de sa ville) pour les jeux inoffensifs de son fils, dans ce cas, il faudrait mettre en prison la moitié du pays, y compris les avocats et les juges et les jurés qui ont commis le péché d'avoir des enfants qui "découvrent la nature en jouant parfois maladroitement avec les bêtes". »

De nouveau, plusieurs personnes s'esclaffent et applaudissent. La juge est obligée de frapper du maillet pour rétablir le silence. Le docteur Kurtz reste impassible, il continue à se limer les ongles.

L'avocat de la défense apprécie la réaction de la salle et poursuit, en même temps que le traducteur annonce :

– L'avocat de la défense demande le non-lieu pur et simple. Et il trouverait normal que les Français s'excusent pour cette « accusation abusive » visant à ternir la réputation de son client, un « bon citoyen autrichien », pour des petites choses qui ne mériteraient même pas d'être mentionnées devant la justice.

À nouveau, des manifestations de soutien se font entendre dans la salle alors que la présidente du tribunal martèle maintenant son bureau pour rétablir le silence. Elle élève la voix pour annoncer que le tribunal se retire pour délibérer.

Les trois dirigeants de Pygmée Prod se retrouvent dans la salle d'attente attenante. Leur avocat les rejoint, il parle français avec un fort accent germanique.

– Ne vous inquiétez pas. Ils n'ont aucune chance. Les trois juges ont vu les séquences des filles torturées. Quels que soient les arguments de la défense, ces scènes atroces et spectaculaires sur la musique de Wagner sont trop horribles pour laisser qui que ce soit insensible.

– La salle tout entière les soutenait, souligne David, sceptique.

– Simple reflexe de chauvinisme. Kurtz est une figure locale, et pour eux, vous n'êtes que des étrangers « qui cherchez à faire des embrouilles aux gens d'ici ». Mais voir trois femmes se faire torturer en direct devant une caméra par un adolescent ricanant, c'est un argument qui renverse tous les autres.

Natalia Ovitz ne répond pas. Elle non plus ne semble pas convaincue.

– Il a raison. Je suis sûre que tout va bien se passer, affirme Aurore.

– Ce docteur Kurtz m'a semblé beaucoup trop décontracté, lâche enfin David, nerveux.

L'avocat hoche la tête.

– Je vous garantis, madame Ovitz, que vous n'avez aucun souci à vous faire. J'ai bien regardé les trois juges durant la projection du film. Celui de droite se mettait la main devant les yeux pour ne pas voir ces horreurs. Et celui de gauche se mordait les lèvres.

– J'ai observé moi aussi les juges durant la projection, ils avaient vraiment l'air écœurés, confirme Aurore.

La sonnerie retentit, annonçant que les trois magistrats ont délibéré et s'apprêtent à revenir.

La juge blonde entourée de ses confrères annonce le verdict qui est directement traduit par l'interprète.

– Elle dit : « Ayant entendu les différentes plaidoiries, nous en sommes arrivés à la conclusion que la mort des trois Emachs ne pouvait être légalement considérée comme un crime, car il n'y avait pas mort d'humains, au sens littéral de ce mot. »

À ce moment, plusieurs personnes dans la salle poussent une clameur de victoire.

– « Cependant... »

La juge impose le silence et poursuit.

– « Cependant nous constatons que les Emachs, qui peuvent être assimilées à des produits manufacturés comme les autres, ont été louées, détériorées, et non restituées à leurs légitimes propriétaires, la société Pygmée Prod. En conséquence de quoi, nous reconnaissons un délit de type "détérioration volontaire de biens dont le dépositaire avait la garde et la responsabilité". N'ayant trouvé aucune correspondance légale pour ce genre de "délit", nous l'avons assimilé, faute de mieux, au "non-rendu et détérioration de matériel de location à valeur similaire à celle d'une voiture". »

– QUOI ?!!! s'exclame David en se dressant. Vous assimilez nos Micro-Humaines à des voitures !!!

Mais déjà l'avocat lui intime de se rasseoir et d'attendre la fin du verdict. Alors que la juge parle, le traducteur se remet au travail.

– « Nous avons donc estimé que la valeur d'une Emach étant en Autriche pratiquement comparable à celle d'une voiture bas de gamme, nous pourrions imaginer une amende correspondant à la détérioration de trois de ces voitures de location. Détérioration ayant abouti à la destruction complète et donc l'impossibilité de relouer ces produits à d'autres clients. »

Les spectateurs sont surpris. La juge et l'interprète poursuivent en quasi simultané.

– « … En conséquence, nous considérons que la situation est celle-ci. Le docteur Kurtz a loué à la société Pygmée Prod trois produits que son fils a "détériorés au point de les rendre hors d'usage pour d'autres clients". Ce délit étant enfin identifié, nous avons évalué le préjudice commercial subi à 10 000 euros par Emach, soit un total de 30 000 euros, somme qui devra être allouée aux représentants de la société Pygmée Prod. »

Quelques sifflets et huées éclatent dans la salle. La juge poursuit, imperturbable.

– « Le docteur Kurtz devra en outre restituer les carcasses des trois Emachs à leur légitime propriétaire, au cas où un recyclage de type "revente possible à la casse" serait envisageable pour ces produits de location. »

La salle réagit maintenant de manière véhémente.

– Ils se révoltent contre l'injustice du verdict ? demande Aurore.

– Pas vraiment, répond l'interprète. Ils trouvent scandaleux de faire payer une amende aussi importante.

La juge frappe à nouveau du maillet et le silence est enfin obtenu.

– Nous faisons appel ! lance David. Traduisez !

– Non, dit l'avocat, ne faites pas cela, c'est inutile et ça n'arrangerait rien. Cela pourrait même se retourner contre vous.

L'interprète reste silencieux, malgré la curiosité des magistrats devant la réaction des Français.

– Nous faisons appel !! répète David.

– Attendez, ne nous emballons pas, intervient Natalia.

Elle fait signe au traducteur de ne pas prononcer un mot.

– On n'accomplit rien de bon sous la colère, et encore moins sous la pression de la foule. Sortons et réfléchissons, propose-t-elle.

Le docteur Kurtz range tranquillement sa trousse de manucure et serre la main de son avocat d'un geste chaleureux.

Puis il rejoint son fils à l'extérieur, face à la presse qui attend une mise au point.

Natalia Ovitz demande à l'interprète une traduction. L'homme obtempère.

– Le fils du docteur Kurtz dit : « C'est aujourd'hui une victoire de la "liberté d'expression artistique" sur la censure. Il promet de mettre les vidéos en vente avec une définition de meilleure qualité sur Internet, et en bonus des scènes qu'il avait jusque-là hésité à diffuser. »

L'adolescent se tourne vers les Français, leur fait un petit geste en signe de victoire, puis il explique quelque chose aux journalistes.

– Qu'est-ce qu'il dit ? gronde aussitôt David.

L'interprète hésite puis traduit :

– Il vous remercie.

– Pourquoi ?

– Il dit : « Grâce à vous, depuis le début du procès, le nombre des connectés sur Internet a été multiplié par cinq. Il a déjà des précommandes de gens prêts à payer pour voir le prochain épisode des *Poupées sanglantes*. Leur montant dépasse largement les 30 000 euros d'amende, et va lui permettre d'acheter plus de matériel vidéo afin d'améliorer les prises de vues en multipliant les plans. »

– Dites-lui que jamais nous ne lui relouerons d'Emachs, signale Natalia.

L'interprète traduit. L'adolescent répond en allemand, les gens rient et à nouveau l'interprète explique :

– Il dit que même s'il ne les achète pas lui-même, il se débrouillera pour en obtenir par des amis. Il y aura toujours quelqu'un prêt à lui fournir ses petites actrices. Il vous remercie encore.

Et l'adolescent blond esquisse une courbette et envoie un baiser en direction des Français.

Le père affiche désormais un grand sourire, fier du courage et de l'esprit d'entreprise de son rejeton. À l'adresse des trois Français, avec un air faussement désolé, il se contente de dire en anglais, pour être sûr d'être compris sans traduction :

– Looooooosers !

À ce moment, David ne se maîtrise plus. Il fonce vers le docteur, lui catapulte un puissant coup de poing qui le plie en deux, et dans la foulée le relève d'un uppercut qui lui fend la lèvre. L'autre titube, mais reste debout, n'esquissant pas le moindre geste de défense. David prend alors de l'élan et son poing va écraser le sourire.

Les flashes des journalistes crépitent.

L'Autrichien reste au sol, sonné, puis se relève lentement. Malgré sa lèvre fendue et sa bouche en sang, il répète :

– Looooooofer.

Le pied de David percute ses côtes.

L'interprète a reculé pour montrer qu'il n'a rien à voir avec ces étrangers si brutaux.

Des policiers interviennent et se saisissent des trois représentants de Pygmée Prod.

Au vu des troubles causés par les Français, un juge ordonne de les refouler à la frontière et de leur interdire temporairement toute nouvelle entrée sur le territoire autrichien.

20.

Emma 109 éteint le téléviseur et inspire profondément.

Maintenant, au moins, c'est clair.

Elle a entendu le verdict. La phrase résonne encore dans son esprit.

« Tuer des Emachs, ce n'est pas un crime parce que ce ne sont pas des… humains. »

Elle déglutit.

Comment disait le dieu David dans ses cours d'enseignement de la survie : « Ce sont les épreuves qui nous forcent à évoluer et à nous surpasser. Il n'y a pas de chemin intéressant sans grandes difficultés. »

Mon peuple subit une immense épreuve, et le plus étonnant c'est que je suis probablement la seule Emach à m'en rendre vraiment compte.

Elle ressent quelque chose de complètement nouveau : une vraie, profonde émotion acide qui lui brûle le cerveau.

Nous ne sommes pas des humains ! ?

Après tout ce que nous avons fait pour eux ! Nous les avons sauvés, nous les avons soignés, nous les avons récupérés et ils trouvent que nous ne sommes pas… humains… !!!!??????

Cette émotion, elle n'arrive pas encore à l'identifier.

Elle entend gratter dehors. C'est un rat sauvage qui a pénétré dans son château, probablement en passant par le plafond, et a attaqué son troupeau de rats d'élevage obèses. La Micro-Humaine prend l'arbalète qu'elle s'est fabriquée et se place face à lui.

Le rat découvre ses incisives et siffle. Il bondit. Elle dégaine et l'abat d'une flèche en pleine gorge. L'animal se tord de douleur, sa queue fouette l'air dans un bruit sinistre de lanière.

Est-il possible d'évoluer sans souffrir ?

Je crois que si je restais seule dans mon abri à assimiler via Internet toutes les connaissances du monde, j'évoluerais. Mais les événements m'obligent à me frotter au réel, avec tout ce que cela sous-entend de nouvelles épreuves.

C'est dans l'action qu'on acquiert l'expérience, pas seulement de manière intellectuelle, mais charnelle. Les actes se gravent au cœur des cellules du corps. J'ai pu réfléchir parce que j'étais spectatrice du monde. Je dois maintenant cesser d'être spectatrice pour devenir actrice. Car j'ai quelque chose de très important à accomplir.

Sauver mon peuple.

Elle tire le cadavre du rat sauvage vers son réfrigérateur, et là, le débite en morceaux.

Elle retrouve la chaîne du bracelet d'Emma 523, sa malheureuse comparse qui avait été capturée par les Iraniens, torturée et exhibée à l'ONU comme un trophée de guerre. Emma 109 passe un fil et le noue sur sa nuque pour s'en faire un pendentif.

Elle repense à Emma 523, aux images du docteur Kurtz, du juge viennois, et le mot arrive, recouvrant enfin l'ensemble des sensations qui la parcourent.

Ce mot est « colère ».

Elle inspire amplement.

Ne pas se laisser submerger par cette émotion mais profiter de ce qu'elle transmet comme énergie.

Elle se sent sans limites, alors elle allume l'ordinateur et essaie de repérer les vols qui relient New York à la cité de Vienne, en Autriche.

Puis elle sort en surface, prospecte dans une décharge, en quête du matériel qui lui semble nécessaire à sa mission.

Elle revient sur la tombe d'Emma 523, au milieu de Central Park, et tout en serrant fort son pendentif, elle articule à haute voix :

– Je te l'ai promis, je le ferai. Je te vengerai, petite sœur.

104

21. ENCYCLOPÉDIE : SYNDROME KITTY GENOVESE

Kitty Genovese, une jeune femme de 30 ans, travaillait comme serveuse dans un restaurant du Queens, à New York. Le 13 mars 1964, elle rentre chez elle après avoir terminé sa journée, et se fait agresser par un homme.
Il la viole et la larde de coups de couteau. Elle crie de toutes ses forces : « Oh ! mon Dieu ! Il m'a poignardée ! Aidez-moi ! »
L'agression durera trente-cinq minutes, dans une cour entourée d'immeubles. Pendant tout ce temps, la victime ne cessera de hurler et d'appeler à l'aide. Les fenêtres s'allument, des gens se penchent et, selon l'enquête, la scène sera vue et entendue par au moins trente-huit témoins.
Un homme criera timidement depuis une fenêtre : « Laissez cette femme ! » Inquiété par cette simple phrase, l'agresseur préfère fuir et abandonner sa victime agonisante. Personne pourtant ne vient lui porter secours, et personne n'appelle la police.
Cependant le meurtrier, après s'être éloigné, se dit qu'il s'est affolé pour peu de chose, et que sa victime pourrait le reconnaître. Alors il revient pour l'achever. Là encore, Kitty Genovese appelle à l'aide, mais personne ne réagit, et l'assassin peut repartir tranquillement chez lui.
L'affaire aurait pu s'arrêter là, mais l'homme, de son vrai nom Winston Moseley (marié et père de famille), est arrêté une semaine plus tard en flagrant délit de cambriolage. Et c'est lui-même, lors de l'interrogatoire, qui avouera spontanément l'assassinat de Kitty Genovese (alors que les policiers ne le lui demandaient pas).
Le journaliste Martin Gansberg va faire la une du *New York Times* avec ce qui lui semble bien plus qu'un simple fait divers. Gansberg va poser la question : « Pourquoi

trente-huit citoyens respectables, qui ont assisté à un viol suivi d'un crime, qui ont entendu les appels à l'aide, n'ont-ils rien fait ? »

Les excuses données par les trente-huit voisins sont recensées par le journaliste : « On croyait que c'était une querelle d'amoureux », dira l'un. « On n'arrivait pas à bien voir depuis notre fenêtre », dira un autre, ou : « Je n'avais pas envie de me mêler des affaires des autres », et même : « J'étais fatigué, je suis retourné au lit en me bouchant les oreilles. » Après Gansberg, les docteurs Latané et Darley vont étudier ce qu'ils vont baptiser « le Syndrome Kitty Genovese », et ce qui influence l'action du témoin d'un drame. Ils notent :
1. La peur que cela attire des problèmes personnels. « Il ne faudrait pas que l'assassin m'en veuille ensuite. »
2. Le conformisme. « Je vais d'abord voir ce que font les autres et je ferai de même. »
3. L'appréhension de l'erreur d'évaluation. « Il ne faudrait pas que je me trompe sur la gravité de ce qui se passe vraiment, sinon je vais être ridicule. »
4. La responsabilité. « Pourquoi j'irais intervenir alors qu'il y a des gens plus doués et plus expérimentés pour le faire ? »
Ce comportement semble trouver ses premières racines dans les cours de récréation. Nous avons souvent vu des souffre-douleur se faire harceler, racketter ou tabasser par des brutes sans réagir. Alors nous pouvons tous nous poser la question : « Si nous avions été dans cette cour le 13 mars 1964, et que nous avions vu les autres fenêtres allumées et les gens penchés alors que la victime suppliait qu'on l'aide, aurions-nous réagi ? »

Encyclopédie du Savoir Relatif et Absolu,
Edmond Wells, Tome VII.

22.

Et les astronautes se cognaient à grands coups de pied et de poing dans le petit cockpit de la fusée Lymphocyte 21.

Au sol, les équipes de contrôle ont perçu l'incident grâce aux caméras, mais ils ne pouvaient pas intervenir à distance.

À un moment, se sentant vaincu, un astronaute a pris une arme et a tiré. La balle a raté sa cible mais a perforé la paroi de la fusée. Sous l'effet de la brusque dépressurisation, le cockpit a explosé et ils ont tous été propulsés dans le vide. Leurs scaphandres encore lestés de leurs corps doivent probablement errer dans l'espace.

À le raconter, décidément, tout cela me semble si dérisoire. Échouer dans une mission aussi importante pour une dispute sur l'immortalité des dieux...

Quelle incommensurable bêtise !

Sur ma surface, les humains ont rapidement compris les conséquences de cet incident.

Il était trop tard pour envoyer une autre fusée. De toute façon, en perfectionnant Lymphocyte 21, ils avaient du même coup détruit toutes les anciennes fusées, qu'ils considéraient inutiles.

Ils s'étaient endormis sur leurs victoires précédentes. Ils avaient négligé le facteur psychologique chez les minihumains qu'ils croyaient contrôler.

Tous désormais pouvaient imaginer la suite des événements. Ce fut le chaman qui en fit l'annonce.

L'astéroïde Théia 7, n'étant pas intercepté, allait poursuivre sa trajectoire et finir par s'abattre sur ma surface sans que rien ni personne ne puisse l'en empêcher.

23.

Une étoile filante traverse le ciel mauve.

David Wells est devant la tombe de sa mère.

Il se dit que, par souci d'apaisement, on fait croire à tous les enfants que le sens logique d'une évolution individuelle, c'est grandir, avancer, s'enrichir et devenir de plus en plus puissant. Le bonheur ne serait que dans la croissance.

Ce serait trop simple.

Aurore Kammerer vient le rejoindre.

– Je suis désolée, murmure-t-elle.

Il la regarde. Elle a des larmes séchées sur la joue.

– Tu… tu as pleuré ? À cause du procès Kurtz ? Ça t'a affectée à ce point ?

Elle secoue ses cheveux qui sont désormais longs.

– Je me suis disputée avec Penthésilée. Tous ces récents événements ont créé des tensions. De toute façon, ça faisait longtemps qu'il y avait des problèmes entre nous.

Elle se rapproche de lui, observe la pierre tombale et son arbre dans le pot de terre cuite.

– Penthésilée est très jalouse. Elle a des accès de rage incontrôlée pour des broutilles. C'est docteur Jekyll et Mrs. Hyde. Un jour, elle est tendre et douce, le lendemain c'est une furie qui hurle. Elle ne supporte pas notre complicité. Par moments elle me fait peur.

– C'est quoi la source des conflits ?

– Elle prétend que… inconsciemment j'aime les hommes.

Au-dessus d'eux, une nouvelle étoile filante trace sa route dans l'autre sens, plus rapide, plus lumineuse que la précédente.

– Je crois que les couples sont des sociétés miniatures qui naissent, mûrissent et meurent. Deux personnes, c'est déjà un monde à échelle réduite. Mais ce qui me surprend, c'est qu'au

108

sein du couple, ou de la famille, on s'autorise des violences extrêmes qu'on ne s'autoriserait jamais avec des étrangers, dit-elle.

Il la regarde mieux sous l'éclairage de la lune, et aperçoit sur sa joue une blessure jusque-là cachée.

– Vous vous êtes battues ?

– Elle boit. Et quand elle boit, sa rage est décuplée. Elle devient paranoïaque. Elle est persuadée que nous avons fait l'amour, toi et moi.

Il hoche la tête et lui propose de marcher.

Ils s'éloignent des lumières de Pygmée Prod.

– C'est au moment où nous sommes les plus proches de la réussite totale que tout semble s'effondrer pour des broutilles. Penthésilée me quitte. Les Emachs, après avoir été portées aux nues, sont traitées comme des objets de défoulement. Et nous nous retrouvons seuls avec une œuvre aboutie mais déjà source de tant de problèmes.

Il s'arrête et observe le ciel.

– Nous avons subi un revers, mais il faut tenir. Nous n'avons pas encore perdu, déclare-t-il.

Ils reprennent leur promenade.

– Natalia a lancé des pistes. Il faut blacklister les mauvais clients qui utilisent les Emachs pour des usages incertains.

– Kurtz l'a annoncé, ils les feront louer par des prête-noms.

– Dans ce cas, nous allons fixer sur toutes les Emachs en mission des puces-balises RFID pour savoir où elles sont.

– Nous ne pourrons jamais savoir comment les gens les traitent en privé. Ou alors il faudrait mettre non pas une puce-balise mais une caméra sur chaque Emach et payer quelqu'un pour surveiller les écrans de contrôle.

David réfléchit. Un nuage dévoile la lune, et soudain cette lumière argentée les baigne complètement.

– Il faut augmenter le prix des locations.

– Nous serions les premiers lésés. Ça réduirait le nombre de nos clients, sans décourager les riches pervers.

– Alors que faire ? Nous n'allons pas envoyer nos Emachs se faire torturer chez des psychopathes.

– Les armer ? propose Aurore.

– Si un client était blessé, nous serions tenus pour responsables. Et là, ce ne serait pas une simple amende...

La jeune femme hoche la tête.

– Et puis nous les avons éduqués à ne jamais faire de mal à un Grand. La contradiction serait impossible à gérer pour eux, précise David.

– Ils dépendent de nous, dit-elle.

– Dans l'Encyclopédie, j'ai lu cette phrase : « Bien malheureux est l'être humain dont le bonheur dépend d'une personne extérieure. » Pourtant, ils devront un jour apprendre à être autonomes et à ne rien attendre de leurs créateurs...

En prononçant cette phrase, il pense à Emma 109.

Aurore prend trois brindilles et s'agenouille pour les manipuler en tous sens.

– Tu essaies de faire un carré avec trois brindilles ? La fameuse énigme bizarre de mon arrière-grand-père Edmond Wells ?

– Oui, c'est aussi un problème insoluble. Je suis persuadée que si on trouve la solution (et tu m'as affirmé qu'elle existait), on débloquera un mode de réflexion.

Il hausse les épaules, perplexe.

– Je dois t'avouer que depuis l'enfance je suis obnubilée par les énigmes. Celle-là m'énerve tout particulièrement. Faire un carré avec trois allumettes, c'est quand même un sacré défi...

– Nous en avons déjà relevé un certain nombre ensemble.

Il la prend par la main, la fixe avec intensité.

– Excuse-moi de le répéter, mais je garde l'impression que nous nous sommes déjà connus, dit-il.

Elle a un petit sourire désabusé.

– Serais-tu prête, Aurore, à tenter l'expérience du Ma'djoba ?

– Ta potion hallucinogène ?

– Une séance seulement, pour vérifier si nous nous sommes connus quand j'ai dompté les petits hommes, il y a huit mille ans ?

Elle le scrute d'abord d'un air sceptique. Puis, avec un petit sourire tendre, elle lui passe la main dans les cheveux.

– Je suis une scientifique pure et dure. Désolée. Je crois que ce ne sont que des fantasmes pour esprits naïfs en quête de magie. Et le fait d'avoir créé notre propre religion pour les Micro-Humains n'a fait que confirmer cette pensée. Tout ce déballage mystico-spirituel n'est que le moyen de manipuler les esprits faibles et leurs envies de rêver.

Ils restent ainsi, à se regarder longuement, sans parler. La gêne devient trop forte, David s'apprête à murmurer un mot, lorsque tout à coup il sursaute.

– Bon sang ! Mais comment n'y ai-je pas pensé ?

– Quoi ?

– En fait, la solution nous a été donnée par l'avocat de Kurtz. Le cœur du problème, c'est le statut même des Micro-Humains. Pour l'instant ce ne sont que des « objets de location ». C'est là-dessus qu'il faut agir.

– Tu veux faire quoi ?

Il hésite, puis annonce avec détermination :

– Demain, je pars pour le Vatican.

24.

Le voyage se passe mal.

Dans la soute de l'avion, le froid est intense.

Alors, renonçant à toute prudence, Emma 109 sort de la valise qui lui sert d'abri et remonte dans la zone chauffée de l'Airbus.

Elle rampe sur la moquette. Le chariot des aliments avance dans la travée. Elle entre dans un compartiment du porte-plats et trouve un sandwich, s'en nourrit, puis cherche une meilleure cachette.

Elle songe aux compartiments à bagages, mais ils manquent d'aération. Elle en ressort rapidement.

Ne trouvant aucun recoin, dans ce lieu si exigu qu'est la carlingue d'un avion, où chaque centimètre est rentabilisé, elle se décide à tenter le tout pour le tout, et se dirige vers une fille qui s'amuse avec des poupées de sa taille. Emma 109 prend la position de l'une d'elles, et ce n'est que lorsque l'enfant approche sa main qu'elle lui fait un clin d'œil.

La fillette l'observe, étonnée, ne sait comment réagir, puis se décide enfin à tirer la manche de sa mère.

– Maman, il y a une de mes poupées qui bouge…, lance-t-elle.

– C'est ça, ma chérie, c'est ça.

Emma 109 lui fait signe de se taire, mais l'enfant est trop excitée par sa découverte.

– Je te jure, maman !

– Bien sûr, ma chérie.

Emma 109 se calfeutre bien au chaud dans la boîte de jouets. *Heureusement que la déesse Natalia nous a appris l'art du camouflage et de l'adaptation instantanée aux événements imprévus*, songe-t-elle en fermant les yeux. Puis, doucement, elle se laisse gagner par la torpeur du sommeil.

25. ENCYCLOPÉDIE : HUMANITÉS PARALLÈLES SELON PARACELSE

Dans son ouvrage *Le Livre des nymphes, des sylphes, des pygmées, des salamandres et de tous les autres esprits*, le médecin suisse Théophraste Paracelse énonce en 1535 qu'il existe six familles d'hommes *Inanimata* (dépourvus d'âme).

Quatre humanités parallèles plus ou moins cachées seraient elles-mêmes regroupées selon les quatre éléments.

Tout d'abord les êtres issus de l'eau :

– Les nymphes : qui sont les filles des lacs, des rivières et des océans.

Ensuite viennent les êtres issus de l'air, eux-mêmes scindés en deux espèces spécifiques :

– Les lémures : qui habitent sous la montagne et sont les restes, sous forme de spectres, des humains morts dans des circonstances tragiques (suicide ou assassinat). Ceux-ci donneront plus tard la dénomination de lémuriens à ces animaux considérés comme les fantômes incarnés des âmes humaines tourmentées.

– Les gnomes : qui sont des purs esprits de l'air.

Puis viennent les êtres issus du feu :

– Les vulcani.

Et enfin les êtres issus de la terre, qui comprennent eux aussi deux humanités parallèles :

– Les géants.

– Les nains.

Ces deux dernières espèces ayant pour particularité de vivre dans l'ombre des forêts de grands arbres.

Pour Paracelse, tous ces êtres ont été conçus à partir de la semence du ciel mélangée aux éléments : air, feu, terre, eau. D'après lui, ces formes d'humanité n'ont cependant pas reçu la fertilité du limon sacré de la terre et sont donc dépourvues d'âme.

Selon ses propres termes : « Ils sont comme des insectes formés dans la fange par génération spontanée. Ils ne méritent, en tant que tels, aucun respect, et ne présentent aucun réel intérêt scientifique. »

Encyclopédie du Savoir Relatif et Absolu,
Edmond Wells, Tome VII.

26.

Les statues monumentales de la vaste esplanade Saint-Pierre, au Vatican, l'observent, impassibles. Autour de lui, des gardes suisses, dans la tenue Renaissance rouge, bleu et or dessinée par Michel-Ange, tiennent bien haut leur fusil-mitrailleur lance-grenades terminé par une baïonnette à lame effilée.

David Wells n'y prête guère attention.

Plus loin, une longue file de touristes s'enfonce dans les bâtiments en tendant leurs tickets d'entrée. Ils viennent visiter les salles des reliques, ossements de saints protégés par des vitrines, mais aussi admirer les peintures, les fresques et les bijoux, les robes en soie, en fil d'or et d'argent, les couronnes serties de pierres précieuses.

Un magasin de souvenirs surmonté du visage du Christ annonce des soldes sur la vente des tee-shirts, vêtements, fioles d'eau bénite, croix lumineuses, et même jeux vidéo et bandes dessinées mangas.

Plus loin, une Vierge Marie-distributeur de soda rivalise avec une Vierge Marie-thermomètre, et même une Vierge Marie-dérouleur de papier aluminium pour la cuisine. Des touristes japonais posent et se photographient à côté des objets de souvenirs ou devant les œuvres d'art du palais.

David poursuit son cheminement à travers le lieu sacré.

Tout respire le luxe et l'opulence.

Des caméras de surveillance filment les allées et venues des troupeaux de touristes et de pèlerins. David exhibe son passeport et son invitation officielle au premier contrôle des gardes suisses. Il peut reprendre la visite, le long d'une allée jalonnée de marbres de Carrare et de tableaux aux cadres recouverts à la feuille d'or. Au plafond, des fresques représentent des scènes de la vie de Jésus, et notamment, face aux boutiques proches du lieu sacré, l'épisode où il s'écrie : « Ne faites pas de la maison de mon Père une maison de commerce ! » gravé en lettres d'or rehaussé de poudre rubis.

Plus loin, encadré de dorures encore plus lourdes, on voit Jésus, simple charpentier, prôner la simplicité et le renoncement aux biens matériels.

David s'enfonce dans les couloirs du Vatican, croise des hommes en soutane, un ordinateur portable sous le bras.

Nouveau contrôle d'identité. Cette fois, les gardes suisses encore plus armés que les précédents demandent au Français d'attendre dans une salle où se trouvent déjà plusieurs hommes aux allures de chefs d'entreprise.

Enfin, une secrétaire portant jupe longue fendue et talons hauts vient le chercher et le guide vers un escalier. Il se retrouve dans une salle dépassant en magnificence tout ce qu'il a vu jusque-là.

Au milieu des sculptures et des tableaux de maîtres, des écrans indiquent le cours de la Bourse et font défiler les actualités.

Le pape Pie 3.14 travaille sur un bureau moderne en marbre noir. Il remercie la secrétaire d'un geste. C'est un homme de plus de 80 ans, obèse, aux belles joues rondes. Il porte une aube blanche, une calotte blanche, une mosette rouge à fils d'or bordée d'hermine.

Il est assis dans un fauteuil-trône dominé par une tiare représentant les trois niveaux de gouvernance de la papauté : couronne du pouvoir sur les États pontificaux, couronne du pouvoir sur les princes, couronne du pouvoir sur les âmes.

David esquisse une courbette et articule maladroitement :

– C'est un grand honneur pour moi de rencontrer Votre Sainteté.

Le pape quitte son bureau pour venir le saluer. Il porte des mules en velours rouge, lui tend une main gantée de même velours, que David, après une hésitation, baise au niveau d'une bague surmontée d'une énorme topaze.

– Non, c'est un grand honneur pour moi, je connais vos admirables travaux, docteur Wells, et je sais ce que vous avez accompli dans le domaine de la biologie de la réduction.

L'homme affiche un sourire jovial.

– Je dois même vous avouer que, depuis peu, nous avons loué certaines de vos charmantes, comment dites-vous déjà ?... « Emachs » – quel drôle de mot ! – pour faire les anges chérubins durant notre représentation de la Nativité. Elles sont, avec leurs petites ailes au-dessus du berceau sacré, du plus bel effet. Aucune statuette ne remplace le vivant.

– Justement, Saint-Père, je viens pour vous parler de ce sujet. Je ne sais si vous avez suivi les dernières actualités, mais la justice des hommes, enfin *une* justice des hommes, celle des Autrichiens pour être précis, a tranché en défaveur des Emachs, laissant à un adolescent le droit de les assassiner de manière sadique au seul prétexte que ce ne sont pas des humains. Le verdict a décidé que...

Le scientifique retient mal sa rage et respire par à-coups.

– Détendez-vous mon fils, et poursuivez...

– ... le verdict a estimé, je cite : « Tuer un Micro-Humain n'est pas un crime, dans la mesure où ces derniers ne sont pas assimilables à des êtres humains mais plutôt à des... biens de location ! »

Le pape Pie 3.14 dodeline de la tête, et prend un air protecteur.

– Mmmh... je sais, je sais, mon fils.

– Ce qui signifie qu'ils sont considérés comme des animaux ou des objets dont on peut user et abuser à sa guise. Or je vis avec eux depuis plusieurs années, je les vois naître, je les vois grandir, je les entends. Ils parlent, ils jouent, leurs enfants sont joyeux et ressemblent aux nôtres. Ils lisent, ils parlent, ils écrivent, ils savent compter, ils savent s'habiller, ce ne sont pas des animaux, je vous le jure, Saint-Père.

– Bien sûr, bien sûr.

– Ils sont comme vous et moi, et je ne comprends pas pourquoi le seul fait qu'ils soient de petite taille leur enlève le droit d'être considérés comme des... enfin comme nous.

– Bien sûr, bien sûr.

Le pape hoche longuement la tête, ce qui n'est pour lui ni une approbation ni une réprobation, mais un encouragement à continuer de parler.

– Depuis que le verdict du tribunal de Vienne a été annoncé, les agressions sur les Emachs se multiplient. Le fils du docteur Kurtz, Wilfrid, est devenu une vedette locale. Il se présente comme un artiste libre qui a tenu tête aux vieux moralistes français pour défendre le droit des jeunes Autrichiens à faire du cinéma de style « gore réaliste » ! Les journaux de son pays titrent même que c'est la revanche sur Napoléon qui les a envahis ! Ils disent que les Français n'ont pas vocation à dicter leurs lois aux peuples libres !

– Calmez-vous, calmez-vous, mon fils.

– Désormais le petit Kurtz, soutenu par tout son entourage, assume ce qu'il appelle son « œuvre artistique audiovisuelle personnelle ». Il torture et tue pour « faire joli ».

Le pape marche vers sa fenêtre, d'où il peut contempler la place Saint-Pierre et sa longue file d'adorateurs.

– Hmm..., je vois, je vois.

– Évidemment, c'est plus amusant de torturer des êtres qui souffrent vraiment que des jouets ! Surtout si l'enfant sait qu'il peut le faire en toute impunité. Quant aux parents, ils savent qu'ils paieront une simple amende pour « détérioration de matériel de location ».

Enfin, l'homme obèse, dans sa grande tenue blanche et rouge, consent à se retourner et à le fixer avec un sourire compatissant.

117

– Pourquoi êtes-vous là, dites-le-moi, mon fils ? En quoi puis-je vous aider précisément ?

– Votre Sainteté peut mettre fin à cette abomination. Vous êtes une référence spirituelle mondiale, on vous écoute. Je vous en conjure, dites à vos fidèles que les Emachs ont une âme et que les faire souffrir est un péché.

Le pape Pie 3.14 a un geste de lassitude, puis, regardant sa montre, il invite David à marcher vers une galerie adjacente.

Ils s'immobilisent devant la chapelle Sixtine, et la fresque de Michel-Ange.

– Voilà ce qui me semble le meilleur endroit pour parler d'un sujet aussi subtil, mon fils. Vous savez ce que cela représente ? dit-il en désignant le plafond.

– Dieu transmettant l'Intelligence à l'homme.

– Je dirais plutôt : Dieu transmettant un peu de son étincelle divine à Adam, donc l'élevant juste au-dessus des animaux. Cette image représente métaphoriquement l'invention de l'humanité. Rien de moins.

David contemple la fresque fascinante.

– Savez-vous que jadis a eu lieu une controverse pour savoir si les Indiens colonisés d'Amérique étaient ou non des hommes à part entière ?

Il joint ses mains sur son aube blanche.

– C'était en 1550, cinquante-huit ans après la découverte de l'Amérique, et ce débat avait été réclamé par l'empereur Charles Quint. Cela s'est déroulé au collège Saint-Grégoire de Valladolid, en Espagne. On l'a appelé plus tard la « controverse de Valladolid ».

– Quel rapport avec ma requête ?

Le pape lui propose de poursuivre leur promenade à travers le Vatican. À cette heure, les visites touristiques s'achèvent et ils sont seuls dans un long couloir dallé de marbre dont les murs racontent en une succession d'œuvres d'art l'histoire du martyre des saints.

– Le « rapport » est : la définition de l'humain. Voilà la clef de tout. Nous sommes de moins en moins certains de ce qui est, et de ce qui n'est pas « humain ». Et plus le temps avancera, plus le doute s'élargira. Étant donné que les politiciens ne savent plus où chercher, ils nous demandent à nous, les serviteurs de Dieu, de trancher. Comme si nous connaissions mieux que les autres la définition de l'humain. Et si je vous posais à vous la question, mon fils : « C'est quoi, pour vous, un être humain ? »

– Les humains, c'est... nous.

– Pas si simple. Mais laissez-moi vous raconter la controverse de Valladolid dans les détails, docteur Wells, elle éclairera votre lanterne. Au débat de 1550 a été désigné comme procureur Jinéz de Sepúlveda, prêtre et confesseur personnel de Charles Quint, grand professeur de théologie spécialisé dans l'histoire des peuples. Face à lui, comme avocat de la cause indienne, le dominicain Bartolomé de Las Casas. Son père avait accompagné Christophe Colomb lors de sa première traversée. Las Casas avait fondé une colonie chrétienne agricole visant à faire travailler ensemble Espagnols et Indiens dans les îles Caraïbes. Enfin, comme arbitres, quinze juges, quatre religieux et onze juristes. Ils devaient répondre à la même question qui nous préoccupe aujourd'hui : ces gens-là, en l'occurrence les Indiens d'Amérique, ont-ils une âme ?

Le pape marche à petits pas, ce qui contraste avec son imposante stature. Son visage poupin se fait gourmand, tant il semble passionné par son sujet.

– Le débat de Valladolid avait une importance économique d'autant plus déterminante que, jusque-là, les Indiens, considérés comme non humains, formaient une main-d'œuvre gratuite et illimitée. Les conquistadors ne les convertissaient pas

119

et se contentaient de prendre leurs richesses, de détruire leurs villages et de les mettre en esclavage, en les nourrissant au minimum. S'il s'avérait que les Indiens avaient une âme et étaient des humains, tous étaient conscients qu'il faudrait non seulement les convertir, mais aussi leur verser de vrais salaires en rémunération de leur travail.

Le pape s'arrête devant une peinture de la Renaissance représentant un saint en pagne blanc pendu par les pieds et dont le corps est percé de flèches.

— Les débats se déroulèrent de septembre 1550 à mai 1551, période durant laquelle la conquête du Nouveau Monde fut stoppée, précisément dans l'attente d'une réponse sur cette épineuse question de « l'humanité ou non des Amérindiens ». Les discussions débordèrent largement la problématique de départ. Le procureur Sepúlveda rappela que les Indiens étaient cannibales, accomplissaient des sacrifices humains, étaient sodomites et avaient d'autres pratiques sexuelles réprouvées par l'Église. Il signala également que les Indiens ne pouvaient se libérer seuls de leurs rois tyrans, donc il fallait les soumettre pour... les aider.

David ne répond pas, il attend patiemment la fin du récit pour comprendre où le pape Pie 3.14 veut l'entraîner.

— Las Casas pensait que s'ils pratiquaient des sacrifices humains, c'était parce qu'ils avaient une telle haute idée de Dieu qu'ils ne pouvaient se contenter de sacrifices d'animaux.

— Qui a gagné ? demande David, impatient.

Le pape veut prendre son temps pour développer son idée, mais devant l'agacement de son invité, il consent à répondre.

— Le procureur Sepúlveda. Les Indiens ont été considérés comme sans âme. Cependant, pour faire plaisir à Las Casas, les juges ont demandé que les conquistadors évitent les « cruautés et les mises à mort inutiles »... sauf si celles-ci sont légitimées par la notion de « juste droit », notion qui, à vrai dire, était suffisamment floue pour laisser toutes les interprétations possibles.

– Pourquoi me dites-vous cela, Saint-Père ? Pour me préparer à ce que les juges du Vatican arrivent à la même conclusion ?

Le prélat lâche un soupir.

– Je le crains en effet.

– Alors je vous propose un marché. Si vous, Saint-Père, annoncez clairement que les Micro-Humains ont une âme, je suis prêt à les convertir tous autant qu'ils sont à la religion catholique.

Le pape le regarde, surpris par la proposition.

– Vous les aimez à ce point ?

Le scientifique baisse les yeux.

– Nous construirons une église, que dis-je, une cathédrale catholique dans Microland. Avec les mêmes représentations qu'ici. Ils reprendront les mêmes liturgies, les mêmes cantiques, les mêmes textes. Au mot près. Il y aura une grande croix au-dessus de Microland et ils feront le jeûne du Vendredi saint. Le clergé que j'ai établi viendra vous rendre des comptes et prendra directement ses ordres de vous.

Le pape s'arrête et semble réfléchir. David se sent encouragé à poursuivre. Il désigne une fresque sur laquelle Jésus distribue des pains aux pauvres.

– Si le vrai Christ était là, ici présent face à moi, il n'hésiterait pas à aller dans ce sens. Jésus était un homme de compassion et il ne laisserait pas des êtres innocents souffrir sans réagir.

Le pape indique qu'il souhaite rejoindre son bureau.

Il regagne son fauteuil-trône, puis croise et décroise ses doigts gantés, signe chez lui d'intense réflexion.

– Combien sont-ils au juste, vos Micro-Humains ?

– Actuellement, aux alentours de 5 000. Annoncez que ces êtres nouveaux sont dignes d'être compris dans le « Aimons-nous les uns les autres » de Jésus. Ils sont des êtres de chair, de sang et de nerfs comme nous. Quand on les frappe, ils souffrent, les mères aiment leurs enfants, ils sont capables de…

– Vous l'avez déjà dit, vous vous répétez, mon fils. Et je sais aussi qu'ils sauvent des vies en plongeant dans des centrales nucléaires ou en retrouvant des mineurs chiliens coincés sous terre. Je sais qu'ils préservent des existences avec leurs petites mains chirurgicales inégalables (j'ai moi-même, pour tout vous avouer, subi une opération à cœur ouvert effectuée par une équipe d'Emachs chirurgiennes). Je sais tout cela mais…

– Mais… ?

Il croise et décroise à nouveau ses mains gantées de velours pourpre.

– … Mais il faut comprendre que même si je lançais un débat de type « controverse de Valladolid » sur l'humanité des Emachs, il est des enjeux économiques et politiques que nous ne pouvons ignorer.

– Je suis coactionnaire principal de la société qui les produit, et je peux vous affirmer qu'au point de vue économique…

Alors le pape Pie 3.14 se penche en avant.

– Êtes-vous seulement conscient de ce que vous me demandez et des conséquences que cela pourrait avoir ?

– C'est le même enjeu que Valladolid. Il faudrait les payer comme des salariés et leur accorder des droits comme aux citoyens. Après tout, même si votre Sepúlveda a gagné momentanément, cinq cents ans plus tard, les Indiens d'Amérique du Sud forment la plus grande communauté chrétienne du monde, et personne ne songerait à contester leur statut d'êtres humains. Sepúlveda avait tort et Las Casas avait raison. Le temps l'a prouvé. Et je crois que lors de votre dernière tournée en Amérique latine, une multitude de jeunes Amérindiens vous acclamaient, alors qu'en Europe, vous avez de plus en plus de difficulté à réunir les foules sur votre passage et vous apparaissez plutôt comme un représentant d'un monde « ancien et dépassé ».

La pique fait mouche.

– Peut-être, mais comme disait votre président dans l'un de ses discours : « Avoir raison trop tôt est pire qu'avoir tort. »

Le pape marque sa satisfaction d'avoir trouvé la formule qui résume sa pensée.

– Par rapport à son époque, poursuit-il, Sepúlveda avait raison. Il a donné la réponse adaptée à son temps. Et le fait que les Indiens d'Amérique latine forment, je le reconnais, la plus grande et la plus dynamique communauté chrétienne est peut-être la conséquence précise de ce choix, à cette époque.

La phrase : « Avoir raison trop tôt est pire qu'avoir tort », résonne dans le crâne de David comme un mauvais présage.

– Ne voulez-vous pas être un pape en avance sur son temps ?

– Je gère le passé et une partie du présent. C'est déjà beaucoup. Je ne voudrais surtout pas me charger du... futur.

– Mais vous êtes d'accord que les Micro-Humains sont des êtres humains...

– Ces « entités » ont été fabriquées de toutes pièces dans des laboratoires, on peut les reproduire comme des cochons d'Inde ou des poulets de batterie. C'est-à-dire à l'infini. À mon avis, dans quelques années nous verrons probablement un « distributeur d'Emachs », comme il existe des distributeurs de chewing-gums dans les aéroports. Mais je vais répondre plus précisément à votre question, mon fils. Ce qui fait la différence entre un animal de laboratoire et un humain, c'est son « indivision ». Un être pourvu d'une âme est unique et ne ressemble à aucun autre. C'est en cela qu'on peut le nommer « individu ». Nous avons déjà eu ici ce débat à propos des clones qui sont des êtres semblables à vos Emachs. Eux aussi sont issus de manipulations génétiques et reproduits à l'infini. Nous nous sommes réunis avec nos cardinaux pendant un mois entier pour étudier le problème des clones humains et nous avons conclu...

– ... à leur « non-humanité », je sais.

– Et je peux vous garantir que même si je cédais pour vous satisfaire, mes cardinaux ne me suivraient pas.

Le scientifique fixe le pontife.

– Si ce n'est qu'un problème de naissance en laboratoire, sachez que désormais ils arrivent à se reproduire « normalement », en fécondation non plus in vitro, mais in vivo. Les femmes...

– Les femelles..., rectifie le pape.

– Si vous voulez, les femelles accouchent comme nos femmes.

Le pape se contente de sourire, montrant que l'argument ne pèse pas lourd à ses yeux.

– Mais au nom de quoi leur refusez-vous le droit d'être considérés comme humains ? Qu'ont-ils de moins et qu'avons-nous de plus qui nous donne une telle supériorité ?

– La taille. Je sais déjà que si je leur soumettais ce problème, les cardinaux définiraient qu'il faut une taille minimale.

– Combien ?

– Je peux répondre précisément à votre question : 50 centimètres.

– D'où sortez-vous ce chiffre arbitraire ?

– Du livre *Guinness des records*. Avant que vous veniez, j'ai pris la précaution de chercher dans cette référence moderne l'humain considéré comme le plus petit du monde, et il mesure 54,6 centimètres.

– Mais c'est un...

– De toute façon, mes cardinaux diraient que l'âme ne peut s'incarner que dans un volume minimum de chair.

Comme il prononce ces mots, il rectifie sa position dans le fauteuil, et son ventre se fait plus présent.

– La taille ? Ainsi ce serait « cela » qui les empêche d'être considérés comme nos égaux ?

– Et... la reproduction vivipare. Vous me dites qu'ils ne naissent plus dans des éprouvettes, mais qu'ils naissent dans des œufs. Là, reconnaissez-le, ce n'est guère en accord avec l'enseignement des apôtres.

– Mais à l'époque des apôtres, la biologie n'existait pas !

Le pape accentue son sourire.

– Alors pour vous les Emachs sont quoi ? insiste David.

Le pontife a un geste évasif.

– Des... sortes de petits singes. Un peu comme les capucins ou les ouistitis. Si j'étais à votre place, pour défendre les Micro-Humains, j'irais plutôt voir les associations de défense animale. Elles me semblent plus appropriées pour gérer ce genre de débat. Je crois que vous avez en France la Société Protectrice des Animaux. Peut-être qu'ils pourront vous aider à défendre leurs droits contre les « adolescents maladroits » comme ce jeune Kurtz.

Le pape Pie 3.14 descend de son fauteuil-trône et le prend par l'épaule.

– Croyez-moi mon fils, moi-même, je possède un labrador, et je suis révolté quand j'apprends qu'on pratique des expériences de vivisection sur des chiens... J'en ai des frissons rien que d'y penser. De même je trouve parfois que mon labrador a un regard humain, et comme on dit, « il ne lui manque que la parole ». Pourtant il ne me viendrait pas à l'idée de réclamer qu'on lui reconnaisse une âme.

David cherche une réponse, mais les mots ne sortent pas. Une boule douloureuse serre sa gorge.

27.

Je me souviens.

À le voir de plus près, à travers les télescopes des humains, Théia 7 était moins grand que Théia 1 (qui avait créé la Lune il y a 4 milliards d'années), moins grand que Théia 3 (qui avait fait disparaître les dinosaures il y a 65 millions d'années). Il semblait même vraiment insignifiant. C'était une sphère de seulement 30 kilomètres de diamètre.

Mais il était suffisamment dense pour franchir l'atmosphère et aussi très rapide (se déplaçant à au moins 80 000 kilomètres-heure). Jamais je n'avais vu un caillou de l'espace arriver sur moi à une telle vitessse.

Dès cet instant, ce n'était plus la science de l'astronomie qui répondait aux questions le concernant, mais celle de la balistique, et je savais que plus un projectile est rapide, plus il est perforant.

Théia 7.

À ce moment, je l'avoue, je n'ai plus pensé à eux, mes locataires humains, mais à moi. Je craignais d'être assommée et d'oublier.

Alors j'ai inspiré au chaman dans la pyramide de raconter sur une fresque toute l'histoire de sa civilisation, de sa naissance à sa destruction probable, afin que le récit en reste gravé dans la pierre.

Comme le temps pressait, je lui ai soufflé de se faire aider d'une dizaine d'autres personnes, mais c'est lui qui restait le maître d'œuvre.

Théia 7 a voyagé plusieurs jours dans l'espace avant de me percuter. Le chaman et son équipe munis de burins lasers travaillèrent jour et nuit à graver dans la roche les images marquantes de leur évolution.

Et c'est ainsi que s'est inscrite leur saga, avant que ne se produise le « mortel baiser ».

28.

Elle regarde les pièces couronnées du jeu d'échecs heptagonal qu'elle vient de construire, et se dit :

Blanc, noir, vert, bleu, jaune, rouge, mauve, tous les rois de chaque camp sont motivés par le besoin de dominer leur reine et toutes les reines.

Puis Natalia Ovitz branche les actualités et se replace face au jeu.

La baisse du crédit et l'aide à la consommation américaine lui semblent correspondre à une avancée du pion blanc. La conquête de l'espace par la Chine, qui pour elle est un pays super-capitaliste, lui semble mériter l'avancée d'un deuxième pion blanc.

Les Chinois ont la plus grande masse de consommateurs, la plus grande production industrielle, la plus grande armée, la plus grande pollution, et ce sont eux les plus avides de pouvoir. Désormais ils sont les champions du capitalisme, devant les Américains.

Mais en même temps elle enlève un pion pour symboliser le président pris dans une affaire de mœurs, qui discrédite la Maison-Blanche et l'Amérique.

Les présidents américains souffrent d'une contradiction. Ils sont en même temps puritains et obsédés sexuels. Ce genre de situation va tout le temps se reproduire. En revanche, chez les Chinois, grâce au communisme, les dirigeants peuvent multiplier les orgies, il n'y a pas de critique. Au contraire, c'est considéré comme un signe de bonne santé.

Elle allume une cigarette qu'elle place au bout de son fume-cigarette en jade. Elle inspire, pour bien mémoriser le reste des informations. Elle pense à l'attaque-représailles de la mosquée chiite par des sunnites.

Cela donne un point aux religieux. Ils occupent l'actualité et ils font peur. Deux raisons qui poussent les esprits faibles à adhérer à leurs idées. Plus les religieux accompliront des violences gratuites et aveugles, plus ils fascineront les jeunes sans cervelle.

Du bout des doigts, elle fait avancer un pion vert.

Et comme le Pakistan, pays religieux, fait des essais nucléaires, cela leur redonne un avantage.

Du coup, dans le camp des verts, elle fait avancer deux pions côte à côte.

Elle observe l'échiquier en forme d'heptagone où les pions s'avancent vers le centre, puis laisse filer les actualités pour bien saisir les autres enjeux.

L'affaire Wilfrid Kurtz à Vienne.

C'est mauvais pour la cause des Emachs. Être victime d'un pervers sadique ne rend pas spécialement sympathique, plutôt pathétique. Les gens se disent que les Emachs sont faibles car elles peuvent être anéanties par un simple adolescent boutonneux dans un petit pays d'Europe qui n'est même pas une nation majeure.

Pour symboliser cette défaite, elle enlève un pion mauve, considéré comme perdu.

Elle sait que, pour ce qui est des autres joueurs, cela bouge peu. Elle enlève quand même un pion noir au camp du « Papillon des Étoiles 2 » qui redouble de malchance, souffrant à la fois de sabotages, de grèves et de procès à répétition.

Désormais, dans les pièces perdues, il y a un pion mauve, un noir et un blanc.

Elle tire encore sur sa cigarette, puis observe les autres camps colorés.

Voilà où en est le jeu général d'évolution des voies d'avenir de notre espèce. Les blancs et les verts avancent leurs pions. Les mauves et les noirs en perdent. Les bleus des robots, les rouges du féminisme et les jaunes du vieillissement ne font rien pour l'instant de marquant qui légitime un mouvement de pièces.

Et elle souffle la fumée de sa cigarette sur l'ensemble du jeu, puisque la pollution augmente partout, pour toutes les pièces.

Et après ? Quand tous les camps auront avancé leurs pièces et qu'elles se retrouveront au centre ? Le conflit sera inévitable, et selon la loi d'entropie... le chaos et la destruction ?

Elle se souvient d'un roman de Philip K. Dick, qui évoquait une idée intéressante : Dieu aurait créé un premier univers brouillon, le nôtre, et se serait vite aperçu que son monde allait inexorablement vers le chaos.

Il avait beau déployer de plus en plus d'énergie pour retarder l'inévitable, son système allait vers l'autodestruction. Alors Dieu abandonna ce premier univers et, tirant la leçon de ses erreurs, en créa un second, un univers-frère amélioré. Lorsqu'il voulut détruire le brouillon raté, le frère demanda que son aîné imparfait soit épargné.

Dieu posa donc cette règle : il le laissait vivre mais ne s'en occupait plus. Si le frère cadet voulait sauver son aîné, il n'avait qu'à s'en occuper lui-même. Dès lors, l'univers réussi envoya de temps à autre des « sauveurs » vers le premier univers pour tenter d'endiguer la violence et la pulsion de mort. Ces sauveurs étaient les grands philosophes, les grands scientifiques, les prophètes porteurs de messages d'amour et de paix. Mais en général, ils étaient mal accueillis.

Elle tourne autour de l'échiquier heptagonal, touche le roi mauve.

Pour l'instant, le président Drouin est le meilleur défenseur de la cause « réductionniste ». Il est le roi mauve et je suis sa reine mauve. David est un fou mauve. Aurore, un cavalier. Martin est une tour. Quant aux Emachs eux-mêmes, pour l'instant ce ne sont que des pions.

Elle soulève la pièce perdue et songe à l'affaire Kurtz.

Ils sont dans un petit univers parfaitement clos et protégé, sous verre, lui-même compris dans notre grand univers « raté », fragile, chaotique et ouvert.

Mais cela, ils ne pourront jamais ne serait-ce que l'imaginer.

Elle observe le jeu heptagonal et lui trouve soudain une esthétique psychédélique, avec ses couleurs d'arc-en-ciel.

Et de ce jeu ne sortira pas que le chaos, mais une dentelle de couleurs mêlées.

Une nouvelle idée lui traverse l'esprit.

Et si la finalité du jeu n'était pas la complexité mais la... beauté ?

Elle souffle un long ruban de fumée qui s'enroule au-dessus du jeu avant de se compliquer et de former des arabesques.

29.

Emma 109 ne voit rien.

Blottie dans le sac de jouets de la petite fille, elle traverse le portique de rayons X dans le bagage à main, puis s'évade.

Prenant rapidement ses repères, elle s'aide de son smartphone pour traduire les inscriptions sur les panneaux viennois.

Elle s'introduit discrètement dans un bus en se collant à une valise. En utilisant plusieurs modes de locomotion, elle rejoint le dépôt d'ordures municipal de la capitale autrichienne.

Là, elle établit rapidement une sorte de campement provisoire.

Elle a vite compris que les dépotoirs étaient pour elle des lieux de sécurité. En outre, elle sait désormais gérer la proximité des rats.

Une fois son bivouac établi, elle n'a plus qu'à prospecter les alentours pour récupérer téléphones portables, batteries, lames, etc.

Elle installe, tout comme à New York, un système électrique branché sur une batterie de voiture, puis un téléphone portable qui lui sert d'ordinateur, de téléphone, de GPS. Elle n'a qu'à glisser sa minuscule puce-mémoire pour récupérer son texte, ses coordonnées, son accès à l'Encyclopédie, mais aussi son accès aux ordinateurs de Pygmée Prod et à ceux de l'ONU.

Elle occupe sa première journée en terre autrichienne à consolider sa hutte de travail. Puis elle identifie l'emplacement de la clinique de chirurgie esthétique du docteur Kurtz, afin d'élaborer un plan d'attaque.

Elle se branche sur le site qui diffuse les fameux épisodes des « Bloody Dolls ». On y annonce justement une séance en live de l'épisode 3, pour le lendemain à 22 heures.

Sur Google Maps, Emma 109 trouve le plan de la région, sur Internet, d'autres informations utiles : météo, fréquentations du lieu, éclairage, plan de la clinique.

Elle fabrique et affûte ses armes, prépare un sac à dos, mange des rations alimentaires qu'elle a trouvées intactes dans la décharge.

Elle relit l'Encyclopédie, notamment le passage sur le poulpe, et trouve extraordinaire que cet animal sans parents, sans éducation ni culture propre, réussisse à tout réinventer seul, d'une génération à l'autre.

Si un jeune poulpe en est capable, alors j'en suis capable.

Elle sait que cela consiste à utiliser un talent particulier, la débrouillardise, afin d'écouter en permanence ses intuitions, ne compter que sur ses ressources personnelles, saisir les opportunités.

Emma 109 repère l'énigme des trois allumettes qui font un carré et, après avoir cherché quelques minutes, abandonne.

Les énigmes ne servent à rien.

En fait, elle est vexée de ne pas trouver.

Emma 109 lit l'Encyclopédie jusqu'à ce que ses yeux brûlent de fatigue.

Elle dort cette nuit-là d'un sommeil profond, puis passe la journée suivante à préparer son matériel et à effectuer des exercices de musculation et d'assouplissement.

Puis elle grimpe sur le plus haut sommet du dépotoir, et là, contemple de loin ce rassemblement de nids de Grands : Vienne.

La cité lui semble immense.

Voilà la nouvelle épreuve.

30.

À force de creuser le tunnel sous la cage de verre, elles ont fini par tomber sur une résistance plus coriace. Elles ont insisté, et soudain une émanation puante a surgi et intoxiqué toutes les ouvrières qui creusaient.

C'était une canalisation de gaz qui menaçait de remonter dans le tunnel pour aller empoisonner toute la cité hermétiquement close. Il s'en était fallu de peu.

— Nous avons tous failli mourir à cause d'une simple envie d'explorer le monde extérieur, reconnut la reine Emma II.

— Découvrir l'inconnu est un risque et cela a un prix. Je propose cependant de continuer, mais dans une autre direction. Nous ne sommes quand même pas encerclés par des canalisations de gaz, lui répondit la papesse.

Elles continuent à creuser, et tombent sur une ligne à haute tension. Les Micro-Humaines percent alors dans une troisième direction.

Cette fois, elles réussissent à approcher des murs du hangar. Cependant, lorsqu'elles pensent avoir franchi la limite de leur prison, elles se retrouvent devant un mur de béton qui résiste à tous leurs outils.

Les Micro-Humaines de l'équipe tâtent la matière indestructible et secouent la tête, résignées.

– Ainsi voilà la limite du monde explorable, dit Emma II.

– Nous sommes prisonnières, reconnaît Emma 666, les dieux n'ont pas fait que nous soumettre psychologiquement, ils nous contiennent physiquement.

La reine ne veut pas renoncer aussi vite.

– Il doit bien exister un moyen de savoir ce qu'il y a au-delà !

À ce moment, la papesse 666 frappe la matière dure et grimace.

– Quand bien même nous parviendrions à briser cet obstacle, je crains que nos ouailles ne soient pas prêtes à savoir ce qu'est vraiment le monde qui les entoure.

31.

David Wells enrage.

Autour de la table sont assis ses cinq compagnons d'aventure, ainsi que Bénédicte Drouin et Olivier Vachaud.

– Et vous savez ce que m'ont répondu les gens de la Société Protectrice des Animaux ? « De toute façon, l'organisme des Emachs étant une réplique exacte de l'organisme humain, nous avons bon espoir que les laboratoires s'en rendent compte et renoncent à toute vivisection sur des cobayes animaux pour passer aux Emachs ! »

Les autres restent impassibles.

– Ensuite, je suis allé voir l'Académie des sciences pour qu'ils reconnaissent qu'en tant que mammifère à sang chaud, en tant que primate et hominien, l'Homo metamorphosis fait partie de la même espèce que l'Homo sapiens. Et vous savez ce qu'ils m'ont répondu ?

Personne ne réagit, alors David imite la voix de son interlocuteur :

– « Pour que l'Homo metamorphosis soit de la même espèce, par définition, il faut qu'il puisse avoir des rapports sexuels donnant naissance à des enfants, même métis. Or l'Homo metamorphosis et l'Homo sapiens ne peuvent copuler ensemble pour donner des enfants viables, c'est même mécaniquement impossible. »

Les autres grimacent.

– J'ai eu beau rappeler que c'étaient nos gènes qui forment les ingrédients du codage génétique originel des Homo metamorphosis, ils n'ont rien voulu savoir.

Le jeune homme prend une ample inspiration pour évacuer sa colère, puis articule :

– Alors j'ai rencontré les altermondialistes. Ils m'ont dit : « Désolés, notre cause c'est d'abord la défense des pays du tiers-monde, les humains exploités sont suffisamment difficiles à protéger pour que nous ne perdions pas notre temps à soutenir vos "sous-humains". »

Aurore hoche la tête, comme si cette réaction confirmait sa pensée.

– Je suis allé voir les communistes, je leur ai dit : « Au nom des valeurs de cœur et de solidarité qu'a incarnées la révolution prolétarienne, vous ne pouvez pas laisser tomber les Emachs. » Ils m'ont répondu : « Nous soutenons la cause des travailleurs. Si les Emachs arrêtent de travailler, des hommes devront faire ces travaux pénibles à leur place. Désormais, vos Emachs remplacent les femmes et les enfants qui fabriquaient des jouets en s'abîmant les yeux et les mains dans les usines ! »

– Nous avons en effet beaucoup de commandes dans des domaines qui étaient jadis occupés par les enfants chinois, reconnaît Olivier Vachaud.

David poursuit, imperturbable.

– Je suis allé voir les mouvements anarchistes. Je leur ai dit : « C'est le système capitaliste d'exploitation de l'homme qui a entraîné l'exploitation à outrance des Emachs. Il faut détruire cette machine à broyer les petits humains pour les rendre libres », et ils m'ont répondu : « Désolés. Nous combattons le capitalisme mais uniquement au bénéfice des hommes, pas des expériences de laboratoire. Surtout quand elles ont été conçues pour la guerre par des services secrets d'État liés à l'armée. Notre devise "Ni dieu ni maître" ne s'applique strictement qu'aux humains. »

– Il fallait s'y attendre, intervient Penthésilée.

– Quant aux écologistes, gronde David, je leur ai dit que les Emachs avaient besoin de leur soutien. Et ils m'ont répondu que les Emachs n'étant pas issus de la nature, ils les considéraient comme des organismes génétiquement modifiés, et que pour leur part, ils souhaitaient, dans le cadre de la loi de précaution, qu'ils soient interdits de fabrication purement et simplement, et qu'on recycle les modèles existants. Ils ont même ajouté que les Emachs étant trafiqués en laboratoire, ils souhaitaient avoir des garanties que leurs cadavres soient… biodégradables !

Un lourd silence suit. Natalia n'a pas manifesté la moindre réaction. Aurore s'est servi un verre de vin.

– Je vous propose donc, dans l'attente d'une réaction plus « charitable » des communautés politiques ou religieuses, que nous cessions purement et simplement la production, conclut le jeune scientifique.

Il hésite, puis ajoute :

– Et même que nous récupérions tous nos Emachs pour les abriter ici, dans l'attente d'un peu d'« humanisme » de la part de nos clients.

Seul le lieutenant Martin Janicot réagit, en entrouvrant sa veste pour montrer les lois de Murphy qui, selon lui, sont adaptées à la problématique actuelle.

48. Dans tout petit problème, il y a un grand problème qui ne demande qu'à sortir.
49. Par définition, quand vous explorez l'inconnu, vous ne savez pas ce que vous trouverez.
50. Être autodidacte, c'est avoir la chance de ne pas subir le lavage de cerveau des gens déjà en place.
51. Qui paye fixe les règles.

Le militaire lance un signe de soutien à David mais ne va pas jusqu'à prononcer une parole.

– Si l'humanité ne sait pas respecter les créatures qu'elle a elle-même produites, eh bien l'humanité ne les mérite pas. Qu'elle en soit donc privée. Cessons de les sortir d'ici.

– Ce que tu nous demandes est difficile, voire impossible à réaliser, articule enfin Natalia. Tu sais combien d'Emachs sont actuellement en circulation ?

– Quelques milliers. Je dirais 5 000.

– 7 324 exactement à ce jour.

– Quand une fabrique de voitures a une pièce défectueuse, elle fait revenir tous les modèles. Puisque les juges considèrent que ce sont des... « objets de location », nous rappelons nos matériels pour contrôle, et nous les rendrons quand les clients auront fourni toutes les garanties contre leur détérioration.

Le silence persiste, les mines sombres s'alignent.

– Ce n'est pas réaliste, David, articule Aurore en reposant son verre de vin.

– Et pourquoi donc ?

– Parce que ça ne changera rien.

La jeune biologiste jette un rapide coup d'œil aux autres qui semblent déjà se douter de la réponse.

Natalia prend le relais.

– Pendant ta tournée au Vatican et auprès des différents organismes, il s'est passé quelque chose.

– Quoi encore ?

La femme militaire sort son fume-cigarette, y place une blonde.

– J'ai une bonne et une mauvaise nouvelles. Commençons par la mauvaise. Les Chinois produisent depuis quelques mois leurs propres Emachs.

– Impossible, ils n'ont pas de mâles ! Ils ne peuvent pas faire de reproduction sans étalon ! rétorque aussitôt David.

– Tu te souviens quand nous avons eu l'année dernière une intrusion de nuit dans le centre, nous avions cru à des cambrioleurs qui venaient voler les ordinateurs.

– Et c'était bien cela, ils avaient pris les ordinateurs.

– Ils n'ont pas pris « que » les ordinateurs. Ils ont aussi volé trois mâles reproducteurs.

– QUOI ? !

– Nous nous en sommes aperçus récemment, lors du recensement. Tu étais déjà parti au Vatican.

David se sent brusquement abattu.

– Du coup, articule-t-il dans un souffle, nous n'avons plus l'exclusivité ?

– Avec ces « étalons » volés, les Chinois ont rapidement obtenu des reproductions et, bien sûr, d'autres mâles. Maintenant, ils font de l'élevage intensif dans des grandes fermes, notamment dans le Sichuan. Ils appliquent les techniques d'élevage de poulets avec des accélérations de cycle de jour et de nuit, et des hormones pour les faire vieillir plus vite. Si bien qu'actuellement il n'y a pas 7 000 Emachs sur le marché mais plus de 300 000. Ce sont des copies chinoises en tout point similaires aux nôtres. Si ce n'est qu'étant moins bien nourries et vieillies artificiellement, elles sont fragiles sur le long terme.

Bénédicte Drouin approuve.

– Les Chinois les vendent moins cher évidemment. La demande est énorme, leur premier stock a rapidement été écoulé. Maintenant, les Micro-Humaines ne font plus seulement des travaux de précision, mais « tous » les travaux. Même dans les mines de charbon, pour exploiter les veines profondes, inaccessibles aux Grands.

– Je comprends maintenant la réaction des communistes, des anarchistes, des écologistes et des altermondialistes... Ils savaient, dit David.

Natalia souffle la fumée.

– Et la bonne nouvelle ? demande David.

– Hum... Il n'y a pas de bonne nouvelle. C'était juste... pour reprendre l'expression d'Aurore, reconnaît le colonel Ovitz.

David est bouleversé.

– Pourquoi ne m'avez-vous pas averti ?

– Tout est allé très vite. Durant ton périple, tu ne t'intéressais plus à ce qu'il se passait ici. Depuis quinze jours, nous avons la confirmation que le marché est inondé de centaines de milliers de copies illégales mûries artificiellement. Et toi, tu vas discuter avec le pape, avec tous les groupuscules politiques... David... David... David...

Elle répéte son prénom comme si elle parlait à un enfant dépassé par ses bêtises.

Il revient vers la table et abat son poing.

– Alors nous leur ferons un procès ! C'est nous qui possédons le brevet d'exclusivité Homo metamorphosis, que je sache ! Et comme pour les contrefaçons de grandes marques, nous allons...

– Nous allons quoi ? Mettre les copies illégales sous un rouleau compresseur et les écrabouiller ?

Il inspire un grand coup.

– Des industriels avides de profits rapides nous ont volés. C'est un cambriolage qui tombe sous le coup de la loi, il me semble.

– Il y a la justice théorique, et la réalité des lois du marché. Il y avait une demande, nous freinions l'offre, en toute logique ils ont satisfait la demande. Le barrage est rompu.

Penthésilée précise :

– Comme les cornes de rhinocéros, comme les ailerons de requins, comme les baleines, comme les albinos en Afrique, comme pour toutes les espèces menacées : il y a d'un côté les bons principes de protection sur lesquels tout le monde est d'accord, et de l'autre les clients prêts à payer des sommes importantes pour ne pas respecter ces mêmes principes.

– Et au final, si les premiers ont gain de cause dans les tribunes des magazines, et parfois même les tribunaux, les seconds décident de l'exploitation sur le terrain. Ce sont toujours ceux qui payent qui ont le dernier mot. L'interdiction fait juste monter les prix.

Bénédicte Drouin se décide à prendre la parole.

– Les Emachs fabriqués dans le Sichuan ont une autre particularité, en dehors de leur fragilité : ils ne sont pas loués, ils sont « vendus ».

– Quoi !? s'exclame David.

– Les clients n'ont plus la moindre obligation d'entretien du produit. Donc pour faire baisser les coûts, ajoute Bénédicte Drouin, et comme les Emachs n'ont pas le statut d'humains, dans les usines, ils sont nourris juste assez pour ne pas crever.

– C'est comme cela qu'on traite les pygmées dans les grandes exploitations bantoues. Il ne fallait pas s'étonner qu'à grande échelle on arrive au même résultat, rappelle Nuçx'ia.

139

– En effet, je me suis trompé d'interlocuteur, il faut avertir les associations de lutte contre l'esclavagisme, décrète David.

– Tu as vu le résultat de tes démarches ? Ils te l'ont tous dit : nos Emachs ont autant de droits que des souris de laboratoire, insiste Penthésilée.

Le lieutenant Janicot a lui aussi un geste désabusé.

– Alors on fait quoi ? Bon sang !

Olivier Vachaud tripote un trombone. Bénédicte Drouin relit ses notes. Les autres baissent les yeux. Seule Aurore soutient le regard de David.

– Quand bien même, si nous voulions t'écouter et que nous tentions de récupérer les Emachs pour les garder ici, ce serait laisser les copies chinoises envahir le marché sans aucun contrôle ni concurrent. Cela signifie la faillite économique assurée en plus de l'échec de leur défense.

Bénédicte Drouin approuve :

– Au moins, ceux qui continuent à consommer nos produits sont ceux qui veulent profiter de notre garantie d'éducation, d'hygiène et de bonne santé.

– Ceux qui achètent des Emachs à bas prix se retrouveront avec des modèles défectueux, et ils seront obligés d'en racheter, avance Olivier Vachaud. Donc au final, cela leur reviendra plus cher. C'est d'ailleurs un bon argument de marketing : « Pygmée Prod. La qualité, au final, coûte moins cher. »

Les autres ne réagissent pas.

– Les Micro-Humains bas de gamme chinois n'ont pas été éduqués, encore moins scolarisés, ils parlent moins bien, sont moins compétents pour les travaux demandant un vrai savoir-faire, et ils sont souvent malades, rappelle Bénédicte Drouin.

– Par curiosité j'en ai acheté. Ils les vendent 100 euros pièce ! Ils ne sont même pas vaccinés, intervient Olivier Vachaud.

– 100 euros pour avoir le droit de les garder toute une vie, alors que nous les facturons 100 euros l'heure ? s'exclame David.

– J'en ai acheté six et je les ai examinés, poursuit Olivier Vachaud. Du fait de leur croissance accélérée, ils ont des scolioses et ne se tiennent pas droit. Ils sont tristes. Ils ont les jambes arquées, le cheveu terne. Ils s'enrhument facilement.

– Bon sang ! murmure David en se levant d'un coup. Qu'avons-nous fait ? !... QU'AVONS-NOUS FAIT ??

Il frappe encore sur la table. Le son résonne dans la pièce.

– La question n'est pas « qu'avons-nous fait ? », précise avec douceur Natalia. Mais « que pouvons-nous faire désormais ? »

– OK, et que proposez-vous, colonel, puisque vous avez l'air d'avoir une vue stratégique de la situation ?

Elle laisse passer un instant, puis déclare :

– Pour l'instant j'attends un signe. Dans les phases de crise, quelque chose se débloque toujours quelque part.

– Et en attendant ce « signe », nous faisons quoi ? Nous laissons la situation se dégrader ?

– Je comprends ta déception, David.

– Je ne veux pas les abandonner. Nous ne pouvons pas les abandonner !

Nuçx'ia intervient.

– Souviens-toi du piège à gorille. Il se faisait avoir parce qu'il ne voulait pas lâcher le fruit qui lui coinçait la main dans la cruche. C'est toi qui nous as expliqué qu'on se piégeait soi-même par notre incapacité à renoncer à ce que nous considérions comme nous appartenant de droit.

– Là, ce n'est pas pareil. Ils sont comme nos enfants. Personne n'abandonne ses enfants. Le gorille voulait juste une gourmandise et il mettait son orgueil à ne pas y renoncer.

Nuçx'ia soupire. Comprenant qu'elle n'arrivera pas à le faire changer d'avis, elle se penche vers lui et murmure à son oreille :

– Très bien... dans ce cas, il faut trouver autre chose que le renoncement.

David les dévisage, l'un après l'autre.

– J'en ai assez entendu pour aujourd'hui, vous me dégoûtez, tous autant que vous êtes.

Il s'en va en claquant la porte.

Après avoir erré quelques instants dans les couloirs, il se décide à rejoindre le hangar qui contient Microland 2.

À travers la paroi transparente, il distingue la micro-ville qui brille de toutes ses diodes-réverbères.

Les lumières s'éteignent les unes après les autres. David sait que les Emachs, en bons élèves bien éduqués, se couchent tôt pour être parfaitement opérationnels, apprendre à l'école ou travailler dès les premières heures de la journée.

Le bâtiment de l'université des chirurgiennes s'éteint en dernier, elles travaillent tard, avec passion, pour maîtriser l'art complexe de soigner les grands humains.

Les images des petites prisonnières entre les mains du sadique Kurtz pour ses *Poupées sanglantes* passent devant les yeux de David. Il ferme les paupières.

Il aurait mieux valu que je ne sois jamais né, plutôt que de créer ces Homo metamorphosis livrés à la bêtise de mes congénères.

La dernière lumière de Microland s'éteint.

Nuçx'ia le rejoint, et lui saisit la main.

– Ma'djoba ?

32. ENCYCLOPÉDIE : MOÏSE

Moïse est né vers 1200 avant Jésus-Christ, à Goshen, en Égypte.

Il est reconnu par les trois religions monothéistes comme un prophète (Moïshe pour les Hébreux, Moïse pour les chrétiens, Moussa pour les musulmans).

Les parents de Moïse sont Amram et Yokheved, ils sont issus de la première génération des Hébreux qui naissent en Égypte.

Selon la Bible, suite à une prédiction de l'un de ses astrologues, le pharaon ordonne de tuer tous les nouveau-nés mâles juifs, et de ne laisser vivre que les filles. La mère du garçon, après avoir tenté en vain de le cacher, le dépose dans un panier d'osier et l'abandonne au courant du Nil. La fille du pharaon, Batya, qui se baignait dans le fleuve, trouve l'enfant et l'adopte, même si elle se doute qu'il est juif et recherché. Elle le nomme « Moïse », qui signifie dans sa langue « Sauvé des eaux », et le fait éduquer comme un prince égyptien. Il semble que l'enfant souffrait d'un problème de bégaiement. Arrivé à l'âge adulte, Moïse est informé de ses origines et, lors d'une visite d'un chantier de construction des pyramides, il découvre que son peuple est traité en esclave. Pour sauver un ouvrier battu à mort, il tue un garde et l'enterre, puis s'enfuit au pays de Madian. Là, il se marie avec Sephora et devient berger. C'est ainsi que se déroule l'essentiel de sa vie.

Cependant, à l'âge de 80 ans, il a la révélation du Buisson ardent. Il a l'impression que Dieu lui parle pour lui donner des directives précises. Il doit :

– libérer le peuple juif de l'esclavage,
– le guider vers la Terre promise, le pays de Canaan,
– conclure un contrat d'alliance avec Dieu,
– enseigner la Loi.

Moïse commence par refuser, conscient de la difficulté de la mission, mais, selon la Bible, Dieu lui donne des pouvoirs surnaturels pour convaincre le pharaon.

Ce seront les dix plaies d'Égypte. Chaque fois, Moïse menacera le pharaon d'une plaie s'il ne laisse pas partir son peuple. Le pharaon ne cède pas et les dix plaies s'abattent successivement :

143

1. le Nil transformé en fleuve de sang,
2. l'invasion des grenouilles,
3. l'invasion des mouches,
4. l'invasion des moustiques,
5. la peste foudroyante qui frappe le bétail,
6. la lèpre qui frappe la population humaine,
7. une tempête de grêle,
8. l'invasion de sauterelles qui dévorent les récoltes,
9. la nuit permanente pendant trois jours (l'historien Flavius Josèphe confirmera qu'il y a bien eu une éclipse durant cette période),
10. la mort des premiers-nés égyptiens.

Le pharaon ne cède que lorsque son propre fils aîné est touché par ce dernier fléau. Du coup, les esclaves hébreux sont autorisés à quitter le territoire égyptien. D'après les dernières découvertes archéologiques, il semblerait que plus de 1 million d'Hébreux aient suivi Moïse pour traverser la mer Rouge et s'enfoncer dans le désert.

Selon la Bible, Moïse dirigea son peuple vers le mont Sinaï.

Là, il gravit seul la montagne et, parvenu au sommet, y reçut de Dieu les Tables de la Loi qui comprenaient les Dix Commandements :

1. Je suis l'Éternel, ton Dieu qui t'a fait sortir d'Égypte.
2. Tu n'adoreras point d'idole.
3. Tu n'invoqueras pas mon nom en vain.
4. Tu travailleras six jours et tu te reposeras le septième.
5. Tu devras respecter ton père et ta mère.
6. Tu ne tueras point.
7. Tu ne commettras pas d'adultère.
8. Tu ne voleras point.
9. Tu ne porteras pas de faux témoignage contre ton prochain.
10. Tu ne convoiteras point le bien d'autrui.

144

(L'emploi du futur signifie que ce ne sont pas des ordres, mais des prophéties. Sur le principe de « Un jour tu comprendras que cela ne sert à rien de tuer, de voler ou de convoiter la femme d'autrui »).

Durant l'exode, plusieurs rébellions éclatèrent (notamment l'épisode des adorateurs du Veau d'or), mais malgré l'épuisement, le manque d'eau et de nourriture, le peuple hébreu continua de suivre Moïse vers le nord.

Le voyage dura quarante ans. Selon les textes, Dieu voulait qu'aucun de ceux qui avaient encore la « mentalité des esclaves » n'entre en Terre promise.

Moïse lui-même mourut sur le mont Nebo, à 120 ans, ne pouvant qu'embrasser le pays d'Israël du regard, sans être autorisé à y entrer.

Encyclopédie du Savoir Relatif et Absolu,
Edmond Wells, Tome VII.

33.

C'est donc là-bas.

Avec ses jumelles, depuis son promontoire, Emma 109 distingue la clinique du docteur Kurtz. La bâtisse est isolée au cœur d'une forêt de sapins sombres. Tout évoque un lieu de détente de style tyrolien.

À peine a-t-elle franchi la grille d'entrée en profitant de sa taille, qu'un gros berger allemand fonce sur elle.

Elle n'a que le temps de brandir sa lance à deux pointes sur laquelle le chien vient embrocher sa gueule écumante. Pour l'achever, elle lui jette dans la gorge une petite grenade de sa fabrication. Lorsque l'explosion sourde retentit, elle a déjà tourné le dos et cherche une cachette pour le cadavre.

Pas question de le laisser là.

Alors elle sort de son sac une minipoulie et un câble d'acier. Elle place la poulie sur un tronc d'arbre et tire le chien pour le dissimuler dans un épais bosquet.

Puis elle attend que la nuit tombe complètement. Elle branche son smartphone sur le site Internet de l'héritier Kurtz.

Le compte à rebours qui annonce le spectacle en plusieurs langues, dont le français, a débuté : « *Poupées sanglantes 3, spectacle dans vingt-trois minutes...* »

Emma 109 lance un grappin et escalade la façade arrière de la clinique. Elle s'introduit dans la bâtisse par la fenêtre ouverte qu'elle a repérée.

Après avoir traversé plusieurs chambres et blocs opératoires, elle débouche sur une zone privée.

Sur son smartphone s'inscrit : « *Poupées sanglantes 3, dans onze minutes...* »

La Micro-Humaine explore plusieurs chambres vides, une salle à manger, un salon.

Deux Grands à poils clairs sont avachis sur un divan face à la télévision où se déroule un match de football.

Au début, Emma 109 trouvait que tous les Grands se ressemblaient, mais elle a appris à les reconnaître. Elle sait que ceux qui ont le poil argenté sont plus anciens.

Des vieux Grands.

Elle poursuit son exploration et découvre une porte entrouverte. Un Grand semble affairé à régler une caméra vidéo posée sur un pied. Il a une taille plus réduite, il a le nez et les oreilles plus étroits, le visage plus lisse.

Un jeune Grand. Celui que je cherche ?

Face à l'objectif, une tablette numérique annonce : « *Poupées sanglantes 3, dans sept minutes...* »

Emma 109 observe et note les détails de la pièce.

En dehors de la caméra, toute la chambre a été transformée en studio avec un décor de temple romain antique.

En arrière-plan, une tenture imite un mur de pierre.

Sur le côté, des cages. Emma 109 fait rapidement le compte : treize Emachs en tunique blanche sont enfermées. Elle perçoit à distance leur peur panique.

Ce sont bien des sœurs de Pygmée Prod.

« Poupées sanglantes 3, cinq minutes… ».

Le jeune Grand, avec méthode, règle les gros projecteurs et une dizaine de petites caméras secondaires qui vont filmer la scène sous tous les angles.

Puis il inscrit sur une pancarte en lettres stylisées : « ROMA. 250 av. J.-C. »

Emma 109 mémorise l'emplacement des caméras, des projecteurs, et les différentes issues de la pièce.

Elle escalade un placard et s'apprête à sauter sur l'adolescent quand soudain la porte s'ouvre. Elle reconnaît le vieux Grand au poil argenté qu'elle a vu à la télé.

Le père Kurtz.

Il franchit le seuil et demande quelque chose en allemand qui finit par :

– … Wilfrid ?

La Micro-Humaine décode le dialogue aux mimiques et aux gestes. Elle croit comprendre que c'est un problème de son, le père semble reprocher à son fils le côté « bruyant » de son occupation, et ce dernier promet de faire attention.

Le père émet un grognement satisfait et referme la porte derrière lui.

Emma 109 perçoit cependant que le volume du téléviseur retransmettant le match de football a augmenté.

Tant mieux, je préfère que le vieux Grand n'intervienne pas.

Par acquit de conscience, et pour ne plus être dérangé par son paternel, l'adolescent ferme la porte à double tour et dépose la clef sur la commode.

« *Poupées sanglantes 3, dans une minute...* ».

L'adolescent finit de préparer son décor. Il déclenche la caméra vidéo principale et aussitôt la diode rouge s'allume.

Avec la télécommande, il met en action toutes les caméras secondaires, puis, après avoir rectifié sa mèche, salue l'objectif et explique en allemand le thème et le programme du jour.

Wilfrid Kurtz sort une Micro-Humaine de sa cage et la ligote au centre de son décor romain. Il la bâillonne, puis, songeant que son père n'entendra rien et qu'il vaut mieux avoir une bande-son de qualité pour les internautes, il lui retire le bâillon.

Il va chercher dans le placard une cage contenant trois chats à fourrure orange, qui doivent figurer les lions du cirque antique. Déjà, les félins peu nourris et furieux lancent leurs griffes acérées à travers le grillage, prêts à labourer la jeune victime offerte.

La petite Emach ne semble toujours pas comprendre pourquoi ce Grand lui veut du mal.

Elle fixe avec terreur les fauves qui la menacent et, quand elle comprend enfin, elle hurle.

Au moment où le garçon s'approche de la cage pour l'ouvrir, Emma 109 bondit du haut de l'armoire et atterrit sur le crâne aux cheveux blonds et drus.

La Micro-Humaine lève bien haut le clou qu'elle serre dans ses petites mains crispées et l'enfonce d'un coup, tel un harpon. Le métal pointu traverse la chevelure, le fin épiderme, l'épaisseur de l'os crânien, et rejoint la matière molle rose de la cervelle. Du liquide pourpre gicle comme un geyser.

Wilfrid Kurtz glapit.

De la main, l'adolescent essaie de chasser la source de sa douleur. Il arrache le clou et veut écraser la silhouette qui a dégringolé de son cou.

Mais Emma 109 a déjà bondi sur la table et libère la jeune captive offerte en sacrifice qui hurle toujours.

Le garçon trouve pourtant la force d'ouvrir la cage aux fauves et les trois chats orange jaillissent.

Emma 109, surprise que son coup n'ait pas été plus handicapant, comprend que le clou était trop fin. Elle fonce pour libérer les prisonnières des autres cages.

La chambre devient un champ de bataille entre les Emachs, l'adolescent dix fois plus grand qu'elles et les chats en furie toutes griffes dehors qui frappent tout ce qui passe à leur portée.

La scène est filmée et retransmise en direct à tous les internautes.

Emma 109 prend rapidement la mesure de la situation et en déduit qu'il faut privilégier la rapidité.

Alors que ses camarades formées pour manier le bistouri et le scalpel n'osent pas agir, Emma 109 saute, souple et véloce, bondit et frappe avec précision.

– Courez ! hurle-t-elle.

Un chat réussit à labourer de ses griffes le dos d'une fuyarde. Wilfrid Kurtz saisit un couteau et parvient à atteindre une autre Emach.

Déjà deux victimes dans le camp des Micro-Humaines.

Emma 109 réalise qu'il lui faut renoncer au combat frontal.

Le temps de trouver une stratégie, elle sort du poivre de sa poche, le projette dans les yeux de l'adolescent et à la truffe des chats qui éternuent et crachent.

C'est une technique apprise à Microland et qu'elle a déjà testée avec succès contre les rats de New York.

Profitant du court répit ainsi offert, la minuscule Amazone distribue aux survivantes les clous qu'elle a eu la précaution d'emporter dans son sac à dos, et leur montre comment frapper en les utilisant comme des lances.

– Allez, n'ayez pas peur, frappez ! intime Emma 109.

Durant les secondes qui suivent, le buzz sur Internet fait grimper le nombre des connexions à une vitesse exponentielle. Un adolescent et trois chats contre une dizaine d'Emachs, c'est du jamais-vu.

Emma 109 ne cesse d'improviser.

« Utiliser le décor à son avantage, et surtout ne pas le subir », disait Natalia.

Elle parvient à dérober la clef de la chambre pour empêcher le garçon de s'enfuir.

Puis elle ordonne à ses sœurs d'arracher les rideaux.

– Par là, suivez-moi ! Faites comme moi !

Elles les utilisent comme des filets pour capturer un par un les chats qu'elles massacrent à coups de clous jusqu'à ce qu'ils cessent de se débattre.

Mais le garçon récupère. Les yeux toujours en feu et le sang ruisselant du sommet de son crâne, il ne veut pas abandonner.

Les Emachs l'attaquent ensemble, avec une parfaite coordination.

Emma 109 sait qu'il faut maintenant aller vite, les Grands qui suivent la scène sur Internet vont comprendre que le combat tourne à l'avantage des Micro-Humaines et ne pourront le tolérer.

L'adolescent fait tournoyer son couteau qui frôle chaque fois les petites guerrières.

Il tente de les écraser du pied, parvient à en tuer une d'un coup de talon en poussant un juron.

Mais Emma 109 lui lance à nouveau du poivre dans les yeux et il hurle de rage. Sans visibilité, il n'arrive plus à toucher ses cibles.

Au signal d'Emma 109, les survivantes saisissent les cordons de rideaux et en courant parviennent à ligoter les pieds de leur adversaire.

L'adolescent perd l'équilibre et s'abat sur la moquette. Mais ses mains armées du couteau continuent de fendre l'air.

Le seul point faible, c'est le cou, songe Emma 109. Alors elle réunit les filles et, toutes ensemble, elles enfoncent leurs lances dans le cou du garçon... avec une précision de chirurgiennes.

Wilfrid Kurtz s'étouffe, crache du sang.

Emma 109 l'achève en lui enfonçant un long clou dans l'oreille, de manière à atteindre le cerveau. À nouveau le sang gicle.

Le jeune Grand a un dernier spasme.

Alors l'Emach craque une allumette et met le feu aux rideaux. Elle guide ses camarades vers le système d'aération qui leur permet de fuir tandis que toute la pièce s'embrase.

34.

Le pouce enfonce la mélasse dans le culot de la pipe. Puis l'index tasse le mélange de racines et de lianes jusqu'à ce qu'il forme un bouchon homogène.

L'allumette enflamme le fourneau qui prend une teinte orange.

Nuçx'ia souffle fort et la fumée pénètre les narines pour descendre jusqu'aux alvéoles des poumons de David Wells.

Il a une sensation désagréable, suivie d'une torpeur immédiate, qui ferme certaines portes de son cerveau et en ouvre d'autres.

La jeune pygmée repose la pipe à embout.

– ... 3, ... 2, ... 1, ... zéro. Tu y es ?

– Je vois le couloir.

– Avance et ne t'occupe pas des inscriptions sur les portes. Va à la dernière porte, celle de ta première vie en Atlantide.

– ... J'y suis.

– Tu l'ouvres. Que vois-tu ?

– ... Le pont de lianes qui s'enfonce dans la brume.

151

– Tu le franchis.

David, les paupières fermées, respire très vite. Nuçx'ia attend quelques secondes, puis demande :

– Tu as traversé ?

– Ça y est, j'y suis.

– Que vois-tu ?

Le jeune homme se concentre pour s'imprégner de tous les détails de la scène. Il respire plus calmement.

Il se voit dans une rue de la cité d'Ha-Mem-Ptah, en train de marcher vers sa maison, lorsque l'alerte résonne, le son d'une conque utilisée comme trompette. Sur la place principale, tout le monde est réuni pour entendre la nouvelle.

Les astronomes annoncent que l'astéroïde qui arrive est suffisamment rapide pour franchir l'atmosphère.

Selon leurs calculs, il devrait tomber dans la mer à une cinquantaine de kilomètres au large de la côte ouest. Ce qui devrait en toute logique provoquer une vague capable de toucher l'île. L'impact est prévu dans moins d'une heure.

Après l'instant de surprise, la panique gagne la foule.

Un premier groupe fuit vers le grand volcan central qui surplombe l'île. Ils espèrent, en prenant de l'altitude, échapper au déferlement des eaux.

Le second groupe rejoint le port et monte dans les bateaux pour fuir le plus vite et le plus loin possible.

Enfin un troisième groupe, celui des résignés, a décidé de ne pas bouger et d'attendre la catastrophe.

Ash-Kol-Lein et Yin-Mi-Yan font partie de ces derniers. Ils vont attendre la vague sur la plage.

Avec les quelques centaines de personnes qui ont fait le même choix, le couple s'assoit sur le sable fin.

35.

Cela a été terrible.

Théia 7 a pénétré dans mon atmosphère aux premières heures où le Soleil caresse la surface de ma fourrure forestière.

La roche propulsée à grande vitesse s'est enflammée et une longue traînée blanche est apparue dans le ciel, mais seules les couches superficielles de l'astéroïde brûlaient, le noyau restait intact et sa vitesse de 80 000 kilomètres-heure se maintenait.

Théia 7 a fendu les nuages, pour finalement percuter à grand fracas l'océan. Par chance, l'astéroïde n'est pas tombé sur ma croûte où il aurait creusé sans aucun doute un large cratère. L'eau a amorti en partie l'impact.

Cependant, Théia 7 a traversé sans réelle déperdition d'énergie cinétique l'épaisseur aquatique et est venu frapper le fond sous-marin.

J'avais sous-estimé le problème balistique, et redouté les projectiles de gros calibre. Je n'avais pas compris que la puissance de l'impact est aussi liée à la vitesse et à la densité.

Théia 7 a poursuivi sa trajectoire dans ma chair et m'a blessée très profondément. La perforation a généré un séisme et une onde de choc qui, en remontant à la surface, a créé une vague démesurée qui n'arrêtait pas de s'élever.

10 mètres. 20 mètres. 40 mètres. 80 mètres… La vague de 140 mètres de hauteur était une montagne aquatique qui avançait en détruisant tout sur son passage.

Malheureusement, le lieu de l'impact était assez proche de l'île d'origine des humains.

36.

L'attente sur la plage de sable fin leur semble durer des siècles, et soudain, un détail incongru leur apparaît.

Le soleil bouge imperceptiblement.

Puis il grossit de manière distincte.

Le soleil vient vers eux.

Ash-Kol-Lein se frotte les yeux, incrédule, et bientôt il voit le soleil s'incliner vers la droite, et il comprend que ce n'est pas le soleil mais l'astéroïde. Venant d'un point proche du soleil, cette boule de feu semble elle-même être un soleil.

Elle ne cesse de grossir. L'air vibre, devient chaud.

Autour d'eux les mouettes et les cormorans ont disparu. Pas une mouche, pas un moustique ne manifeste sa présence. Même les feuilles des grands palmiers ont cessé de bruisser. Toute la nature s'est figée dans l'attente.

Le grondement continue de croître.

Sur la plage, illuminés par la sphère incandescente, les hommes restent fascinés par cette puissance venue du ciel.

Ils voient la boule flamboyante s'abattre au loin dans l'océan. Un bruit sourd, le sol tremble, puis c'est de nouveau le silence.

Sur la plage, l'attente se prolonge.

Ash-Kol-Lein songe que tout va peut-être s'arrêter là, mais bientôt il la voit, elle noircit l'horizon, dissimule une partie du ciel, et le grondement fait frémir la terre sous leurs pieds.

De ce qu'il en distingue, la vague mesure au moins cent mètres de hauteur, elle avance vers eux à une vitesse lente qui les fascine.

Ash-Kol-Lein pense que ceux qui ont fui en bateau ou en direction de la montagne seront rattrapés, et il est satisfait d'avoir choisi la troisième voie : celle du lâcher-prise et de l'acceptation de son destin, aussi funeste soit-il.

Il se tourne vers Yin-Mi-Yan, elle lui sourit et lui serre plus fort la main.

Ils voient le mur vert qui approche comme au ralenti. Il a perdu la notion du temps. Il ne sait pas si cette scène dure une seconde, une minute, une heure. Ses repères se diluent, les périodes de silence profond alternent avec des périodes de vacarme. Il sent son cœur qui s'affole et son souffle qui devient ample. Des gouttes de sueur perlent sur son visage.

Ash-Kol-Lein ouvre largement ses sens, pour vivre à fond cet ultime moment.

Après tout on ne meurt qu'une fois.

Ses pupilles s'élargissent pour capter les photons.

Il remarque qu'au sommet de la vague gigantesque, des mouettes surgies de nulle part jouent à frôler l'écume. Cela l'intrigue. À mieux regarder, il comprend. La vague est si puissante qu'elle aspire et assomme les poissons qui sont projetés en l'air, prêts à être happés par les becs gourmands.

Ash-Kol-Lein frissonne. En une seconde, tout son système nerveux, du cerveau au petit orteil en passant par la moelle épinière, est saisi de frissons brûlants.

Tout va bientôt s'arrêter.

Il ressent une boule de feu, à la gorge, au sternum, au ventre.

Il serre plus fort la main de Yin-Mi-Yan.

Maintenant la vague a dépassé le soleil. Tout devient sombre. L'ombre s'étire et c'est comme une nuit verte qui s'allonge sur la plage.

Tous grelottent de froid mais restent immobiles.

Et puis la vague de cent quarante mètres atteint la plage. Une première goutte d'eau froide lui touche le front.

37.

En quelques secondes, 7 millions d'années de patience ont été balayées par un simple caillou venu du vide sidéral.

38.

Choc glacé. La vague verte est sur eux. Ash-Kol-Lein et Yin-Mi-Yan sont aspirés, entraînés vers le haut puis projetés dans une tornade aquatique où ils percutent pêle-mêle des amis, des voisins, des inconnus, des poissons, des rochers, des arbres arrachés.

Ash-Kol-Lein pense à ses trois enfants, Quetz-Al-Coatl, Os-Szy-Riis et Hiy-Shta-Aar.

Ils ont su partir à temps.

Il se sent aspiré vers le fond. Il lève son visage.

Là-haut, en surface, la lueur du soleil s'éloigne, rétrécit, s'éteint. Les courants continuent de le tirer vers le bas, il sait qu'il ne pourra pas remonter.

Ash-Kol-Lein tente de garder la main de sa femme Yin-Mi-Yan dans la sienne le plus longtemps possible, mais après avoir tenu sans respirer jusqu'aux limites de la douleur, il laisse l'eau salée pénétrer ses poumons.

Il lâche sa main, comme au ralenti, et il lui semble qu'elle lui sourit.

Je t'aime Yin-Mi-Yan est sa dernière pensée, il sent que l'océan remplace son sang et bat dans ses veines.

Il suffoque, veut entrevoir une dernière fois sa femme, croit lui sourire en retour... puis il perd connaissance.

39.

David se relève d'un coup, en sueur, au bord de l'asphyxie. Il cherche l'air avec difficulté, s'étouffe, tousse, crache.

Nuçx'ia lui tend un verre d'eau qu'il refuse.

Il essaie de maîtriser son souffle, entre deux quintes de toux.

— Je l'ai revécu... le Déluge... ma mort... la mort de tous les miens...

— Ce devait être extraordinaire. Le moment historique le plus important, tu y étais et tu voyais. Comme un reportage. Tu fais de l'archéologie en direct.

— Je comprends maintenant ma phobie de l'eau et de la mer. Tout jeune déjà, j'avais une peur irrationnelle de me noyer. C'est pour ça que j'avais eu du mal à te suivre pour traverser le fleuve.

Il inspire, et semble s'émerveiller de pouvoir faire entrer l'air dans ses poumons.

— C'était tellement précis, tellement clair. Comment est-ce possible ?

Nuçx'ia range les racines, les lianes et les herbes. Elle nettoie le culot de la pipe.

— Il t'est toujours resté ce lourd souvenir au plus profond de tes cellules.

Il inspire encore avec délice.

— Ainsi, c'est donc cela. Toute notre belle civilisation millénaire a été engloutie en quelques minutes par les flots. C'est ce dont parle la Bible avec le Déluge. Mais aussi la légende sumérienne de Gilgamesh. Cette histoire de déluge a été racontée par toutes les mythologies du monde et je l'ai revécue en direct.

La femme pygmée grimace.

— C'était douloureux ?

– En fait, je suis mort sans regret. J'avais le sentiment d'avoir accompli ce que j'avais à accomplir. Je suis mort près de celle que j'aimais. J'étais amoureux d'elle comme au premier jour.

Elle le regarde.

– Tu penses toujours que ce n'était pas moi ?

– Elle s'appelait Yin-Mi-Yan.

– Cela pourrait être une de mes anciennes vies ?

Il baisse les yeux.

– Désolé.

Elle sourit.

– Ne t'en fais pas, j'ai pris moi aussi de la liane et je le savais déjà. Et selon ton intuition, c'était qui ?

Il ne répond pas, de plus en plus gêné.

– Et les petits humains que tu as fabriqués quand tu étais biologiste atlante, que sont-ils devenus ? C'était le but de la séance, non ?

40.

Le choc de Théia 7 et le tsunami qui a suivi ont été dévastateurs. L'eau a recouvert les plaines et les collines. Elle est arrivée jusqu'au volcan central et l'a submergé.

En quelques heures à peine, il ne restait plus rien de cette île. Quant aux humains qui y vivaient... ils ont tous péri.

L'un des rares rescapés, Quetz-Al-Coatl (qui avait fui avant la catastrophe), a monté une expédition de sauvetage post-apocalyptique. Il est accouru avec des équipes de recherche de minihumains.

Au moment où ils sont arrivés, il ne restait plus d'apparent que les cimes des montagnes transformées en îlots rocailleux. Quetz-Al-Coatl a fait repêcher les corps des noyés.

Il a fini par retrouver parmi eux ses parents.

Il a alors averti Os-Szy-Riis et Hiy-Shta-Aar. Et tous trois, en unissant leurs connaissances médicales, ont ravivé une flamme de vie dans ce qui semblait deux cadavres.
Je suivais avec attention leurs progrès, car je savais que ceux-là pouvaient changer le cours de l'histoire.
Un seul être déterminé peut influer sur tant de choses...

41. ENCYCLOPÉDIE : LÉMURIENS

Parmi les premiers habitants de la Terre, bien avant les singes, vivaient les lémuriens.
Les lémuriens sont des primates, ils ont des mains à cinq doigts, des pieds à cinq orteils, un pouce opposable, des ongles, une vision faciale.
Ils ont été baptisés lémuriens car ils sont si timides et rapides que les Romains leur ont donné le nom de *lemures*, qui signifie en latin « fantômes ».
Jadis ils peuplaient tous les continents, mais ils ont subi la concurrence d'autres primates : les singes. Moins carnivores, moins agressifs et moins rapides qu'eux, les lémuriens ont progressivement perdu du terrain (même si certains spécimens étaient de grande taille, notamment le *Palaeopropithecus* qui avait la taille d'un paresseux).
Il semble que seuls les plus petits des lémuriens aient survécu. Certains mesurent 5 centimètres de la tête aux pieds. Leur discrétion, leurs nids bien cachés et leur relative rapidité leur ont permis de survivre de justesse, alors que les grands lémuriens disparaissaient.
Actuellement, devant l'invasion des singes, les lémuriens ont été peu à peu chassés de tous les continents et de tous les habitats. Cette espèce devenue obsolète aurait dû disparaître, mais certains spécimens ont pris l'initiative de monter sur des branches flottantes. Ces radeaux naturels

ont dérivé jusqu'aux îles voisines, et tout particulièrement Madagascar, au large de la côte est de l'Afrique. L'île, par chance, était exempte de toute présence de singes. Là, les lémuriens ont pu vivre tranquilles et se reproduire. Cependant, il y a deux mille ans, un autre primate, l'homme, débarquait sur l'île de Madagascar.

Il est probable que si les lémuriens ont su trouver une solution à l'invasion des singes par la fuite sur des radeaux, en revanche, aucune échappatoire devant l'invasion humaine ne leur sera laissée. Pour l'instant ils se contentent de se faire toujours plus discrets pour consommer moins et ne pas être chassés. Ils se déplacent, au fur et à mesure que leurs forêts sont détruites.

On a répertorié actuellement 35 espèces de lémuriens, mais on pense qu'il en existait plus d'une centaine avant l'arrivée de l'homme. Une dizaine parmi ces 35 espèces survivantes sont considérées comme étant en voie de disparition.

Dans un futur pas si lointain, on peut imaginer que les lémuriens seront irrémédiablement condamnés à ne survivre que dans les zoos humains, en tant qu'attraction. Car là est peut-être leur dernière clef de survie : ils sont... mignons. Et « être mignon » peut se révéler la dernière chance d'une espèce pour survivre.

Encyclopédie du Savoir Relatif et Absolu,
Edmond Wells, Tome VII.

42.

AFFAIRE KURTZ – Un crime ignoble, un meurtre d'enfant, que des centaines de milliers d'internautes ont pu suivre avec horreur en direct. Rappelons les événements : un groupe d'Emachs rebelles a lâchement agressé un adolescent en lui enfonçant des clous dans la tête après avoir mis à mort trois de ses chatons.

Des images qui ont été vues en direct et qui ont bouleversé le monde.

Pour ceux qui n'auraient pas encore pu voir ces scènes, nous allons vous les repasser. Éloignez les personnes sensibles et les enfants de l'écran. Attention, ce que vous allez voir est, je vous préviens, assez choquant.

Comme nous le distinguons clairement sur ces vidéos, l'attaque était préméditée. L'assaillante a été identifiée et n'est autre que la fameuse Emma 109, qui s'était fait passer pour une extraterrestre auprès des membres de l'ONU et dont certains voulaient faire une héroïne de cinéma. Je crois que les scénarios vont devoir être réécrits et transformés en films d'horreur.

AFFFAIRE KURTZ (suite) – Le gouvernement autrichien a décidé de se retourner contre l'entreprise Pygmée Prod qu'elle juge responsable de la programmation défectueuse de ses « produits ». Mais retrouvons sur place à Vienne notre reporter Georges Charas.

– Eh bien oui, Lucienne, le ministre de l'Intérieur autrichien, Dieter Huntermeister, a dit, je cite exactement ses propos : « La société Pygmée Prod s'est toujours vantée d'éduquer ses Emachs selon des lois indéfectibles que je rappelle : 1) Ne jamais nuire aux Grands. 2) Toujours obéir aux Grands. 3) Si un Grand se retrouve en détresse, c'est le devoir d'un Emach de tout faire pour l'aider. Or nous voyons le résultat. Le moins qu'on puisse dire est que ces trois lois ont été mal intégrées. Aussi je considère Pygmée Prod comme directement responsable du drame horrible de la clinique Kurtz. Les actionnaires de cette maison vont devoir payer pour ce crime. Je crois qu'il est clair pour tous désormais que le label Pygmée Prod n'est plus une garantie de sécurité, loin de là, et pour ma part, je n'achèterai plus que des Micro-Humains de marques concurrentes. »

– Des paroles en effet bien dures, Georges, mais je vois que vous êtes avec un policier. Qui est-ce ?

– C'est le commissaire Schwartzkopf. Par chance, il parle français. Cher commissaire, pouvez-vous nous dire où en est l'enquête ?

– Les Micro-Humaines coupables ont fui dans la forêt, mais nous allons mettre en place un système de battue pour les retrouver. Ici, la population est très remontée, le docteur Kurtz est une figure locale estimée. Ses voisins sont solidaires du drame horrible qui le touche.

– Merci Georges, nous passons donc à la suite des titres qui occupent la une de l'actualité.

FOOTBALL – Après le match nul de la France contre l'équipe du Danemark, 0 à 0, le sélectionneur de l'équipe de France Joe Falcone a réitéré sa confiance au capitaine français N'Diap. « Il s'agit d'un incident de parcours, a-t-il affirmé, N'Diap reste de loin le meilleur joueur français et il va en surprendre plus d'un, lors des prochains matches de la Ligue européenne. Je crois que l'affaire de proxénétisme aggravé sur mineure s'ajoutant à celle de dopage dont on l'a accusé une semaine avant la rencontre a nui à sa sérénité, et je pense que dans ce pays certains agissent pour saboter l'image de ce joueur exceptionnel. Mais je reste serein, et nous poursuivrons le chemin tracé. Notre prochain match est contre le Luxembourg, et je suis très confiant. N'Diap et ses joueurs sauront nous faire honneur, j'en suis certain. »

MOYEN-ORIENT – Nouveaux incidents dans plusieurs villes entre alaouites (une branche de l'islam chiite) et sunnites. La ville d'Homs essentiellement peuplée de sunnites a été frappée par des roquettes de type Qassam envoyées à partir de jeeps mobiles. La Chine et la Russie ainsi que l'Iran ont réitéré leur soutien aux alaouites. Des bateaux de livraison d'armes en provenance de ces trois pays ont d'ailleurs été repérés par les satellites, ainsi que des forces du Hezbollah chiite libanais qui vient à la rescousse des alaouites pour fournir des snipers et semer la terreur parmi les sunnites. On signale la mort de deux journalistes, un Anglais et un Français, qui tentaient de transmettre des images des conflits. Malgré le nombre de victimes des récents combats, estimé par les associations humanitaires à plus de 3 000 personnes, la présidente Avinashi Singh a dit espérer un aboutissement rapide de la paix par les voies diplomatiques, et a proposé d'organiser sous l'égide de l'ONU des élections pour mettre fin aux conflits qui déchirent les deux communautés.

DÉMOGRAPHIE – Une étude récente montre que la population japonaise a augmenté, en cinquante ans, sa taille moyenne de 8 centimètres. Cette progression, selon les nutritionnistes, serait liée au fait que les mères donnent beaucoup plus de produits laitiers (donc riches en calcium) aux enfants, ce qui favorise la croissance du squelette.

ROBOTIQUE – Après le retour du professeur Frydman en Corée du Sud, où il a de nouveau pu installer un laboratoire de robotique de dernière génération soutenu par une grande marque d'électronique locale, le célèbre chercheur a annoncé avoir réussi à fabriquer Asimov 002, le premier robot « parthénogénique », c'est-à-dire capable de fabriquer une copie de lui-même améliorée, sans que les hommes interviennent à un stade quelconque de la fabrication de « l'enfant robot ». « L'échec des robots à Fukushima, loin de me décourager, m'a donné envie de me surpasser. Le robot parthénogénique est désormais ce nouveau pas indispensable à leur amélioration. C'est une avancée importante, puisque désormais on peut considérer que les robots sont capables d'évoluer sans la moindre présence humaine, génération après génération. Ainsi l'enfant du premier robot parthénogénique est lui-même déjà programmé pour, après avoir accumulé un peu d'expérience personnelle, en tirer des conclusions et fabriquer une copie meilleure (selon lui) de lui-même. C'est une nouvelle ère qui s'ouvre pour la robotique, mais aussi pour l'évolution tout court. Désormais nous n'aurons plus à améliorer les robots, ils accompliront ce travail d'analyse des erreurs et de recherche qualité, génération après génération. » Il a en outre salué son pays d'accueil. « La Corée du Sud est depuis toujours un lieu où tous les esprits créatifs du monde se sentent enfin soutenus, et non en permanence critiqués et jugés par leurs pairs. J'encourage tous mes collègues à venir travailler ici. »

DETTE ÉCONOMIQUE – Après les problèmes liés à la dette de la Grèce, le gouvernement chinois a proposé de racheter globalement cette dette. « C'est une solution qui tombe à pic », a signalé le Premier ministre grec Papadopoulos, au moment où de nouvelles manifestations d'indignés remplissent les rues et entraînent des dégradations multiples. Le Premier ministre chinois a annoncé l'achat de la dette en vue de soulager ce pays en souffrance, cependant il n'a pas précisé ce qu'il attendait en retour. « Nous éteignons d'abord l'incendie, nous enverrons plus tard la note des pompiers », a-t-il plaisanté lors de l'annonce officielle de cette bonne nouvelle. Et il a ajouté : « Amis européens, dites-nous quel est votre problème, et nous nous chargerons d'apporter des solutions. Vous satisfaire est notre satisfaction. »

CONQUÊTE SPATIALE – La construction du vaisseau spatial *Papillon des Étoiles 2*, l'arche de Noé de l'humanité, n'est toujours pas abandonnée. Les travaux avancent et suscitent de plus en plus de controverses. Pour preuve, un nouveau sabotage, sous forme d'inondation volontaire d'une salle de montage, a empêché la finition du module de pilotage. Le milliardaire canadien Sylvain Timsit a annoncé qu'il ne renoncerait pas au projet quoi qu'il arrive, et que ces nouvelles épreuves, loin de l'arrêter, le confortent dans l'idée qu'il faut quitter cette planète.

POLITIQUE INTÉRIEURE – Après des débats houleux, l'Assemblée vient de voter à l'unanimité, à quelques voix près, une loi autorisant les femmes à porter le voile partout, y compris dans les lieux publics. Cette loi dite de « liberté de culte » instaure aussi le principe d'une journée alternée pour chaque sexe dans les piscines municipales et autorisera les femmes à se baigner entièrement voilées « dans le but de ne pas encourager la lubricité des hommes ». « C'est un grand pas dans le domaine de la liberté de culte, a expliqué un député, mais aussi dans le respect de la foi de chacun, et je pense que ces demandes devenant de plus en plus nombreuses, il sera bon de les satisfaire en vue d'apaiser les tensions. Nous réfléchissons de même à ouvrir un débat démocratique concernant la loi sur la lapidation des femmes adultères. Pour l'instant, je crois que l'idée est un peu difficile à faire passer, beaucoup de nos adversaires politiques poussent des cris d'orfraie dès qu'on évoque le sujet, mais je pense que c'est la force d'une vraie démocratie que de pouvoir débattre de sujets aussi dérangeants soient-ils, en écoutant les arguments de chacun sans préjugés. »

SPORT – Les jeux Olympiques vont s'ouvrir dans quelques jours. Renouant avec l'origine même de cette tradition, ils se dérouleront à Athènes, en Grèce.

BOURSE – Après le drame de la clinique du docteur Kurtz, la Bourse a connu un léger repli. La société Pygmée Prod a vu sa valeur chuter de manière vertigineuse de 27 % à l'ouverture du marché ce matin à la Bourse de Paris. Cette perte de confiance touche toute l'industrie de bio-ingénierie, et par contagion l'industrie alimentaire. Pour les financiers, en effet, Pygmée Prod est considérée comme une entreprise liée à ce secteur. En parallèle, cette petite entreprise française a décidé de porter plainte pour contrefaçons contre les trois plus grands éleveurs-producteurs de Micro-Humains industriels basés en Extrême-Orient. En revanche, les industries électroniques et métallurgiques ont bien accueilli l'annonce du robot parthéno-génique de Frydman, « capable de se reproduire lui-même en version améliorée ». Les cours des nouvelles technologies ont grimpé de 15 %.

MÉTÉO – On annonce une légère montée des températures.

43.

Avec les Emachs Xiaojiei (littéralement « Mademoiselle »), vous faites l'acquisition de Micro-Humaines garanties « gen-tilles ». Pas de risque de rébellion, pas de risque d'états d'âme. Contrairement à leurs concurrentes emachs françaises, les Xiaojiei ne rechignent pas à déboucher les fosses sep-tiques.

Les Xiaojiei n'ont pas peur de récurer les cheminées enduites de suie.

Les Xiaojiei pourront servir votre grand-mère grabataire ou vos enfants en bas âge, ou encore les malades de votre entourage. Là où l'Emach française renâcle, la Xiaojiei assume. Là où l'Emach française renonce, la Xiaojiei persé-vère. La Xiaojiei peut même faire le ménage en tenue de votre choix, car elle est éduquée sans le fardeau inutile de la pudeur.

Vous pouvez avoir une confiance totale dans une Xiaojiei.

Et si malgré tout vous n'étiez pas satisfait de votre Xiaojiei à 100 %, grâce à la garantie « Votre satisfaction est notre résolution », nous vous la reprenons et l'adressons à nos nou-veaux camps de « rééducation » inspirés de techniques anciennes ayant déjà fait leurs preuves à l'époque de la Révolution culturelle initiée par le Grand Timonier Mao Tsé-tung.

Actuellement, pour deux Xiaojiei achetées, une troisième vous est offerte. Profitez de nos offres exceptionnelles pour des produits exceptionnels.

44.

Elle éteint le téléviseur de sa chambre et se tourne vers le ciel étoilé. La lune, son amie de toujours, est là-haut avec son visage rond et énigmatique.

Aurore Kammerer se sert un verre de rhum, puis elle allume sa chaîne hifi et écoute une chanson des Doors, *Riders On The Storm*.

Elle se met à danser face à la lune. Tout ce qui s'est passé ces derniers jours se brouille dans son esprit, alors que les paroles de Jim Morrison résonnent. Elle les traduit à haute voix :

Passagers de la Tempête, passagers de la Tempête,
dans cette maison nous sommes nés,
dans ce monde nous sommes jetés
comme un chien sans son os,
comme un acteur de remplacement.
Passagers de la Tempête.
Il y a un tueur sur la route,
son cerveau se convulse comme un crapaud.
Prenez de longues vacances, laissez jouer vos enfants.
Petite fille, tu dois aimer ton homme,
prends-le par la main, fais-lui comprendre,
le monde dépend de toi, jamais notre vie ne finira.
Passagers de la Tempête, passagers de la Tempête.

Cela lui évoque tellement de choses en cette période troublée.

Elle danse de manière de plus en plus frénétique, mais soudain une main vient se poser sur son cou pour la retourner et l'embrasser de force.

C'est Penthésilée.

Aurore se dégage et arrête la musique.

– Je crois que j'ai été trop jalouse, reconnaît l'Amazone.

Elle vient se serrer contre Aurore.

Celle-ci reste impassible.

– Tu te souviens quand on s'est rencontrées en Turquie ? Il y avait ce typhon, la police à tes trousses, et moi je t'ai protégée et je t'ai appris à parler à la Terre. Tu te souviens ?

La jeune femme ne répond pas.

– Tu te souviens quand nous avons fait l'amour pour la première fois, nous avons rêvé de cette évolution que pourrait connaître l'humanité, plus féminine, voire « complètement féminine » ? C'est un rêve que nous avons partagé : ne plus subir la violence des hommes mais inventer notre loi de vie et nous réconcilier avec Gaïa la planète Mère, la sphère féminine par excellence qui a engendré toutes les autres formes de vie.

Elles s'assoient sur le lit.

Penthésilée embrasse à nouveau Aurore. Cette dernière se laisse faire, mais ne lui rend pas son baiser.

– Qu'est-ce qu'il s'est passé ? Je voudrais que tout redevienne comme avant.

La jeune scientifique se lève et rejoint la fenêtre.

– Ce qu'il s'est passé, dit-elle, c'est que nous avons réussi. Souvent nous restons unis dans l'adversité, mais après la victoire, tout se désagrège.

L'Amazone encaisse la phrase sans broncher. Aurore ajoute :

– Tout ce qui vit connaît les quatre saisons. Après le printemps, l'été, après l'été, l'automne. Après l'automne, l'hiver.

– … Et à nouveau advient le printemps après l'hiver. Le froid et l'obscurité ne tuent pas l'arbre, ils ne font que lui enlever ses feuilles abîmées. Nous les femmes nous savons que tout est cyclique. Nous le savons dans notre sang, dans notre cerveau, dans notre ventre. Aucun homme ne peut concevoir le vrai sens de ce mot « cycle ». Ils ne pensent qu'en termes de conquête et de possession. Ils sont si peu sensibles. Aucun homme ne pourra même imaginer ce qu'est vraiment l'amour. Nous avons dix fois plus de capteurs sensitifs...

Penthésilée sème des petits baisers sur les épaules d'Aurore.

– Nos orgasmes sont dix fois plus puissants.

Elle embrasse son cou.

– Notre corps entier est une zone érogène, alors que chez les mâles, seul leur bas-ventre réagit.

Elle glisse ses lèvres le long de ses bras.

– Ils ne sentent pas bon. Te souviens-tu d'un seul mâle qui ne puait pas ?

Elle lui embrasse les doigts.

– Leurs mains sont calleuses, avec le plus souvent des ongles sales. Quant à leur haleine...

Aurore se dégage brutalement.

– Tu essaies de me dégoûter des hommes en général pour être sûre que je ne sorte pas avec David en particulier ?

Elle lâche un soupir.

– J'ai changé, Penthésilée. Je ne crois plus qu'il y ait d'un côté les femmes sensibles et courageuses, et de l'autre les hommes brutaux et lâches. Il existe autant de gens bien des deux côtés, ce sont les âmes qui importent, pas les enveloppes de chair.

– De quoi tu me parles, Aurore ?

– Tout ce qui nous est arrivé m'a donné à réfléchir. Nous avons pris une énorme responsabilité en inventant les Micro-Humains. Et nous n'avons pas de mode d'emploi du type : « Comment créer une nouvelle espèce et la gérer sans problèmes en dix leçons. »

Elle se lève, s'assoit à la table, sort d'une boîte trois allumettes et les manipule pour essayer de faire un carré.

– Certaines choses impossibles sont pourtant possibles.

– Que veux-tu dire par là ?

– Écoute, Penthésilée. Je perçois que le monde change et que nous ne pouvons pas rester dans notre minable bonheur de couple indifférent aux enjeux phénoménaux que sont les conséquences de nos actes.

Elle dispose les trois allumettes, les change de position.

– David m'a proposé de faire une séance de Ma'djoba. Si j'ai bien compris, c'est un rituel qui consiste à revoir ses vies antérieures dans une sorte de rêve éveillé. Je lui ai dit non, mais un jour je crois que je vais lui dire oui. Parce que, quoi que cela provoque, il me semble que j'ai besoin de voir ma vie en perspective. Je dois m'éloigner pour comprendre. Je crois que c'est le mathématicien Gödel qui l'a exprimé le mieux : « On ne peut comprendre un système qu'en s'en extrayant. » Sortir du cadre, de tous les cadres, c'est ça qui me manque le plus. J'étouffe.

– Tu as déjà accompli le rituel des Amazones. La Terre t'a parlé, il n'y a pas de rituel plus puissant.

– Elle a seulement généré des bulles… Je ne suis pas sûre de savoir interpréter son langage.

Penthésilée vient la rejoindre et la prend à nouveau par les épaules. Elle brouille les allumettes qui n'ont toujours pas formé un carré. Puis elle saisit la main d'Aurore et pousse la jeune femme vers la fenêtre pour la placer face à l'astre de la nuit.

– Nous n'avons pas besoin de rituel. Ce qui t'est arrivé, c'est l'ouverture d'un sens, la perception de ta planète. Gaïa nous parle en permanence. Elle envoie des ondes qui montent du sol et nous imprègnent par la plante de nos pieds.

Penthésilée ferme les yeux.

– Et la Terre me dit qu'elle aime sa sœur la Lune comme moi je t'aime. Cette passion qui relie ces deux astres cosmiques est la même que celle qui relie nos deux âmes, Aurore.

Alors, dans la pâleur du clair de lune, la reine amazone déshabille Aurore et se dénude aussi.

– N'aie pas peur de moi. Sois ma Terre et laisse-moi être ta Lune, murmure-t-elle.

45.

David et Nuçx'ia ont leur chambre située exactement sous celle d'Aurore et Penthésilée.

Ils ont fait l'amour et David est en nage. Il observe la nuit étoilée.

– Je ne peux supporter cette idée d'attendre les signes, dit-il. Natalia est bizarre parfois. Et s'il n'y avait pas de signes ? Si tout ne faisait qu'aller vers le pire ?

– Viens, dit Nuçx'ia, j'ai encore envie de faire l'amour. En fait, j'aimerais ne plus cesser de t'aimer. Et ne plus réfléchir. Que tous aillent au diable et qu'il ne reste que nous deux.

Il inspire profondément.

– Et si nous étions livrés à nous-mêmes, seuls et surtout responsables de tous nos actes ?..., insiste David. Et s'ils tuaient tous les Micro-Humains ?

– Actuellement, la tendance est plutôt à les faire vivre...

– Comme on fait vivre les porcs en élevage pour les transformer en charcuterie.

– Fais confiance à...

Elle s'arrête au milieu de sa phrase.

– À qui ? à Dieu ?

– Aux Micro-Humains eux-mêmes. Il n'y a pas d'évolution sans épreuves et sans douleur.

La phrase ne le convainc pas.

– C'est nous qui sommes responsables de ce cauchemar. Nous devons arranger ce que nous avons dérangé. Voilà la voie d'harmonie.

– Tu te prends pour qui, David ? Tu ne peux influer sur tout. Tu n'es qu'un petit homme au milieu d'une grande humanité, elle-même sur une grande planète au milieu d'un grand univers. Tu es une force infime au milieu d'un concert d'énergies qui nous dépassent.

– Mon arrière-grand-père Edmond Wells disait toujours qu'une goutte d'eau peut faire déborder l'océan. Je veux essayer, ne serait-ce qu'essayer, d'arranger les choses. Après seulement je pourrai baisser les bras et reconnaître que c'était impossible.

La femme pygmée ne trouve aucun argument à opposer. Elle préfère s'endormir seule dans le lit. De son côté, David sort la boîte d'allumettes et essaie de faire un carré avec trois allumettes. Dans sa tête une seule pensée.

Il y a forcément une solution. Je ne dois pas renoncer.

46.

Natalia et Martin, à l'étage en dessous, font l'amour eux aussi. Natalia pousse un long cri et retombe sur le côté.

Puis elle se précipite sur son fume-cigarette et cherche la boîte d'allumettes. Sans la trouver. Elle se demande ce qu'elle a bien pu en faire.

– Qu'est-ce qu'il y a, Natalia ?

Elle se lève, va vers la fenêtre et observe la lune que les nuages voilent lentement.

– Je sens que des forces qui nous dépassent vont bientôt se déchaîner, murmure-t-elle.

Les nuages ont entièrement masqué la lune.

Soudain un éclair zèbre le ciel.

– Viens dormir, il est tard.

Elle renonce aux allumettes, puis allume la télévision, sélectionne une chaîne d'actualités et baisse le son au plus bas. Elle écoute les titres, saisit son jeu d'échecs heptagonal et décide de déplacer quelques pièces.

Le sabotage du *Papillon des Étoiles 2* correspond selon elle à la perte d'un pion noir. Elle l'évacue du jeu.

– Qu'est-ce que tu fais ? demande Martin.

– Je reporte les informations sur l'échiquier du monde.

Elle avance un pion vert d'une case, car elle pense que la loi sur le voile devrait permettre aux religieux d'augmenter leur emprise sur la société laïque. L'ouverture du débat sur la lapidation des femmes adultères et les nouveaux incidents au Moyen-Orient lui semblent encore des points marqués par les pions verts. Les problèmes économiques de la Grèce la poussent à enlever un pion dans le camp des blancs.

Si l'Europe commence à révéler ses faiblesses, cela va faire baisser la Bourse et monter les taux de prêts aux gouvernements. Et augmenter le chômage. Ce n'est pas bon pour la consommation...

La reproduction réussie du robot de Frydman correspond à la sortie d'un cavalier bleu.

Natalia observe le jeu.

Il faut que je surveille le camp des machines intelligentes, elles pourraient nous surprendre.

47. ENCYCLOPÉDIE : ELIZA

En 1950, dans un texte nommé « Computing Machinery and Intelligence », le mathématicien britannique Alan Turing (célèbre pour être parvenu à percer le code de la machine Enigma utilisée par les nazis pour crypter leurs messages militaires secrets destinés aux sous-marins) pro-

pose un test visant à savoir si un ordinateur est capable de se faire passer pour un humain.

Pour ce test, il s'inspire d'un jeu : un homme et une femme sont installés dans des pièces voisines et communiquent avec des invités, écrivant et lisant des phrases. Tous deux doivent se faire passer pour une femme, et le jeu consiste à trouver lequel ment.

Cette fois, Alan Turing propose qu'un homme et un ordinateur répondent aux questions par écrit, à distance, sans se voir. Les deux doivent se faire passer pour un humain. Si les jurés n'arrivent pas à distinguer l'homme de la machine, on considère que l'ordinateur a réussi le test de Turing.

Le premier programme qui parvint à donner l'illusion de la pensée humaine se nomme Eliza, créé en 1966 par Joseph Weizenbaum.

Eliza (dont la programmation ne comprenait pourtant que trois pages !) utilisait des phrases automatiques permettant à l'interlocuteur humain de se sentir compris, par exemple : « Pouvez-vous me parler un peu plus de votre famille ? » qui était la réponse à toutes les phrases comportant le mot « papa », « maman », « fils » ou « fille ». De même, lorsque la phrase était trop compliquée, Eliza répondait : « Bien sûr, je comprends », ou une formule de type : « Pourquoi dites-vous ça, vous le pensez vraiment ? »

Le programme Eliza n'a pas réussi totalement le test de Turing, mais il s'est révélé assez convaincant pour faire illusion auprès de participants qui se sont investis au point de trouver Eliza « sympathique », voire « pleine d'esprit ». Quelques interlocuteurs se sont même reconnus dépendants émotionnellement de ce personnage.

Selon Joseph Weizenbaum, le fait de ne pas pouvoir lancer une vraie conversation (qui aurait pu créer une faiblesse du programme) était un avantage, car de nombreuses personnes ne souhaitent pas vraiment qu'on leur réponde, elles souhaitent seulement qu'on les écoute en leur donnant l'illusion d'être comprises, ce qu'Eliza parvenait à réaliser. Alan Turing pensait que les ordinateurs dotés d'une mémoire d'au moins 128 mégaoctets (ce qui semblait à l'époque colossal) seraient capables de tromper 30 % des jurés humains pour un dialogue-test de cinq minutes. Il envisageait que ce passage historique se produirait en l'an 2000.

Après Eliza, Alice (Artificial Linguistic Internet Computer Entity) a reçu le prix Loebner pour ses excellents résultats au test de Turing, précisément en l'an 2000.

Pour l'instant, aucun ordinateur n'est parvenu à tromper assez longtemps les jurés pour concurrencer une personne en chair et en os, mais leurs notes ne cessent de s'améliorer. En 2011, par exemple, un programme d'ordinateur a trompé 80 % d'humains tombés dans l'illusion, le considérant comme l'un des leurs.

Encyclopédie du Savoir Relatif et Absolu,
Edmond Wells, Tome VII
(actualisé par Charles Wells).

48.

Les Grands sont derrière elles, leurs pas lourds font trembler le sol de la forêt. Leurs chiens aboient et tirent sur leurs laisses, entraînant les maîtres à leur poursuite.

Emma 109 a déjà vécu une telle situation lors de sa fuite à New York, elle sait que si leur taille permet d'échapper à la perception usuelle des Grands, leur odeur ne permet pas d'échapper aux truffes sensibles des chiens.

Ses dix compagnes la suivent, Emma 109 ne veut plus courir le risque de les perdre.

Elle leur fait signe d'accélérer.

Les Grands et leurs chiens gagnent du terrain.

Les Micro-Humaines ralentissent, elles sont épuisées.

Alors Emma 109 se souvient d'un passage qu'elle a lu dans l'Encyclopédie à propos des odeurs.

L'eau efface les odeurs.

Elle guide ses compagnes vers le bruit qui les accompagne depuis un moment... une rivière. Elles pataugent dans l'eau, en remontant le courant.

Lorsque enfin elles n'entendent plus les aboiements, Emma 109 explique aux autres qu'elles doivent grimper dans un arbre pour se mettre à l'abri. Les Emachs escaladent l'arbre en trouvant des appuis sur le relief de l'écorce.

Emma 109 repère un orifice dans le tronc. Elle entre, et découvre avec surprise que l'intérieur est tapissé de mousses. Une provision de noisettes y est aussi entassée. Elle n'a pas le temps d'interpréter les indices que déjà une famille d'écureuils surgit et, furieux, tous se mettent à siffler.

Les écureuils sont plus petits et plus légers, mais leurs queues rousses en panache mesurent à elles seules 17 centimètres de long.

Emma 109 a encore des clous dans son sac à dos, elle les distribue aux filles. Le mâle attaque, sa queue frappant comme un fouet les envahisseuses.

Les Micro-Humaines se dispersent sur l'écorce de l'arbre, mais l'une d'elles est mordue au cou par la femelle tandis qu'une autre est à moitié assommée par un coup de queue.

Le combat est difficile. Les écureuils sont avantagés par leurs griffes conçues pour s'agripper à l'arbre. Pour éviter la chute, les Micro-Humaines préfèrent combattre dans le tronc. Emma 109 parvient à poignarder l'un de ses adversaires avec un clou.

Les autres, voyant comment elle a opéré, reprennent courage et, ensemble, arrivent à faire déguerpir le reste de la famille.

Emma 109 contemple le cadavre de la femelle écureuil. Elle explique à ses congénères affamées qu'elles peuvent manger cette viande, mais les autres se détournent avec dégoût. Même si elles ont très faim, elles se sentent incapables d'ingurgiter cette viande crue encore tiède.

Emma 109 sait allumer un feu, mais elle sait aussi que la fumée les trahirait. Aussi enterrent-elles le cadavre et nettoient-elles la caverne étroite. Elles parviennent à y entrer toutes, et s'endorment serrées les unes contre les autres, heureuses d'être encore vivantes, tremblantes d'avoir vécu tant d'émotions nouvelles.

49.

Tout a l'air de recommencer à l'identique.
Jadis ils étaient 8 millions et vivaient 1 000 ans en moyenne.
Ils vivaient sur une île au centre de l'Atlantique. Ils mesuraient 17 mètres.
C'était la PREMIÈRE HUMANITÉ.
Ils ont eux-mêmes créé une humanité dont les individus mesuraient en moyenne 1,70 mètre. Ils pouvaient vivre une centaine d'années.
Ils se sont répandus sur tous les continents jusqu'à former une civilisation de 8 milliards d'individus qui grouillent actuellement sur toute ma surface.
C'est la DEUXIÈME HUMANITÉ.
Comme leurs créateurs se sont raréfiés, puis ont disparu, ils sont devenus la norme. Et depuis peu, ils ont eux-mêmes engendré une nouvelle génération d'humains dix fois plus petits. Des humains de 17 centimètres, et vivant dix fois moins longtemps.
La TROISIÈME HUMANITÉ.
Ainsi semble évoluer leur espèce.

Chaque fois, on descend l'échelle de dix.

Ce nombre est celui de leurs doigts, donc la clef du ratio de leur espèce.

Mais une humanité plus petite est-elle moins néfaste pour moi ?

A priori, des parasites de cette taille seront moins consommateurs de nourriture, de pétrole, d'énergie.

Mais ce n'est pas si simple. En devenant plus petits, pour des raisons que j'ignore, ils deviennent aussi plus égoïstes, plus mesquins, plus destructeurs.

Je crois que, finalement, loin de m'aider, ces deux humains, Aurore et David, ont trouvé une voie d'évolution de l'humanité qui peut devenir très dangereuse pour moi.

Je dois les surveiller.

50.

Dans la salle du tribunal de commerce de Paris, les journalistes se pressent.

Le juge annonce le verdict.

Pygmée Prod perd son procès contre la plus grande société d'élevage de Micro-Humains : Xiaojiei International Corporation, dont le siège est à Shanghai.

C'est le tribunal de commerce qui statue, car les Micro-Humains sont toujours considérés comme des produits de consommation courante.

À l'annonce du jugement, David Wells se lève et prend la salle à témoin.

— C'est nous qui les avons inventés ! Sans nous, les Emachs n'existeraient même pas ! C'est notre brevet. Un brevet Pygmée Prod.

Le juge ne se laisse pas impressionner et répond calmement.

– L'idée de faire des humains de petite taille ne vous appartient pas. J'en veux pour preuves des films comme *L'homme qui rétrécit, Chérie, j'ai rétréci les gosses, Le Seigneur des anneaux,* et même en cherchant plus tôt, *Gulliver et les Lilliputiens* de Jonathan Swift. Le moins qu'on puisse dire, c'est que le concept de rétrécissement de l'être humain est utilisé depuis longtemps.

– Mais le premier Emach « réel » est un brevet Pygmée Prod. C'est nous qui avons eu les premiers l'idée de l'oviparité !

– Désolé, l'oviparité, c'est la nature qui l'a inventée. Vous n'avez fait que copier les poules et les grenouilles.

L'avocat de l'industriel chinois sourit, et leur fait un petit geste qui signifie qu'ils sont échec et mat. Connaissant l'anecdote du procès autrichien, il lance en guise de provocation :

– Loooooosers ?

Mais David ne saurait renoncer aussi facilement.

– Je maintiens ma plainte pour vol ! Ces industriels de Shanghai nous ont envoyé des cambrioleurs qui nous ont volé des mâles reproducteurs dans notre usine de Fontainebleau.

Le juge ironise.

– Nous ne sommes pas compétents pour les cambriolages. Cependant, laissez-moi vous rappeler qu'après l'affaire de l'attaque de la clinique autrichienne par la meurtrière Emma 109 et ses complices fabriquées dans vos laboratoires, Pygmée Prod n'a pas intérêt à se rappeler aux souvenirs de la justice pénale. La mise à mort d'un enfant sur Internet par vos « produits brevetés issus d'œufs brevetés » risque de déplaire aux juges et aux jurés d'assises.

– Selon la justice, ce n'est pas un être humain, elle est donc « irresponsable ». Au moins qu'elle profite de son statut de non-humain ! rétorque David.

– Dans ce cas, vous serez tenus responsables de « promouvoir un matériel défectueux pouvant s'avérer dangereux pour l'utilisateur ».

– Vous plaisantez !?

David veut monter sur l'estrade pour se rapprocher du juge mais son avocat le retient par le bras.

– Laissez, ça ne sert à rien. Il y a trop d'enjeux économiques.

– Mais les juges...

– Les industriels chinois les ont arrosés pour faire sauter l'exclusivité du brevet. Tout ce que vous direz se retournera contre vous.

– Dans ce cas, nous allons prouver que ce jugement est inique. Nous irons en appel !

L'avocat affiche un air désolé.

– Me faire encore travailler ? Moi, ça me convient parfaitement. Mais je dois vous avertir que ça vous coûtera beaucoup de temps et d'argent, avec une chance de réussite quasi nulle.

Natalia prend David à part.

– Laissez, David. C'est trop tard. Xiaojiei Corporation a déjà inondé le marché de sa production à bas prix. Actuellement, nous ne représentons plus que 0,5 % du marché mondial. Les prix baissent à toute vitesse. Avec nos locations et nos livraisons tardives, nous passons pour des *has been*. Et avec ce procès, pour des mauvais perdants. Impossible de faire marche arrière, même si nous obtenions une reconnaissance légale de nos droits.

– Mais la justice....

– Ce ne sont ni la justice ni les bons sentiments qui gouvernent le monde. Personne ne voudra renoncer aux avantages qu'offre l'exploitation de cette multitude de nouveaux petits esclaves quasi gratuits. Ouvrez les yeux, David ! Nous ne pouvons pas lutter contre cette concurrence massive. De plus en plus d'enfants reçoivent les Micro-Humaines comme jouets et leurs parents les ont comme employées, et vous voulez leur dire à tous : « Renoncez à abuser d'elles parce que ce n'est pas bien. » Peu de gens apprécient ceux qui font la morale. Nous sommes dans le mauvais camp.

– Je sais. Les « loooooosers ».

Le scientifique se laisse choir sur sa chaise. Natalia se tourne vers lui.

– Et vous ne savez pas le pire, chuchote-t-elle. Depuis que Wilfrid Kurtz a été assassiné, une multitude d'adolescents se prétendant ses émules ont reproduit son comportement et présentent des scènes de violence similaires, voire pires, sur Internet. Si ça peut vous consoler, ils ne prennent plus le risque de louer leurs futures victimes chez Pygmée Prod, ils utilisent les copies chinoises.

David digère la nouvelle, puis se penche vers Natalia.

– Alors, que proposez-vous, colonel ? La résignation ? « Attendre encore les signes » ?

Natalia esquisse une moue crispée.

– Nos adversaires sont trop nombreux et trop forts. Nous ne pouvons pas nous battre seuls. Allez, rentrons. Ils devraient annoncer d'une minute à l'autre l'arrestation d'Emma 109.

Ils sortent du tribunal.

Devant le palais de justice, les journalistes les pressent de questions.

– Allez-vous déclarer Pygmée Prod en faillite ?

Un journaliste bouscule les autres, conscient de détenir la question déterminante :

– Est-il vrai que certains de vos Emachs mordent parce qu'ils ont la rage ?

Un autre propulse son micro pour prendre sa place.

– Est-il vrai que vous ne contrôlez plus votre propre usine et qu'à l'intérieur ce sont vos Emachs qui font la loi ?

Aussitôt c'est l'hallali. Tous les reporters parlent en même temps.

– Comment pouvez-vous rassurer vos consommateurs alors que même les experts conseillent d'éviter vos produits ?

– Le *Guide du consommateur* vous a mis la note de sécurité du produit de 5/20, comptez-vous les attaquer pour diffamation ?

– Possédez-vous un savoir-faire technologique français que personne ne pourrait copier ?

C'est alors que son adversaire chinois, le représentant de Xiaojiei International Corporation, vient vers David et prononce dans un français parfait :

– Allons, ce n'est que du business, saluons-nous comme de nobles adversaires, dit-il en lui tendant une main ouverte et en souriant en direction des journalistes.

David ferme ses poings, mais cette fois Natalia a anticipé tout geste malheureux en se glissant entre les deux hommes.

Une foule de mécontents hue les deux représentants de Pygmée Prod.

– Assassins d'enfant ! crie un homme avec un fort accent germanique.

– Vous vendez des produits dangereux ! crie un autre.

– Vous avez tout gâché !

– Tout est votre faute !

La foule se montre de plus en plus hostile.

Des projectiles sont lancés par un groupe de manifestants. Les sphères roses aux fragiles coquilles explosent et répandent sur leurs vêtements une glu jaune collante.

51.

L'œuf est délicatement ramassé. Nuçx'ia et Aurore, équipées de paniers tapissés de paille, récupèrent un par un, à la main, dans les maisons de Microland 2, la production quotidienne d'œufs fraîchement pondus.

Les deux femmes n'ont pas trouvé meilleure manière de faire la cueillette des nouvelles générations de Micro-Humains.

Puis les précieux œufs sont portés avec soin dans les couveuses, vers le parcours idéal de maturation.

Nuçx'ia et Aurore passent dans la deuxième salle, pour effectuer les gestes routiniers.

Évacuer les œufs ébréchés.

Tamponner les codes-barres.

Radiographier les œufs.

Dans l'espoir de garder la maîtrise des mâles, Pygmée Prod s'en tient au quota décidé au début du plan annuel : 90 % de femelles pour 10 % de mâles.

Les œufs excédentaires contenant des mâles sont passés à la broyeuse alors que ceux contenant les femelles sont acheminés vers la salle de couvaison.

Aurore avait bien songé à déléguer ces menus travaux à des assistantes extérieures, mais au fur et à mesure que l'entreprise s'était agrandie, ils avaient souhaité garder un contrôle direct, « artisanal », de la production. Pour tout ce qui était « mécanique », ils avaient préféré utiliser des robots androïdes Frydman de première génération (avec une intelligence artificielle strictement programmée, sans initiative ni états d'âme), qui complétaient parfaitement leur travail. Si bien que la récolte des œufs était encore effectuée à la main, et la surveillance de la couvaison sous contrôle vidéo.

La découverte du cambriolage des mâles n'avait fait qu'augmenter la méfiance envers le personnel extérieur et renforcer leur volonté d'utiliser le moins d'employés possible.

Comme l'avait annoncé Natalia Ovitz : « Nous ne pouvons plus avoir confiance qu'en nous-mêmes, nos Micro-Humains et les robots de Frydman que nous aurons nous-mêmes programmés selon nos souhaits. »

Les six agissent par trois équipes de deux qui se relaient.

Alors que Nuçx'ia dispose les œufs de mâles qui vont passer à la broyeuse, elle murmure :

– Maintenant que Emma 109 est recherchée par la police et que nous avons perdu le procès, tout est fichu, n'est-ce pas Aurore ?

– Nous avons encore chuté en Bourse de 18 %, si c'est ce que tu veux savoir. Les clients se font rares. Tous les projets artistiques sont gelés et, même pour les missions dangereuses, les administrations préfèrent louer les modèles chinois dont ils peuvent faire ce qu'ils veulent.

Elles entrent dans la salle d'éclosion. Les coquilles des œufs en fin de maturation se fendillent les unes après les autres.

– Et elles, les nouvelles, que vont-elles devenir ? demande Nuçx'ia.

– Tout est allé trop vite. Nous sommes dépassés, reconnaît Aurore.

Les deux jeunes femmes regardent les petites filles qui, à peine sorties de leurs coquilles gluantes, commencent à ramper dans la mousse.

– Nous pourrions peut-être faire un musée, dit Aurore. Le musée des « Premiers Emachs ». Les gens viendraient pour se rappeler comment l'aventure micro-humaine a débuté. Il suffirait d'ouvrir le centre Pygmée Prod au grand public. Je suis sûre que les enfants seraient passionnés. Et puis, ajoute-t-elle avec un sourire forcé, nous risquons d'être le dernier lieu où les Emachs sont bien traitées.

Les nouveau-nées commencent à venir vers elles, curieuses et déjà en demande d'affection. Nuçx'ia en prend quelques-unes dans ses bras, qu'elle caresse. Apaisées, les petites créatures se détendent, cessent de pleurer et commencent à gazouiller. En reniflant l'odeur de la Grande, elles s'en imprègnent, la considérant désormais comme leur mère.

52.

Si vos petites servantes savent tout faire... c'est forcément que ce sont des Emachs Xiaojiei !

Au bureau, une Xiaojiei fait les photocopies, les agrafe, les trie mieux qu'une secrétaire.

Dans la cuisine, une Xiaojiei apporte les condiments et nettoie les ustensiles sans même que vous le lui demandiez.

Dans la chambre, une Xiaojiei peut passer toute la nuit à tuer les moustiques alors que vous dormez tranquillement.

Dans la salle de bains, une Xiaojiei peut vous passer l'éponge dans le dos ou à l'endroit qui vous plaira.

Pourquoi le faire soi-même alors qu'une Xiaojiei le fera mieux que vous ?

Xiaojiei, le nouveau nom des Emachs !

Celles en qui vous pouvez avoir une confiance totale.

Et si malgré sa qualité vous n'étiez pas satisfait de la vôtre à 100 %, grâce à la garantie « Votre satisfaction est notre résolution », nous la reprenons afin de la « rééduquer » dans nos centres spécialisés. Le service après-vente, c'est aussi cela le point fort de notre entreprise.

Actuellement, pour dix Xiaojiei achetées, une onzième gratuite, plus un étui « range Xiaojiei » pour les transporter sans les abîmer.

53.

Je me souviens, c'était huit mille ans après le Déluge.
À l'époque, j'étais pressée que les petits sauvages évoluent comme leurs aînés de l'île centrale, mais ils se révélèrent différents.
Ils s'accrochaient à la lettre, au formalisme de leur religion, au lieu d'en comprendre le sens profond.

Dans la bouche de leurs prêtres, tout se transformait en doctrine, puis en dogme.

Tout débat était exclu. C'était la pensée unique imposée par la morale, la culpabilité, suivies par la punition, voire les supplices publics spectaculaires.

Là où la religion se voulait un premier pas vers un questionnement sur la vie, la mort, les origines, l'univers, elle ne fut plus désormais que prétexte à s'arrêter de réfléchir, en ânonnant des prières apprises par cœur, ou des textes écrits jadis par leurs ancêtres, mais dont ils ne comprenaient même plus le sens originel.

54.

Le monde végétal les protège. L'arbre au large tronc leur offre un abri et une tiédeur réconfortants.

Les Emachs sont blotties les unes contre les autres, entre les noisettes et les bogues de châtaignes qui tapissent la cavité.

Emma 109 est réveillée la première par les aboiements lointains des chiens.

Ses récentes aventures ont aiguisé ses sens et notamment son ouïe.

Elle prend conscience d'avoir dormi trop longtemps.

Ils ont dû arrêter hier soir les recherches et ils les reprennent ce matin. Ils vont ratisser toute la forêt, mais quand ils approcheront d'ici, leurs chiens finiront par nous repérer.

Elle réveille ses compagnes et les presse de quitter l'arbre. Celle qui a été mordue par l'écureuil n'a pas survécu à ses blessures, elles ne sont désormais plus que neuf.

Elles descendent prudemment de leur promontoire et reprennent leur course.

Les aboiements se font plus proches.

Dans l'esprit d'Emma 109, les idées se bousculent. Elle se souvient de l'enseignement de David, de son Encyclopédie, et notamment d'une stratégie étonnante...

C'est parfois en plein cœur du camp ennemi qu'on passe le plus inaperçu.

Alors elle désigne à ses camarades le nouvel objectif : l'une des voitures blanches des policiers qu'elle aperçoit au travers des frondaisons.

La troupe des fugitives s'élance, franchit la distance, escalade puis pénètre dans le coffre du véhicule, se cache sous les couvertures et attend.

Après un long moment, déçus de n'avoir rien trouvé, les policiers reviennent à leur point de départ.

Les dogues s'énervent, tirent vers le coffre de la voiture, mais les maîtres-chiens les calment, les font grimper dans le fourgon grillagé aménagé pour eux.

Toutes les Emachs présentes font désormais totalement confiance à Emma 109.

Au bout d'une heure de trajet, la voiture de police arrive à son parking, se gare, le moteur est coupé. Les hautes silhouettes des Grands descendent. La lumière s'éteint. Les chiens aboient dans le fourgon qui les double, en route vers le chenil.

Emma 109 fait signe aux autres d'attendre l'obscurité totale. Puis, au bout d'un laps de temps qu'elle juge prudent, elle s'aventure hors de sa cachette, en éclaireur. Tout est calme. Elle entraîne ses compagnes vers un endroit dont elle connaît les codes : les égouts.

Là, les fugitives affamées trouvent enfin de la nourriture « civilisée » : restes de sandwiches, de biscuits et de friandises.

Lorsqu'elles sont bien rassasiées, Emma 109 annonce :

– J'ai un plan.

Toutes s'approchent.

– D'abord, nous allons créer ici dans les égouts une tanière facile à défendre, de préférence dans un lieu exigu avec des voies d'accès étroites, inaccessibles aux Grands ou à leurs chiens.

Les autres approuvent.

– Il faudra s'armer pour se défendre contre les rats et même les cafards. En bande, ils peuvent devenir agressifs. Ma stratégie est la suivante : la meilleure défense, c'est l'attaque. Je vous propose que nous partions à l'assaut de tous les endroits où nos sœurs sont prisonnières. Ainsi nous constituerons une armée libre, une armée de résistance aux Grands.

55.

Les minihumains multipliaient les sacrifices.

Au début ce n'étaient que les animaux.

Je pensais : « Tuer semble les défouler, ça leur passera », mais ils sont entrés dans la surenchère, ils se sont mis à sacrifier des vierges, puis des populations entières de vaincus.

Ce que j'avais pris au début pour un caprice temporaire devenait un comportement d'espèce, comme s'ils avaient tous pensé en même temps qu'occire leurs congénères pouvait leur attirer la sympathie des puissances qui les dépassaient.

Ils aimaient trancher du couteau les gorges pour voir jaillir le sang de ceux qui leur déplaisaient.

Ils égorgeaient pour avoir de la pluie.

Ils égorgeaient pour bénir leurs temples.

Ils égorgeaient pour que les femmes stériles aient des enfants.

Ils égorgeaient pour que les champs portent de meilleures récoltes.

Pendant ce temps, les prêtres, jouant sur la peur et les super-stitions, ne cessaient de gagner en richesses, en pouvoir, en pri-vilèges, et durcissaient encore les rituels.

Maintenant que les premiers grands humains, leurs créateurs, se faisaient rares et discrets, les prêtres qui parlaient en leur nom n'hésitaient plus à fanatiser les enfants pour leur demander de trahir leurs propres parents.

Cela ne me gênait pas que les humains de la Deuxième Humanité s'entretuent, ce qui me perturbait c'était qu'ils en venaient à sacrifier systématiquement les plus intelligents d'entre eux, pour privilégier les brutes et les soumis.

J'identifiai le mot qui servait d'alibi à ce comportement autodestructeur, ce mot était « tradition ».

LE TEMPS DE LA RÉACTION

56.

En quelques jours à peine, Emma 109 et les rescapées de la séance « Poupées sanglantes » sont arrivées à transformer une anfractuosité de la paroi des égouts en véritable blockhaus, avec un QG servant de centre de contrôle stratégique.

Après avoir constitué un premier trésor de guerre avec les objets récupérés sur place, les évadées cambriolent un supermarché.

C'est la deuxième étape du plan d'Emma 109.

Elles peuvent ainsi se munir des appareils électroniques en parfait état qui leur sont nécessaires : ordinateurs, téléphones portables, tablettes numériques.

En surfant sur Internet, Emma 109 trouve une première cible qui lui semble adéquate : un magasin de vente de Micro-Humaines industrielles Xiaojiei qui propose une promotion « monstre ». Il s'agit en fait d'une boutique qui vend aussi des animaux de compagnie.

Emma 109, comme à son habitude, prend son temps pour repérer la configuration des lieux et les allées et venues des Grands. L'animalerie se situe dans le centre de la capitale autrichienne, et porte l'enseigne « Xiaojiei Discount ». Au-dessous, une inscription annonce en grosses lettres rouge fluo : « – 30 % SUR LES XIAOJIEI DÉCO ».

La meneuse du commando attend la nuit et, à l'instant où le dernier Grand est enfin parti, donne le signal d'attaque.

Les trois rebelles se faufilent discrètement par une grille d'aération, entrent dans le magasin et, en s'éclairant, parviennent à se repérer.

À côté de chiens, de chats, de tortues marines, de hamsters, de cochons d'Inde, de lapins, de perroquets et de canaris, des Micro-Humaines Xiaojiei sont stockées là, par âges et par spécialités professionnelles. Celle qui parle allemand traduit pour les autres : « NETTOYAGE », « TRAVAUX DE PRÉCISION », « JOUET », « DÉCORATION », « TRAVAUX PÉNIBLES », « SERVICES DE BUREAU », « SERVICE DE CUISINE ».

Le trio de sauveteuses entre dans la cage étiquetée « XIAOJIEI DE DÉCORATION ».

– Vite, suivez-moi ! lance Emma 109 aux vingt prisonnières.

Mais elles l'observent sans réagir, comme si elles ne la comprenaient pas.

Emma 109 tente l'anglais.

– Nous comprenons le français, déclare enfin l'une d'elles. Le problème n'est pas la langue. Le problème est que nous ne voulons pas vous suivre.

– Nous sommes venues pour vous libérer, annonce Emma 109.

– C'est quoi la « liberté » ? demande l'une des Xiaojiei de décoration, intriguée.

Emma 109 prend conscience que pour ces êtres nés en batterie et traités en objet, sans autres repères de vie, le mot « liberté » n'a strictement aucune signification.

Avec les chirurgiennes de chez Kurtz, le dialogue était possible, c'étaient des Emachs de Pygmée Prod, elles avaient été éduquées. Mais celles-ci ne connaissent que la servitude pour tout accomplissement personnel.

– La liberté, c'est quand vous n'êtes plus dans une cage comme celle-ci, élude-t-elle.

– Ah ? Vous voulez dire : c'est être vendue à un client ? questionne une Emach Xiaojiei blonde qui semble un peu plus réceptive et curieuse que ses compagnes.

Emma 109 commence à s'inquiéter. Elle craint que les Grands ne reviennent.

– La liberté, c'est quand vous n'appartenez à personne.

Les Emachs Xiaojiei se regardent et discutent entre elles. L'une finit par dire tout haut ce que les autres pensent tout bas :

– Appartenir à personne, c'est être un « invendu ». Vous nous proposez de devenir des « Xiaojiei dont personne ne veut » ?

Les autres ricanent.

– Désolée. Nous préférons ne pas avoir de « liberté » et être vendues à un bon client qui nous mettra bien en valeur, affirme la fille blonde.

Les autres approuvent.

– Moi, je rêve d'être sur un bureau à tenir des stylos, reconnaît l'une avec ferveur.

– Moi, je voudrais être au-dessus d'un écran de télévision, prête à courir avec la télécommande au moindre signe des maîtres, lance l'autre.

– Moi, dans une chambre d'enfant à remplacer le babyphone, prête à bondir avec la tétine en cas de réveil du bambin.

– Moi, dans une salle de bains, à tenir les brosses à dents et à frotter le dos et la nuque des Grands.

– Moi, dans une vitrine de bibliothèque, mais bien éclairée, pas dans l'ombre, évidemment. À la demande, je réciterais les titres des ouvrages et leurs emplacements respectifs.

Emma 109 est si décontenancée par autant de servilité qu'elle cherche vainement ses mots.

– Mais... hum... comment dire... la liberté, c'est formidable, insiste une compagne d'Emma 109 lui venant en aide. Tous les êtres veulent être libres et décider de ce qu'ils font sans qu'on le leur impose.

– Si personne ne nous dit ce qu'on doit faire, nous sommes perdues ! s'inquiète la Micro-Humaine blonde.

– Ouais, d'après ce que tu nous dis, avec « ta » liberté, nous sommes rejetées et inutiles. Tu parles d'un plaisir, ironise une autre.

– Mais si, vous êtes utiles... à vous-mêmes. Vous ne travaillez plus pour les autres mais pour vous. C'est vous qui prenez les décisions personnelles qui concernent votre intérêt.

Les Xiaojiei observent les trois libératrices, pas convaincues du tout.

– Moi, je préfère obéir et savoir quoi faire de ma vie. Si j'étais libre je ne saurais pas comment occuper mes journées. Ma vie n'aurait aucun sens. Ce serait même très angoissant.

– Moi, je ne sais pas prendre de décisions personnelles, reconnaît sa voisine.

– Moi, je ne pourrais pas supporter de choisir. J'aurais trop peur de me tromper. Je préfère que les autres décident à ma place, comme ça s'ils se trompent ce n'est pas ma faute.

Toutes approuvent.

Emma 109 est atterrée. Elle ne trouve plus d'argument.

– Vous devriez partir, nous sommes très bien traitées ici. Votre « liberté » ne nous intéresse pas.

Elles affichent leur satisfaction d'avoir trouvé les bonnes réponses aux mauvaises questions.

– Être bien éclairées, c'est important, croit bon d'ajouter la blonde. J'aimerais que les Grands puissent admirer en permanence mes cheveux soyeux et bien entretenus.

Emma 109 cherche rapidement une réponse en luttant contre son agacement.

Elle se souvient de la stratégie du miroir qu'elle a lue dans l'Encyclopédie : « Renvoyer à l'autre le message qu'il envoie. »

– Si vous me suivez, vous aurez des clients dont la seule envie est de vous rendre le plus visible possible dans vos missions respectives.

Cette fois, elle obtient une écoute. Les Emachs Xiaojiei s'approchent, rassurées.

Au final, c'est soixante-douze Emachs Xiaojiei qui quittent enfin le magasin.

Emma 109 comprend empiriquement quelques règles pour devenir une vraie chef de groupe :

1) Il ne faut jamais montrer qu'on est surprise.

2) Il ne faut jamais montrer qu'on a peur.

3) Il faut improviser rapidement une solution, et si l'on n'en trouve pas, on fait n'importe quoi mais on fait quelque chose, sinon les autres commencent à se douter que la situation vous échappe.

4) Il faut maîtriser le temps. Ce ne sont pas les autres qui doivent vous presser ou vous imposer l'instant des rendez-vous ou des confrontations. C'est à eux de subir votre agenda.

Les soixante-douze Xiaojiei se retrouvent propulsées dans le monde vertigineux et surprenant des rues de la capitale autrichienne. Heureusement, à cette heure tardive, peu de voitures roulent encore.

Les Micro-Humaines galopent en horde serrée.

Les Xiaojiei étant « neuves », nées en usine, programmées pour le travail, transportées en camion et stockées dans les animaleries, elles découvrent avec stupéfaction la ville des Grands.

Emma 109 sait qu'elle n'a pas de temps à perdre en tourisme. Elle les guide vers la plus proche bouche d'égout et déploie le plan des sous-sols qu'elle a récupéré sur Internet.

Arrivée à un carrefour, la petite troupe tombe face à un rat. Aussitôt les Xiaojiei reculent, effrayées par cette apparition cauchemardesque. Emma 109 a déjà dégainé un clou et maintient l'animal à distance.

– Venez, il n'y a rien à craindre, annonce-t-elle.

– Je me demande si nous avons bien fait de venir, remarque la Xiaojiei blonde, peu rassurée. Vous êtes sûres que nos clients sont dans cette direction ?

– Moi je n'ai plus envie d'avancer, je veux rentrer ! annonce une autre.

– C'est sale ici. Et c'est plein d'animaux sauvages et dégoûtants.

– Et ça pue ! C'est une abomination ! Nous allons être souillées. Où sont les clients raffinés que vous nous aviez promis ?

– Quand ils nous chercheront dans le magasin, ils ne nous trouveront pas, pleurniche la blonde.

Prise d'un doute, elle fait demi-tour et s'enfuit en courant. Mais elle se fait encercler par trois gros rats et, avant qu'Emma 109 ait pu intervenir, les rongeurs l'ont mise en charpie.

Aussitôt les soixante et onze autres Emachs Xiaojiei paniquent.

– Bien, vous avez compris qu'il vaut mieux que nous restions groupées ? s'impatiente Emma 109.

Elle comprend aussi que pour souder son groupe il va être nécessaire d'inventer une peur collective. Les rats dans ce domaine auront été des alliés inattendus.

Je crains d'avoir surestimé mes sœurs, songe-t-elle. *Comment les convaincre d'avoir un peu d'ambition personnelle ?*

57. ENCYCLOPÉDIE : CONSTANTE MACABRE

La dénomination de « constante macabre » a été trouvée par le chercheur André Antibi. Ce directeur du laboratoire des sciences de l'éducation de l'université Paul-Sabatier à

Toulouse part du postulat que, dans une classe, le professeur doit installer une répartition de type : 1/3 de bons élèves, 1/3 d'élèves moyens, 1/3 de mauvais élèves.

Que dirait-on d'un professeur qui ne mettrait aucune note au-dessous de 12 ? Qu'il est trop laxiste. Pour qu'un professeur soit crédible, il lui est indispensable d'avoir 1/3 de mauvais élèves.

Sous la pression de la société, l'enseignant devient donc un sélectionneur malgré lui.

Lors d'une enquête sur 2 000 professeurs réalisée en 2010, 95 % reconnaissent qu'ils se sentent obligés d'établir un pourcentage de mauvaises notes. Or cette « constante macabre », qui crée une sélection par l'échec, finit par faire perdre confiance, puis décourager les élèves qui en sont victimes.

André Antibi propose, pour l'éviter, un autre système, le EPCC, Évaluation par contrat de confiance, qui consiste à vérifier si la connaissance est acquise ou non.

On peut prolonger ce principe en remarquant que cette règle des 1/3 gagnants, 1/3 moyens, 1/3 perdants continue à s'appliquer en dehors du système scolaire, à tous les groupes humains, comme s'il était nécessaire qu'il y ait un tiers-monde, des pays émergents et des pays industrialisés pour garder l'humanité en équilibre.

De même, au sein de chacune des nations, on retrouve le découpage par tiers : pauvres, classe moyenne, riches.

Et tout comme pour les fractales de Mandelbrot, ce schéma à trois étages se reproduit indéfiniment. Au sein même des bidonvilles (tout comme au sein des classes moyennes ou dirigeantes), apparaît la répartition en trois groupes.

Malgré toutes les tentatives utopistes égalitaires (anarchistes, communistes, hippies...), ce principe de constante macabre revient comme s'il était inexorablement lié à l'espèce. La mesure de chaque victoire ne peut se faire qu'en fonction de l'échec d'un groupe d'individus désignés comme « perdants ».

Actualisation de l'Encyclopédie du Savoir Relatif et Absolu,
Charles Wells, Tome VIII.

58.

AFFAIRE DES EMACHS (suite) – Suite au cambriolage de l'animalerie de Vienne, un nouvel incident grave s'est produit en Autriche. Le vigile d'un centre de fabrication de prothèses auditives avait repéré un groupe de Micro-Humaines en train de s'infiltrer dans les locaux, probablement pour libérer des ouvrières spécialisées en micro-ingénierie audiophonique. Après en avoir abattu une dizaine, le vigile a été à son tour agressé par un groupe d'Emachs qui l'ont frappé par-derrière avec des clous. L'homme a succombé à ses blessures et toutes les Emachs de l'usine de prothèses auditives se sont enfuies, si bien qu'on estime désormais à plus de 195 le nombre de Micro-Humaines fugitives lâchées dans la nature. On soupçonne toujours Emma 109 d'être l'instigatrice de ces agressions et de ces évasions. L'affaire est prise très au sérieux, et le ministre de l'Intérieur a appelé la police à déployer des moyens nouveaux afin que ces incidents ne se reproduisent plus. Mais qu'en pense le public ? Nous allons le savoir tout de suite grâce aux interviews réalisées en ville, n'est-ce pas Georges ?

– Oui, Lucienne, je suis actuellement en plein centre de Vienne, et je vais interroger les passants. Monsieur, par exemple, vous avez entendu les actualités récentes sur les évasions et les attaques des Emachs. Croyez-vous qu'il faille en avoir peur ?

– Non, pas du tout. J'ai plusieurs Micro-Humaines chez moi et mes enfants jouent avec elles. C'est très pratique, et je crois que cette affaire Emma 109 est un incident tout à fait isolé. Il ne faut pas céder à la paranoïa entretenue par les médias.

– Et vous, monsieur ?

– Moi, j'ai cinq Emachs qui s'occupent du jardin et du nettoyage. Elles sont très propres. En outre, ma famille les apprécie de plus en plus et elles nous montrent des signes évidents d'affection. C'est mieux que les chats. Sinon, j'en ai aussi une qui chante comme un oiseau. Et pour ce qui est de répéter des phrases, c'est mieux que les perroquets. Je compte même les utiliser comme alarme. Elles viendront me chercher discrètement dans mon lit au cas où quelqu'un pénétrerait de nuit chez moi. C'est mieux qu'un chien car elles pourront ensuite décrire le cambrioleur à la police.

– Mais quand même, ces effractions de nuit commises par Emma 109 et sa bande…

– C'est un cas particulier, une folie passagère, comme il peut en exister chez les humains. De manière générale, je ne crois pas que les Emachs puissent être tentées de se rebeller contre nous, tout simplement parce qu'elles nous aiment.

– Et vous, madame ?

– J'espère que la police arrêtera rapidement Emma 109 et sa bande de criminelles, mais je ne me fais pas de souci : les Emachs et surtout les modèles chinois sont des êtres dociles et pacifiques, je possède un petit restaurant et ce sont elles qui font tout dans les cuisines. Elles sont très propres et très méticuleuses. Elles prennent même parfois des initiatives pour améliorer les plats.

– Comme vous le voyez, Lucienne, malgré ces incidents récents, le public n'est pas inquiet. Et les Emachs ont encore toute la confiance des consommateurs.

– Merci, Georges. L'arrestation de ces petites fugitives devrait être imminente. Mais je crois que même si les Emachs sont de plus en plus nombreuses et représentent un danger potentiel, il ne faut surtout pas généraliser. Les événements de Vienne ne sont que des cas isolés, comme l'a parfaitement perçu le public.

ARCTIQUE – La calotte arctique, considérée comme le climatiseur de la planète, est en train de fondre. Là où en 1900 persistaient 4 millions de kilomètres carrés de glace, et 3 millions en 2000, il ne reste plus que 2 millions de kilomètres carrés. Du coup on assiste à l'ouverture d'un passage entre les pays de l'Est et les pays de l'Ouest, entre le monde oriental et le monde occidental. Des voies ouvertes au commerce, certes, mais aussi, selon certains spécialistes, aux possibilités de guerre.

TCHERNOBYL – Aujourd'hui nous célébrons un triste anniversaire. Le 26 avril 1986, le réacteur n° 4 de la centrale nucléaire de Tchernobyl explosait et brûlait dix jours durant, répandant un nuage hautement radioactif qui a circulé au-dessus de toute l'Europe. Depuis, une zone interdite de 30 kilomètres a été délimitée autour de la centrale, et les 135 000 habitants ont été évacués. Mais selon les scientifiques, la nature aurait progressivement repris ses droits. Si bien qu'on assisterait non seulement à l'apparition d'espèces d'insectes, de rongeurs et d'herbivores capables de survivre malgré les radiations, mais aussi au retour d'espèces sauvages qui profiteraient de l'absence de l'homme pour envahir cette zone. Récemment, des scientifiques auraient repéré des sangliers, des biches, des cerfs, des chevreuils, des loups, des lynx et même une espèce qu'on croyait définitivement disparue de chevaux sauvages.

FOOTBALL – Nouvel échec de l'Équipe de France de football face à l'Arménie, sur le score de 1 à 0. Le capitaine N'Diap a préféré, pour sa part, ne pas répondre aux interviews et est rentré dans son château en Suisse.

BOURSE – La Bourse a connu une montée de +1,2 % au CAC 40 et de +1,5 % au Dow Jones, suite à l'annonce du nouveau plan de déforestation de l'Amazonie qui devrait ouvrir la voie à des projets immobiliers et industriels.

59.

Elles courent dans la forêt autrichienne proche de Kierlinger.

Après l'attaque de l'animalerie et du centre de prothèses auditives, leur dernier objectif a été une usine d'horlogerie. Elles ont libéré une vingtaine de Micro-Humaines. Là encore, il a fallu prendre du temps pour les convaincre.

Ce temps a permis au nouveau logiciel policier de recoupement d'images de les localiser. Dès lors, toutes les caméras de la ville ont pu suivre leur fuite dans les rues.

Leur tanière a été repérée.

Une fois de plus, Emma 109 a dû improviser en faisant appel à son seul instinct. Elle a ordonné l'évacuation immédiate. Mais une troupe de plusieurs centaines d'individus circule moins vite qu'un petit groupe.

Pour déplacer toutes les insurgées et leur matériel, elle a fait confectionner en hâte un radeau de fortune avec des coussins reliés les uns aux autres. Elles ont embarqué dans la précipitation et le courant d'eau sale les a emportées à travers les tunnels sombres des égouts. Les rats les ont laissées tranquilles, mais les coussins commençaient à s'enfoncer sous le poids. Heureusement, elles ont fini par trouver l'issue du tunnel. Les eaux sales se déversaient dans un bassin et elles ont pu s'enfuir.

Emma 109 a identifié sur son smartphone leur lieu d'arrivée : la forêt de Kierlinger.

Leur répit a cependant été de courte durée. Les troupes de police se sont lancées de nouveau à leur poursuite, suivies par une centaine de volontaires qui voulaient venger l'assassinat du fils Kurtz.

Courir, il suffit de courir. Toujours courir.

Deux Emachs maladroites trébuchent, Emma 109 sait qu'on ne peut pas leur porter secours. Déjà les troupes de policiers avec leurs chiens manœuvrent en pince pour les encercler.

Face aux fugitives, une haie de plantes serrées.

Elles galopent et entendent les grognements des chiens qui se rapprochent derrière elles. Emma 109 est en tête.

J'ai sous-estimé les Grands.

Une nouvelle Micro-Humaine trébuche et ne se relève pas.

Les aboiements se font terriblement proches, alors que des cris en allemand résonnent autour de la fugitive blessée.

Pourvu que sa mort soit rapide.

Pendant ce temps, les autres puisent dans leurs dernières forces pour courir plus vite. À nouveau, le vacarme de la multitude des poursuivants résonne.

Cette fois, nous sommes fichues.

C'est alors que surgit devant elle une grosse camionnette tout-terrain dont la portière s'ouvre d'un coup.

– Vite ! Tassez-vous à l'arrière !

Emma 109 reconnaît ce Grand et fait signe aux filles de grimper dans la camionnette. Toutes s'engouffrent pêle-mêle dans l'habitacle.

Quant à elle, elle saute à l'avant près du conducteur.

Ils roulent à toute allure pour s'éloigner de la zone dangereuse.

– Comment avez-vous fait, David ?

– J'ai compris que plus vous seriez nombreuses, plus vous seriez repérables. J'ai pris un avion et loué ce tout-terrain. Ensuite je n'ai eu qu'à me brancher sur la télévision puisqu'on était censé suivre votre « arrestation » en direct. Par chance, un vent fort souffle, ils n'ont pas pu envoyer leur hélicoptère.

La Micro-Humaine secoue la tête.

– Pourquoi avez-vous fait ça ?

– En tant que dieu de la Forge, je me dois d'apporter un minimum d'aide à ceux qui croient en moi, plaisante David. Être cocréateur d'une nouvelle espèce humaine entraîne forcément une lourde responsabilité.

Alors que la route défile à toute vitesse devant eux, Emma 109 observe David avec curiosité. Puis, de sa voix fluette, elle déclare :

– Finalement, tous les Grands ne sont pas nos ennemis.

À l'arrière du véhicule, les deux cent cinquante-trois Emachs s'organisent comme elles peuvent pour s'installer dans l'espace confiné.

– Et tu proposes d'aller où ? demande Emma 109.

David lui fait un petit clin d'œil, auquel elle tente de répondre en l'imitant, sans réussir.

La camionnette fonce à 120 kilomètres-heure sur l'autoroute.

Direction l'ouest, direction la France.

60.

Je me souviens. Grâce à leurs pyramides servant d'émetteurs-récepteurs, j'ai pu continuer à discuter avec Os-Szy-Riis et Hiy-Shta-Aar. Ces deux-là m'intéressaient spécialement, car ils étaient des humains d'« origine », ils avaient gardé la mémoire des événements passés.

Et puis ils savaient être attentifs.

Cependant, si les bergers étaient respectables, il n'en était pas de même de leur bétail de minihumains sauvages.

Ces derniers ne vivant que 100 ans au maximum (et en réalité, vu leur hygiène, rarement au-delà de 50 ans), ils n'avaient aucune mémoire.

Ils oubliaient qui ils étaient.

Ils oubliaient d'où ils venaient.

Décennie après décennie, leur moyenne d'âge baissait et le respect pour leurs dieux s'amenuisait.

En même temps augmentait le pouvoir de leurs prêtres établis en administration politique.

Je pressentais ce qui allait arriver.

D'abord, des mouvements de rébellion ont éclaté dans ce qu'ils ont baptisé plus tard « l'île de Pâques ».

Les minihommes ont mis à mort les représentants de leur espèce aînée qu'ils avaient baptisée « les grandes oreilles ».

Puis en Grèce, un traître aux siens, Zeu-Eu-Ss, avait formé un groupe pour prendre le pouvoir avec l'aide des minihumains : ce fut la « guerre des Titans », mais en fait de Titans, il s'agissait des humains d'origine qui s'étaient réfugiés en Grèce après l'engloutissement de leur île.

En Égypte, Sse-Ee-Th, lui aussi un humain assoiffé de pouvoir, aidé des minihumains acquis à sa cause, noya le fondateur de la colonie, Os-Szy-Riis. Puis, pour être sûr que personne ne le ranimerait, Sse-Ee-Th le coupa en morceaux en disant : « Voilà ce que je fais du monde ancien. »

En Mésopotamie, Hiy-Shta-Aar se fit assassiner par sept minihumains qui lui avaient tendu un piège. Puis ils placèrent sur le trône, pour la remplacer, le roi Duh-Muh-Ziy qui se prétendait son héritier.

Partout les minihumains tuaient leurs créateurs avec la complicité de traîtres acquis à leur cause.

Quant aux rares humains rescapés de l'île d'origine, ils étaient pour la plupart vieux de plusieurs centaines d'années et n'avaient plus l'esprit combatif.

Partout ils se faisaient traquer et éliminer par les petits sauvages.
Je déclenchai bien quelques tremblements de terre, mais les minihommes ne faisaient même pas le rapprochement entre leur comportement ingrat et mes colères.
Les derniers observatoires d'astronomie furent désertés, la technologie des fusées et du nucléaire fut oubliée.
À nouveau, je devins aveugle et vulnérable.
Et la Lune revint hanter mes pires cauchemars.

61.

Elle frappe d'un coup la surface de la table.

– Il est hors de question que nous les hébergions ici ! clame Aurore Kammerer. De toute façon, la police va finir par les retrouver !

David Wells regarde sa collègue avec déception.

– Interpol est déjà à leur poursuite, confirme Natalia Ovitz d'un ton neutre.

– S'ils les attrapent, nous nous doutons de ce qu'ils vont leur faire, rien que pour rassurer les consommateurs. Ils vont toutes les euthanasier, lance Penthésilée Kéchichian.

– Ils utilisent depuis peu le mot « désactiver », ajoute Nuçx'ia.

Le jeune chercheur, épuisé par son voyage depuis l'Autriche, ne répond pas tout de suite.

Penthésilée poursuit.

– Ils n'assument même pas le fait de les tuer. Ils parlent de « crise industrielle » ou de « drame dans le milieu de l'élevage emach ».

– Lorsqu'il y a eu la crise de la vache folle, ils ont enterré des troupeaux entiers dans des fosses et les ont recouverts de chaux. Et la suspicion de grippe aviaire a entraîné la mort de millions de volatiles entassés vivants dans des trous. Et ensuite ils interviewent les agriculteurs qui parlent de leur manque à gagner et réclament des compensations, reconnaît le lieutenant Martin Janicot pour une fois loquace.

Autour de la table, Aurore, Natalia, David, Penthésilée, Nuçx'ia et Martin se jaugent.

Ce dernier entrouvre sa veste sur son tee-shirt où sont imprimées quelques-unes de ses phrases fétiches du jour.

78. Dites à un homme qu'il y a trois cents milliards d'étoiles dans l'univers et il vous croira sur parole. Dites-lui qu'un banc est recouvert de peinture fraîche et il faudra qu'il le touche pour en être sûr.

79. La théorie la plus utile et la plus applicable ne résiste pas aux assauts de la plus sotte question du dernier des imbéciles.

David va à la fenêtre et surveille la cour.

De son point d'observation, il distingue les deux cent cinquante-trois fugitives qui, épuisées après le voyage Vienne-Fontainebleau, se détendent enfin. Elles sortent, respirent amplement et accomplissent des exercices d'assouplissement.

Une Emach chirurgienne de la clinique Kurtz, et donc originaire de Microland, reconnaît les lieux et entraîne quelques Xiaojiei à la découverte de leur « usine de fabrication ». Elles vont vers le grand hangar qui contient la cité.

À travers la vitre, Micro-Humains de l'intérieur et de l'extérieur s'observent mutuellement en silence.

Les Emachs Xiaojiei découvrent la ville miniature pour la première fois, et voient leurs sœurs et quelques rares frères dans un décor adapté à leur taille. Elles les contemplent, fascinées, les voient construire des maisons, travailler dans les champs, marcher dans les rues. Elles voient des femmes qui portent leurs œufs dans des sacs à dos et des enfants qui jouent dans les squares.

– Nous ne savions pas que c'était possible ! s'exclame l'une d'elles au comble de l'émotion.

Une Xiaojiei laisse couler une larme.

Pendant ce temps, dans la salle de réunion de Pygmée Prod, les humains ne sont pas d'accord sur la marche à suivre.

Penthésilée hausse le ton.

– David, tu nous écoutes ou tu rêvasses à la fenêtre ? Aurore a raison, ici ce n'est pas un sanctuaire. Elles sont pourchassées par toutes les polices, elles ne peuvent que vivre dans la clandestinité.

David se retourne et articule posément :

– Vous voulez quoi ? Que nous les abandonnions et qu'elles vivent dans la nature en attendant la prochaine battue de la police ?

– Ce sont des criminelles, rappelle Aurore.

– Ce sont nos... enfants !

La jeune biologiste affiche une moue ironique.

– Non, ce ne sont pas nos enfants ! cingle-t-elle. Ce sont des expériences de laboratoire pour réaliser un projet avant-gardiste des services secrets sous l'instigation de Natalia Ovitz.

David lui fait face.

– Je me souviens en effet que notre « expérience de laboratoire » Emma 109 a arrêté un missile nucléaire qui allait s'abattre sur Ryad et provoquer des millions de morts, et peut-être une troisième guerre mondiale. Rien que pour ça, nous leur devons reconnaissance. Pas seulement les gens de Pygmée Prod, mais toute l'Arabie saoudite et toute l'humanité. Tu as la mémoire courte et sélective, Aurore.

La jeune femme ne se laisse pas impressionner.

– Alors si tu tiens tant que ça à faire un travail de mémoire, David, rappelle-toi aussi l'évidence : sans nous, les Emachs n'existeraient pas.

– Mais elles n'ont justement jamais demandé à exister ! C'est notre choix, pas le leur.

– Elles nous doivent tout. « Ton » Emma 109 nous a déjà ridiculisés devant l'ONU, et a outrepassé la loi d'interdiction de tuer des êtres humains. Elle commet des crimes de sang-froid avec préméditation... avec des... clous rouillés.

– En légitime défense.

– Wilfrid Kurz était un adolescent...

– ... qui torturait des Emachs par pur plaisir et exhibait ce spectacle sur Internet. Et vous tous ici, vous le savez.

– Un mineur n'est pas responsable de ses actes.

Les deux scientifiques se défient.

– Emma 109 et ses rebelles ont enfreint la première loi que nous avons édictée. Je te la rappelle : « 1) Ne jamais nuire aux Grands. »

– Wilfrid Kurtz était un sadique pervers, un psychopathe, répète David.

– Il avait 14 ans.

– Dans ce cas, c'était un psychopathe sadique pervers de 14 ans.

– Et grâce à l'intervention d'Emma 109, il a fait des centaines d'émules. Tu peux les voir sur Internet. Ils croient qu'en tuant des Emachs ils vengent Wilfrid.

– Aurore ! Toi qui as combattu pour la cause des femmes, Penthésilée, Nathalia, Martin, Nuçx'ia, vous tous qui combattez la bêtise et la brutalité... Vous n'allez pas laisser tomber vos créatures maintenant, au moment où elles ont le plus besoin de nous ! Vous n'allez pas « me » laisser tomber ?

Un long silence suit.

– C'est toi qui nous laisses tomber, répond Aurore.

David les regarde tour à tour, cherche leurs yeux fuyants.

– C'est la peur qui vous arrête ?

La biologiste lui fait face.

– Nous respectons le droit.

– Vous êtes terrifiés, répète David. La même terreur qui a fait que la majorité des poissons ne sont pas sortis de l'eau pour se hisser sur terre en s'appuyant sur leurs nageoires si peu adaptées. Après tout, seuls quelques-uns ont pris le risque d'aller contre les habitudes de leurs parents. Et ils l'ont fait contre l'avis de tous leurs congénères, j'en suis sûr.

– Non, ce qui motive notre position n'est pas la peur, mais l'éthique. Emma 109 est une criminelle. Nous devons la livrer à la police, David. Tuer c'est mal et c'est nous qui avons défini que cela menait à l'enfer après la mort. Un point, c'est tout. À quoi sert d'établir des lois si nous ne les respectons pas ?

Cette fois, sa voix monte d'un ton.

– Tu veux savoir ce que tu as causé avec ton intervention spectaculaire en Autriche ?

La jeune femme allume le téléviseur. Une présentatrice débite en lisant son prompteur :

– « ... depuis leur évasion à bord d'une voiture qui n'a toujours pas été identifiée, les Emachs commencent à inquiéter. Elles peuvent être n'importe où, et il va être difficile de les retrouver. Elles mangent peu, n'utilisent pas d'appareils électroniques, elles peuvent se cacher dans une simple caverne. Leur meneuse en tout cas a été identifiée, il s'agit bien d'Emma 109, la Micro-Humaine entraînée pour attaquer les centres de production électrique iraniens. Elle a désormais le renfort d'au moins deux cents de ses congénères qu'elle a probablement ralliées à sa lutte contre leurs maîtres. Il semble en outre qu'elles bénéficient de complicités humaines, des traîtres qui auraient probablement, par esprit nihiliste... »

David saisit la télécommande et éteint sèchement le téléviseur :

– Elles ont peut-être le monde entier contre elles mais je ne les laisserai pas tomber.

Il saisit la poignée de la porte.

– Que ceux qui partagent ma vision me suivent.

Personne ne bronche.

Il attend, immobile.

Enfin Nuçx'ia se lève puis, après une hésitation, se rassoit.

– Nuçx'ia, tu fais quoi ? demande le jeune scientifique.

– Désolée, David, cette fois tu vas trop loin. Tu ne peux pas lutter seul contre le monde entier.

– Nuçx'ia ? répète-t-il.

– Je ne savais pas que nous allions être entraînés dans cette situation. C'est trop pour moi, reconnaît-elle. Je comprends ton choix, mais pour ma part je ne peux pas…

Elle observe les autres, silencieux autour de la table, le visage fermé. Dans sa tête une multitude de pensées plus ou moins contradictoires surgissent et se confrontent. Elle grimace.

– Oh ! et puis zut. Ce serait dommage que tu ne puisses plus faire des séances de Ma'djoba. OK ! je viens avec toi, David !

Elle saisit la main qui lui est tendue. Ensemble, le couple de séditieux remonte dans sa chambre, fait ses valises et repasse par le salon.

Les autres n'ont toujours pas réagi.

– Adieu, et merci de nous avoir aidés… Du moins au début de cette aventure, lance David, amer.

– Vous allez avoir Interpol à vos trousses, rappelle Natalia.

– Vous allez où ? Vous allez faire quoi ? s'exclame Aurore.

– C'est notre affaire.

– C'est idiot, dit-elle. C'est de la fierté mal placée.

– Je crois que « idiot » signifie « différent des autres ». Je me reconnais bien dans ce mot. Je suis un idiot qui part protéger des « monstres », ce qui étymologiquement signifie « dignes d'être montrés du doigt ».

210

Il va vers Penthésilée, la serre dans ses bras et l'embrasse sur les joues.

– Nous ne nous connaissons pas très bien, madame la reine des Amazones, mais je ne vous oublierai jamais, confie-t-il.

Il fait de même avec Martin.

– Martin, tu es probablement le moins fou d'entre nous, mais je ne t'en veux pas. Et je vais t'apprendre une loi de Murphy que tu n'as encore portée sur aucun de tes tee-shirts :

58. Quand, dans une entreprise, un employé comprend réellement ce qu'il se passe, il doit partir.

Martin sourit et la note sur un papier.

David soulève ensuite Natalia et la serre contre son cœur.

– Merci d'avoir initié tout cela, colonel. Vous avez accompli beaucoup de choses extraordinaires, mais je comprends que vous ne soyez pas prête à les assumer jusqu'au bout. Jamais je n'oublierai comment vous avez transformé un simple étudiant rêveur et utopiste en créateur de vie.

– Merci à toi, David. Je suis consciente que ton choix est cohérent par rapport à tout ce que nous avons réalisé jusqu'ici. Je ne l'approuve pas mais je le respecte.

Alors que Nuçx'ia salue elle aussi leurs compagnons, David vient vers Aurore et lui chuchote à l'oreille :

– Je crois que je me suis trompé, nous ne nous sommes pas connus dans une vie précédente, nous ne sommes pas de la même famille, nous n'avons rien à faire ensemble, mais je peux te dire, maintenant que je m'en vais, et que cela n'a plus d'importance, que...

Il s'interrompt.

– Que ?

– ... J'ai toujours été amoureux de toi.

Elle soulève un sourcil.

– Et tu me dis ça maintenant ?

– Je croyais te l'avoir fait comprendre, mais nos chemins se séparent définitivement, alors je voulais que ces mots soient prononcés clairement.

Le jeune homme siffle, et Emma 109 qui attendait le signal récupère ses deux cent cinquante-deux sœurs dans le hangar de Microland 2 et leur fait signe de s'entasser le plus intelligemment possible à l'arrière de la camionnette.

– Et maintenant nous allons où ? demande-t-elle de sa voix fluette.

– Ce n'est pas l'endroit qui importe, mais ce que nous allons y accomplir.

Alors Emma 109 a un geste inattendu, elle prend la main de David, et lui replie les phalanges, comme si elle voulait serrer cette immense masse. Puis elle fait de même avec la main de Nuçx'ia.

Elle les fixe et, après un effort, arrive à leur faire un clin d'œil.

– Je me doute du risque que vous prenez en nous sauvant. J'essaierai de ne pas vous décevoir, et un jour, peut-être, de vous remercier, déclare-t-elle, émue.

62.

Je me souviens.

Après les avoir élimininés, les minihumains commencèrent par inventer des légendes et des mythologies pour légitimer leur comportement envers leurs créateurs.

Dans tous ces récits une idée émergeait : les géants avaient abusé de leur pouvoir et étaient les seuls responsables de leur propre disparition.

63.

Le président Drouin est entouré de trois jeunes femmes nues qui le couvrent de baisers, mais il reste indifférent.

Quel est mon âge ? Mon père disait qu'on a l'âge de sa plus jeune maîtresse. Alors j'aurais 19 ans ? Ou dois-je attendre que Gérard Saldmain change mes organes usagés un par un pour les remplacer par des neufs afin de me retrouver dans la peau d'un jeune homme ?

Une fille lui propose de faire l'amour.

Il réfléchit, puis refuse.

Il semble plongé dans un labyrinthe de pensées éparses, et demande à ses invitées de déguerpir.

Enfilant un peignoir, il s'avance vers l'échiquier heptagonal.

Il allume un cigare et essaie de se concentrer sur la partie. Il observe les pièces blanches.

Les blancs... comme me l'a dit Natalia, cela se complique un peu. Il y a désormais les blancs clairs et les blancs foncés. Deux visions du capitalisme sauvage, celle des Américains et celle des Chinois. Au final, selon les sources, 1/3 de la nourriture produite dans le monde est jetée sans être consommée.

Puis les verts.

Là encore, désormais les verts foncés et les verts clairs. Les sunnites et les chiites. Et ils sont déterminés à remporter la partie sur tous les autres joueurs.

Les bleus.

Pour les bleus, c'est trop tôt. Les robots androïdes ne sont pas encore au point, loin de là. Un jour, il y aura peut-être des bleus foncés, androïdes durs, et des bleus clairs, androïdes doux.

L'idée l'amuse.

Les jaunes. Les vieux. Finalement ce sont eux qui pour l'instant gagnent discrètement. Partout les vieux renforcent leur pouvoir et rajeunissent. Même la mode des femmes cougars est en pleine expansion.

Les rouges ?

Les femmes... pour le moment leur nombre et leurs droits vont en s'amenuisant. Ils régressent.

Il observe le camp des noirs.

Les fuyards à la recherche d'une autre planète à coloniser. Ils vont avoir des problèmes, encore beaucoup de problèmes.

Enfin les mauves.

Il ne sait comment interpréter la fuite des Micro-Humaines et leurs multiples attaques en vue de libérer les leurs.

D'un côté, Emma 109 a gâché le marché du produit, en créant la méfiance du grand public. Mais en même temps elles apparaissent désormais comme des acteurs autonomes, et le fait qu'un traître humain les soutienne, David Wells, leur donne encore un avantage.

Le téléphone sonne. Sa secrétaire lui signale que le président autrichien Licht veut lui parler. Il prend l'appel, l'écoute poliment, puis déclare :

– Croyez bien, monsieur le président, que je suis avec vous, et que si les assassins du jeune Kurtz sont en France, je ferai tout ce qui est en mon pouvoir pour les arrêter... je voulais dire les éliminer. Et s'il le faut, nous fermerons l'usine et euthanasierons tous les produits selon le principe de précaution. Vous pouvez compter sur moi.

Il raccroche, puis un second appel est annoncé. C'est Natalia Ovitz. Il l'écoute longuement.

– Croyez bien, colonel, répond-il enfin, que je ne vais pas vous laisser tomber maintenant. J'ai tout misé sur Pygmée Prod et je suis conscient du potentiel de cette entreprise. Je ferai tout pour éviter que les Emachs en provenance d'Autriche se fassent arrêter, et j'empêcherai la fermeture et la destruction du centre de Fontainebleau. Vous pouvez compter sur moi.

Satisfait de ces deux coups de fil, il prononce la phrase du pouvoir.

– Et maintenant, il n'y a plus qu'à attendre pour voir lequel des deux va gagner.

Il tire sur son cigare et observe le jeu d'échecs heptagonal, en se souvenant à la fois de l'enthousiasme du président autrichien et de celui de Natalia. Il se dit que désormais, il ne doit plus adopter d'autre stratégie.

C'est là le vrai talent politique : mentir à tout le monde, ne rien donner, et faire croire à chacun que je suis dans son camp.

Il observe encore les autres couleurs et passe la main comme un nuage au-dessus de l'ensemble des pièces de bois.

Voilà la manière d'être le maître du jeu d'échecs planétaire : il faut que je les convoque tous personnellement, que je leur affirme que je suis d'accord avec eux et que je les soutiens en cachette contre les autres.

Il se sent ravi d'avoir trouvé la solution.

Quand on fait de la politique, on n'est jamais assez pervers. Même Natalia n'avait pas pensé qu'on pouvait agir ainsi. Elle manque de recul sur le jeu parce qu'elle réfléchit encore à l'ancienne, avec des « gentils » et des « méchants ». Et elle y met de l'émotionnel. Natalia, en me montrant le jeu, m'a fait comprendre la vraie règle : il faut n'être dans aucun camp et dans tous à la fois.

Durant un instant, il a l'impression d'avoir compris le sens profond de sa fonction.

Pour ne pas risquer de perdre et être sûr de gagner, il suffit de ne pas jouer et de faire des déclarations qui n'engagent à rien.

Stanislas Drouin pose son cigare, prend son agenda et commence à établir une liste des personnes qu'il veut rencontrer, puis, à côté, il établit une liste des restaurants gastronomiques qu'il rêve de visiter.

Il hésite sur le camp qu'il rencontrera en premier, il ferme les yeux, et sa main s'abat sur le camp bleu, celui qui pense révolutionner le monde avec la robotique, l'électronique, l'informatique.

Ceux-là n'ont pas encore beaucoup de pouvoir, mais assurément ils sont une clef du futur. Je vais de ce pas convoquer Frydman et lui demander qu'il me fasse une démonstration de ces nouveaux robots à intelligence autonome. Nous irons manger du caviar et des truffes, je sais déjà à quel endroit...

64. ENCYCLOPÉDIE : NANOTECHNOLOGIE

Le physicien Richard Feynman, lors d'une conférence donnée en 1959 et intitulée : « *There is plenty of rooms at the bottom* » (« Il y a plein de pièces en bas »), signalait que si on arrivait à manipuler tous les atomes séparément, on pourrait construire des systèmes électroniques non plus par des assemblages de molécules, mais par des assemblages d'atomes. Du coup, on obtiendrait des appareils minuscules. Cette idée a permis de réduire considérablement la surface des circuits informatiques (la loi de Moore veut que chaque année il soit possible de diviser par deux la taille des composants, donc de doubler la puissance des ordinateurs). L'une des applications de cette miniaturisation extrême est par exemple la puce RFID (pour Radio Frequence Identification). Ce sont des puces électroniques d'une taille infime qui progressivement se retrouvent dans la plupart des objets de notre quotidien. Les passeports, les cartes de fidélité des commerces, les cartes de péage d'autoroute, mais aussi dans les voitures et les téléphones portables. Grâce aux puces RFID, on peut savoir en permanence où se trouvent les objets et comment ils sont utilisés.

Depuis peu, certains clients de boîtes de nuit se font volontairement greffer sous la peau (dans le gras entre le pouce et l'index) des puces RFID qui leur permettent d'être automatiquement reconnus à l'entrée de lieux sélectifs. Nous pouvons imaginer que dans le futur ces puces remplaceront les signatures, les codes-barres, les cryptogrammes, les flashcodes. De même, les objets munis de puces RFID deviendront traçables, et l'on fera ses courses au supermarché sans passer à la caisse. Il suffira de passer un portique et les puces RFID de tous les produits achetés enverront leurs signaux à un récepteur informatique. Ensuite le client recevra sa facture directement chez lui. De même, il sera possible de suivre le parcours de recyclage d'un produit.

Dans un autre domaine, un général pourra évaluer les mouvements de ses soldats sur un champ de bataille.

L'utilisation de cette nanotechnologie va nous faire basculer dans un monde où tout sera en permanence repérable et identifiable, ce qui donnera l'impression que l'ancien monde n'était qu'une masse grouillante, chaotique et sans contrôle.

Actualisation de l'Encyclopédie du Savoir Relatif et Absolu,
Charles Wells, Tome VII.

65.

Il est 4 heures du matin. Penthésilée Kéchichian n'arrive pas à dormir, elle pense au départ de David et Nuçx'ia, et se dit que Pygmée Prod a perdu l'esprit des pionniers. À côté d'elle, Aurore est plongée dans un sommeil profond.

La reine amazone grimace.

Son couple ne fonctionne plus. Depuis le départ de David, Aurore est devenue cynique. Elles ne font plus l'amour, dorment chacune de leur côté dans le lit. Aurore pousse même le dédain jusqu'à avaler un somnifère pour être sûre d'éviter toute conversation avant de dormir.

Elle songe que la situation s'étant calmée en Turquie, elle pourrait retrouver ses sœurs et reformer là-bas la communauté des adoratrices d'Ishtar. Le contact avec Gaïa lui manque. Ici, elle n'arrive plus à sentir sa planète Mère. Il lui faut le lieu et le sol sacré de ses ancêtres.

L'Amazone enfile une nuisette, des pantoufles, et descend fumer une cigarette en observant cette lune qui fascine tant sa compagne.

Soudain, un bruit attire son attention. Cela ressemble au ronronnement d'un gros moteur diesel. Elle fait le tour du bâtiment et découvre dans la cour principale un camion de déménagement dont le pot d'échappement fume.

Intriguée, elle se dirige vers le grand hangar de Microland. Un orifice circulaire a été découpé dans l'épaisseur de verre du terrarium.

Les Micro-Humains sont habillés, leur minuscule valise à la main ou leur sac accroché dans le dos. Certains portent à bout de bras leurs précieux œufs et, de loin, on pourrait penser à une colonne de fourmis en migration transportant ses larves. Les Micro-Humains quittent leurs maisons, franchissent le mur de verre, le hangar, et avancent en longue procession vers le gros camion.

Des rebelles en tenue verte de camouflage ordonnent la file.

– Stop ! hurle Penthésilée.

Sa voix est suffisamment claire pour que la colonne tout entière se fige.

Alors Emma 109, qui surveillait la manœuvre de loin, prend la parole dans un cône qu'elle utilise comme porte-voix.

– Va-t'en, Penthésilée ! Laisse-nous. Il est trop tard. Les temps ont changé, nous ne sommes plus les petits moutons dociles et obéissants. Nous sommes libres.

– Vous n'arriverez à rien comme ça.

– Il faut que tu nous laisses passer.

Les Emachs sont impressionnés que l'une des leurs ose argumenter d'égale à égale avec une Grande, qu'elle appelle par son prénom. Ce qui les surprend le plus, c'est qu'elle la tutoie.

Les Emachs posent leurs valises et leurs sacs à dos, et attendent la suite de la confrontation.

– Il faut nous faire confiance, insiste Penthésilée.

– J'ai tout vu à la télévision. David est allé voir toutes vos institutions pour qu'on nous reconnaisse le droit d'exister comme des êtres vivants respectables, mais votre égoïsme d'espèce a prévalu. Vous préférez nous utiliser que nous considérer comme vos égales. Nous n'avons rien contre toi, mais tu dois laisser partir mon peuple.

Penthésilée veut déclencher le bouton d'alerte, mais le fil électrique a été sectionné, alors elle saisit l'extincteur, le lève bien haut, prête à le lancer dans la foule des fuyards qui lui arrivent à peine aux mollets.

– Je défendrai jusqu'au bout notre entreprise. Je ne peux pas perdre en cinq minutes ce que nous avons mis tant de temps à bâtir.

– Ne crois pas que ce soit facile pour nous. Les Emachs sont bien ici. Il a fallu que je leur raconte ce qui arrive à leurs sœurs à l'extérieur dans les usines. Ils ne me suivent pas seulement pour se sauver eux-mêmes, mais pour sauver tous les autres Emachs du monde.

À ce moment, une rumeur d'approbation parcourt le groupe des fugitifs.

Penthésilée réfléchit à toute vitesse, puis lâche :

– Le docteur Wells est avec vous, n'est-ce pas ? C'est lui qui conduit le camion de déménagement ?

La reine amazone hurle :

– David ! Tu es là ?

Mais c'est Emma 109 qui lui répond.

– Ce camion a été bricolé pour que ce soit moi toute seule qui le conduise. Maintenant, nous avons assez perdu de temps, il faut nous laisser partir. Nous avons des choses importantes à accomplir.

Penthésilée lève plus haut l'extincteur, menaçante.

– Restez là !

Après avoir hésité à le lancer, elle le repose et saisit son téléphone portable. Elle compose un numéro à toute vitesse.

– Police ? Ici le centre Pygmée Prod. Nous subissons une attaque d'Emachs rebelles, vite, venez, elles…

Elle n'a pas le temps de terminer sa phrase. Un groupe d'Emachs en tenue de commando l'escalade. L'une, plus rapide que les autres, rejoint prestement sa main et la mord jusqu'au sang pour lui faire lâcher le téléphone. Une autre attrape l'appareil avant qu'il ne touche le sol, l'éteint et l'emporte comme un trophée.

Les Micro-Humaines s'accrochent à ses vêtements. L'Amazone s'ébroue comme un ours attaqué par une meute de chiens. Elle repère un revolver de sécurité placé là, précisément pour une telle situation. Elle brise la vitre, récupère l'arme et la pointe vers Emma 109.

Il y a un instant de flottement.

– Que vas-tu faire, Grande ? Tu veux me tuer ? Tu pourras me tuer, tuer une dizaine d'entre nous avec ton arme, mais tu ne pourras pas empêcher cinq mille personnes de quitter cette prison de verre.

– Quand je te tuerai, les autres comprendront et renonceront. Tu es leur chef. Sans toi, 109, elles ne sont que des moutons sans berger.

– Tu te trompes, elles ont toutes leur libre arbitre.

Penthésilée vise et tire. Mais l'étroite cible est difficile à atteindre. Déjà, de nouvelles Micro-Humaines viennent l'escalader.

L'Amazone tente de les assommer à coups de crosse.

Emma 109 siffle pour signifier qu'il faut hâter la fuite des habitants de Microland 2.

Au pas de course, la foule des Emachs s'engouffre dans le camion stationné dans la cour pendant que les filles du commando de libération essaient toujours de maîtriser leur adversaire.

Les assaillantes se groupent et tentent un troisième assaut. Penthésilée arrive à se dégager. Elle vise et positionne son arme au plus près de la tête d'Emma 109.

Au lieu de fuir, la chef des insurgés s'avance pour se placer face au canon.

– J'aurai vraiment tout fait pour éviter cela, articule Emma 109.

La Micro-Humaine et la femme se toisent.

– Je n'ai plus le choix, dit Penthésilée en approchant son index de la détente.

– Nous avons toujours le choix, encore faut-il ne pas se tromper de décision.

– En te tuant, je crois que je ne me trompe pas.

– Dans ce cas, en effet, c'est toi qui auras décidé de ce qui va suivre, « Grande ».

Penthésilée hésite encore à presser la détente, mais elle n'a pas remarqué l'infime mouvement du menton d'Emma 109. Et, avant qu'elle ait pu appuyer, une douleur fulgurante la transperce.

Elle ouvre la bouche, ses yeux s'écarquillent.

Une Emach du commando a eu le temps de grimper au plafond et, de là, elle s'est laissée tomber avec son long clou effilé, utilisé comme un harpon, et lui a perforé l'épaule.

L'Amazone grimace, lâche le revolver.

Déjà d'autres Micro-Humaines se laissent choir sur la femme. Elles tombent en pluie sur elle et l'aveuglent. Parvenues à son cou, elles se tiennent par les mains et serrent pour former un collier mortel, de plus en plus étroit. Penthésilée essaie de se

221

libérer, mais la pression sur sa trachée la fait suffoquer, elle tombe à genoux, tente d'arracher le lien qui l'étouffe, mais en vain.

La jeune femme s'effondre.

– J'aurai tout fait pour éviter cela, répète Emma 109.

Les Emachs de Microland observent la colossale humaine, leur déesse anéantie, les yeux révulsés.

– Ce n'était pas une déesse, seulement une humaine comme nous, prononce Emma 109 en guise d'épitaphe.

Elle s'avance pour lui fermer les paupières.

– ... Une humaine qui ne réfléchissait pas assez.

Alors, à son signal, les filles commandos arrachent le clou planté dans l'épaule de la morte.

Puis, utilisant un pinceau et de la peinture, Emma 109 inscrit au sol les quatre initiales qui signent son action en lettres rouges : « MIEL ». Après une hésitation, elle ajoute : « Mouvement International des Emachs Libres. »

Elle fait signe aux autres d'aller chercher les derniers œufs dans la pouponnière.

– Elle a pu passer son coup de fil. La police va finir par arriver, rappelle une fille du commando, inquiète.

– Calmez-vous, si personne n'est encore là, c'est que personne ne viendra. Poursuivons ce que nous avons commencé, lance Emma 109 à la cantonade.

Alors, toujours semblables à une colonne de fourmis en déménagement, les Emachs transportent à bout de bras les œufs qui contiennent le précieux couvain. Ils les installent dans le camion, simplement calés sur les genoux de ceux qui sont déjà assis.

– Protégez-les bien, il risque d'y avoir des secousses dans les virages, conseille Emma 109.

Enfin, en bout de file, après les couvains, arrivent la reine Emma II et la papesse 666. Instinctivement les Micro-Humains les ont fait déplacer en dernier, attendant l'instant ultime pour ne pas risquer de mettre en danger les deux personnes les plus importantes. La reine et la prêtresse découvrent la scène et comprennent.

– 109 ? demande Emma II.

– Pour vous servir.

– Nous vous attendions depuis longtemps… sans le savoir, précise la prêtresse.

– Pour l'instant, nous devons fuir, ensuite nous parlerons du passé et du futur, conclut la chef rebelle.

À quelques mètres au-dessus de cette scène, Aurore, blottie dans les draps de son lit, est réveillée par la porte d'entrée qui claque violemment. Saisie d'un doute, elle enlève les bouchons de ses oreilles, s'habille rapidement, descend au rez-de-chaussée et fonce dans la cour principale.

Durant une longue seconde, Aurore et Emma 109 s'observent de loin, immobiles. Il y a dans cet échange de regards un mélange de surprise, de déception, de colère.

Emma 109 est la première à réagir.

Elle se précipite dans l'habitacle du camion en hurlant :

– Plus le temps. Les derniers doivent abandonner leurs valises. Courez ! Montez tous ! Nous dégageons !

Quand tout le monde est entré, elle lance :

– Fermeture des portières !

Aussitôt une comparse actionne le bouton de fermeture électrique centralisée.

Aurore s'est précipitée, mais elle arrive trop tard, la portière du camion est verrouillée avant qu'elle ait pu la retenir. Les verres fumés des vitres l'empêchent de voir à l'intérieur.

Emma 109 s'est placée sur le tableau de bord du gros véhicule, face au volant spécialement adapté à sa taille. L'axe est relié à une courroie de transmission qui elle-même actionne l'axe du volant du camion.

– Moteur ! clame Emma 109 avec nervosité.

À l'extérieur, celle qui fut jadis leur déesse frappe à coups de poing contre la portière pour tenter de la défoncer.

– Moteur lancé ! répond une voix.

– Première vitesse ?

– Non ! crie la voix de la Grande à l'extérieur.

– Première vitesse ? répète la Micro-Humaine impatiente.

– Arrêtez ! poursuit Aurore.

– Première vitesse enclenchée ! annonce enfin une voix micro-humaine.

– Accélérateur à 30 % et on se prépare tout de suite à passer la deuxième vitesse ! annonce Emma 109. Dites à ceux de l'arrière de s'arrimer.

Partout dans la cabine, les Emachs se sont placés aux différents postes où normalement un homme seul arrive à se débrouiller avec ses bras et ses jambes. La chorégraphie générale pour tout faire fonctionner a été plusieurs fois répétée : chaque Emach sait parfaitement ce qu'il doit faire en synchronisation avec les autres.

– Stop ! Stop ! répète Aurore.

– Lâchez le frein ! crie Emma 109 avec impatience.

La responsable de la manœuvre obéit comme un marin remontant l'ancre qui va libérer le paquebot.

– Frein lâché !

Emma 109 annonce enfin :

– Accrochez-vous, on y va !

Le camion propulse une fumée noire, vrombit et fonce pour franchir l'enceinte du centre Pygmée Prod et rejoindre la route, emportant les cinq mille fugitifs, leurs couvains, leur reine, leur papesse et la plupart de leurs bagages.

– Allumez les phares ! Et… deuxième vitesse ! précise Emma 109 qui ne quitte pas des yeux le compte-tours moteur.

– Deuxième vitesse enclenchée, répond une voix.

– Phares allumés, précise une autre.

La minuscule capitaine s'agrippe à son gouvernail pour diriger le vaisseau des Grands détourné de son usage habituel.

– Accélérateur à 40 %.

Le paquebot terrestre, masse de métal compacte, file à vive allure.

Mais la capitaine repère deux lueurs dans le rétroviseur et elle comprend qu'Aurore s'est lancée à leur poursuite. Emma 109 annonce :

– Paré à passer la troisième vitesse ! Et tout de suite après, accélérateur à 70 % !

Le camion fonce dans la nuit pour sauver un petit peuple en quête de liberté.

66. ENCYCLOPÉDIE : SUPERNOVA DE L'AN 1054

Nous ne pouvons comprendre que ce que nous sommes préparés à comprendre.

En 1054, l'explosion d'une supernova a puissamment illuminé le ciel et est restée visible pendant deux ans. Sur un laps de temps aussi long, l'événement a forcément été repéré par toutes les populations de la planète. Pourtant, en Europe, il n'en est fait nulle part mention. Les populations européennes vivant avec la grille de compréhension astronomique fournie par les deux savants de référence que sont Ptolémée et Aristote, l'univers est selon eux forcément immobile. Il ne peut donc produire aucun phénomène nouveau, le ciel n'étant que le lieu de répétitions d'événements cycliques.

Il n'y a pire aveugle que celui qui ne veut pas voir.

Les astronomes occidentaux, observant cet événement qui échappait à toute explication scientifique, ne l'ont tout simplement pas... noté. Pour eux, il n'existait pas.

On trouve en revanche de nombreuses chroniques très précises décrivant cette supernova dans les annales des astronomes chinois. Notamment dans le *Song Huiya Jigao* (annales de la dynastie Song), il est notifié : « Lors du règne de l'empereur Song Renzong, à l'ère Zhihe, première année, cinquième mois lunaire, jour jichou, une étoile invitée est apparue au sud-est de Tianguan. Elle avait une clarté si forte qu'on la voyait en plein jour, et sa couleur était blanc rougeâtre. Elle a brillé plus d'une année puis s'est dispersée. » Il reste encore de nos jours des preuves de cette explosion : les débris éjectés forment ce qu'on appelle désormais la Nébuleuse du Crabe (facilement observable par des astronomes amateurs).

Encyclopédie du Savoir Relatif et Absolu,
Edmond Wells, Tome VII.

67.

Une lueur dans la nuit. Il est cinq heures du matin. Le ciel commence très progressivement à se teinter de mauve, puis d'ocre. Un gros camion fonce tous phares allumés sur l'autoroute de l'Est, poursuivi par une voiture.

Emma 109 est inquiète, son vaisseau terrestre, malgré toute sa puissance moteur, est trop massif pour aller aussi vite qu'une simple automobile.

Aurore Kammerer est également inquiète. Elle sait que son organisme est encore imprégné des molécules du somnifère qu'elle a pris quelques heures plus tôt. Tous ses réflexes sont ralentis. Ses paupières retombent par intermittence et elle doit fournir des efforts pour les relever. En outre, dans sa précipitation, elle n'a pas pensé à prendre un téléphone portable pour se faire aider par la police. Elle se mord la langue pour rester éveillée.

À l'arrière du camion, les cinq mille Emachs sont encore plus nerveux. Ils se demandent où va les mener ce cube métallique vibrant. Beaucoup pensent déjà qu'ils auraient mieux fait de rester à Microland, de poursuivre leur vie si tranquille et bien organisée. Quelques privilégiés qui ont accès à des hublots peuvent voir l'extérieur, mais tout ce qu'ils distinguent leur semble incompréhensible.

Autour d'eux, les premières voitures et camions des Grands qui partent au travail commencent à apparaître sur l'autoroute de l'Est. La circulation devient plus dense.

Un camion avance sur la file de gauche, doublant lentement un autre camion.

Emma 109 serre le gouvernail et hurle :

– Clignotant bâbord !

Une Emach appuie sur la manette.

– Clignotant bâbord enclenché.

Le camion poursuit sa trajectoire.

– Coup de phares !

– Phares enclenchés.

– Non pas les phares permanents, je veux seulement des « appels de phares ».

Les servantes obtempèrent, mais le camion reste sur la file de gauche.

– OK, klaxon ! À répétition !

Plusieurs coups de corne résonnent.

Enfin le gros camion consent à se rabattre et libère la route.

Emma 109 observe, réfléchit, jauge, et décide.

– Passez la quatrième vitesse et accélération à 80 % !

– Mais il y a de plus en plus de voitures ! annonce une assistante équipée d'une petite paire de jumelles fabriquées à Fontainebleau pour la première mission en Iran.

Elle scrute au loin les voitures.

– L'équipe au klaxon, vous pouvez y aller, klaxonnez en permanence !

Le mastodonte d'acier fonce en cornant alors que la petite voiture métallique reste à sa poursuite.

– Accrochez-vous encore mieux ! Dites à ceux de l'arrière que ça va tanguer ! lance Emma 109 en assurant sa position face au gouvernail et s'arrimant elle-même avec des courroies de sécurité comme un capitaine s'apprêtant à traverser une tempête.

Le camion se met alors non seulement à doubler plusieurs camions mais à zigzaguer entre les voitures.

Les cinq mille passagers sont secoués. Ceux qui maintiennent les œufs les protègent, mais déjà il commence à y avoir de la casse, au grand désespoir de ceux qui les tenaient. Une gelée de liquide amniotique s'étale au sol, répandant à la fois une odeur de vie et de mort.

Le camion frôle les voitures, arrache des rétroviseurs.

Aurore, qui le suit à cent mètres de distance, comprend la manœuvre : en créant un chaos parmi les voitures, celles-ci freinent et encombrent la route, et elle-même se retrouve à zigzaguer entre les pare-chocs.

Finalement, la jeune femme décide de prendre la bande d'arrêt d'urgence de l'autoroute et arrive ainsi à rattraper le camion.

– Voiture poursuivante en visuel ! annonce l'assistante qui surveille le rétroviseur tribord.

Emma 109 tourne le gouvernail et son gros vaisseau s'engage lui aussi sur la bande d'arrêt d'urgence.

– Voiture poursuivante en approche.

– OK ! Tant pis pour elle. Parez à la manœuvre : on largue l'huile.

Alors une Emach s'en va en avertir deux autres qui, luttant contre le vent de la vitesse, rejoignent l'arrière du camion en rampant sur le toit de la remorque. Elles avancent sur la paroi arrière du camion, s'accrochent à l'échelle extérieure et libèrent un bidon dont l'huile se répand derrière elles.

– Huile larguée ! annoncent-elles.

Aurore repère juste à temps le piège et, profitant d'un trou dans la circulation, quitte la bande d'arrêt d'urgence et contourne la flaque in extremis.

– Raté ! annonce la responsable du rétroviseur arrière tribord.

– Cinquième vitesse ? demande Emma 109 nerveuse, en s'essuyant le front.

– Enclenchée !

– Vitesse maximum.

Devant elle la circulation se densifie.

Emma 109 attend d'être dans une zone où Aurore ne pourra pas faire d'écart puis annonce :

– Très bien, elle l'aura voulu. Larguez les clous !

À nouveau, d'autres Emachs vont rejoindre les premières sur le toit de la remorque, elles ouvrent un sac et lâchent les pointes métalliques.

Aurore cette fois ne peut se rabattre à gauche.

Les pneus éclatent, elle continue son chemin sur une centaine de mètres, puis n'arrive plus à contrôler son véhicule et doit renoncer à rattraper le camion.

Quand une voiture s'arrête enfin pour la prendre en stop et que son propriétaire lui prête son téléphone pour appeler, elle met du temps à expliquer la situation et à convaincre la gendarmerie d'intervenir pour retrouver le camion. Malheureusement, elle ne peut donner le numéro d'immatriculation, dissimulé sous un plastique opaque.

Quand elle décrit le camion, le gendarme lui signale qu'ils sont nombreux à répondre à cette description et que le plus simple serait qu'elle vienne au poste voir les caméras de contrôle de la circulation pour le repérer.

Le temps qu'elle rejoigne le QG, qu'elle visionne les vidéos d'une centaine de camions qui se ressemblent tous, il est déjà trop tard. Le lieutenant de gendarmerie reconnaît qu'il va être difficile de retrouver le véhicule.

68.

AFFAIRE DES EMACHS (suite) – Un grave incident est survenu dans l'usine de Fontainebleau qui est à l'origine de la fabrication des premiers Emachs.

Une des laborantines de Pygmée Prod, Penthésilée Kéchichian, a été agressée par un groupe de séditieuses qui en ont profité pour s'évader. Elles se sont groupées pour se mettre autour de son cou et l'étrangler. Évasion, meurtre perpétré par des Emachs, voilà qui rappelle le drame survenu à Vienne, en Autriche, sur Wilfrid Kurtz. La police n'écarte pas la possibilité d'un lien entre les deux affaires. La disparition du docteur David Wells, qui avait ouvertement pris leur défense au point d'agresser physiquement le père du jeune Kurtz, est peut-être également liée à l'événement. Rappelons que Emma 109 est toujours en liberté avec ses complices, et qu'elle est formée aux techniques de combat commando. L'affaire n'est pas prise à la légère par la police qui a demandé à tous les propriétaires de Micro-Humaines de les surveiller et de les enfermer le soir dans des lieux sécurisés. Nous rejoignons tout de suite sur place, à Fontainebleau, notre envoyé spécial, Georges Charas.

– Oui, Lucienne, c'est le choc ici à Pygmée Prod, le lieu qui a vu naître la première Emach. Comme vous le voyez, pour l'enterrement de la victime, Penthésilée Kéchichian, le ministre de l'Intérieur Scalese est venu en personne et a prononcé un discours annonçant que des mesures spéciales de protection contre les Micro-Humains rebelles étaient à l'étude.

La caméra recule et révèle un petit gibet où sont pendues cinq Emachs.

– Ce sont celles qui ont refusé d'embarquer dans le camion des fugitifs, et qui ont préféré se cacher en attendant que la crise passe. Elles sont ressorties et ont été facilement cueillies par les services d'hygiène.

– Que se passe-t-il, Georges, sur le terrain ?

– Après les funérailles, c'est Aurore Kammerer elle-même qui a voulu restaurer l'autorité des « humains » sur leurs « créatures » en faisant appel à ce qu'elle a appelé un « niveau de clarification supplémentaire ». Cette pendaison spectaculaire au sein même de la cité de Microland est sans nul doute destinée à inspirer aux Emachs un meilleur respect des Grands.

– Merci, Georges. L'opposition a rappelé que l'initiative de ces « expériences qui ont mal tourné » était venue du président Stanislas Drouin lui-même. « Le sang du jeune Autrichien de 14 ans, Wilfrid Kurtz, et celui de la jeune Turque Penthésilée Kéchichian sont désormais une tache sur votre quinquennat, monsieur le président, a déclaré le chef de l'opposition. Vous avez le devoir d'arrêter la propagation du virus emach que vous avez lancé sans vous rendre compte de ses conséquences. À mon avis, ces petits monstres pernicieux se révéleront bien pires que la grippe A-H1N1, que vous n'avez pas davantage su gérer par le passé. » Le président de la République n'a pas souhaité répondre à cette attaque qu'il nomme « le prurit de la mauvaise foi ».

FOOTBALL – L'équipe de France a fait match nul contre la Croatie 0 à 0. Les deux équipes ne se sont pas fait de cadeau, mais ont partagé les occasions manquées. L'entraîneur Joe Falcone a annoncé qu'il fallait relativiser l'importance de ce match car son équipe mettrait forcément un peu de temps à se trouver, mais qu'il restait confiant.

231

SOUDAN – Les chebabs, milices paramilitaires couvertes par le gouvernement du Nord-Soudan, multiplient les attaques contre les camps de réfugiés du Sud-Soudan, et les centres d'aide humanitaire. Les ONG estiment que si personne ne réagit, plusieurs millions de personnes risquent de mourir de faim. Un appel à une intervention humanitaire internationale a été lancé par plusieurs ONG, mais déjà la Russie et la Chine ont répondu qu'il s'agissait là d'une affaire locale et que les Occidentaux ne devraient pas poursuivre leur politique colonialiste en se mêlant d'affaires qui ne les regardent pas.

MÉDECINE – Un nouveau système mis au point par une équipe de chercheurs pourrait permettre d'enregistrer les images perçues par un dormeur durant son rêve. Cet accès extraordinaire à notre monde onirique permettrait enfin de parler des rêves non plus de manière évasive, émotionnelle, mais rigoureuse et scientifique, et surtout de ne plus les oublier. Un congrès de psychanalystes a signalé qu'avec les rêves enfin enregistrés, les thérapeutes auront accès à des documents précieux pour aider leurs patients en souffrance.

TECHNOLOGIE ROBOT – Compte tenu de la méfiance de plus en plus nette envers les Micro-Humains, le ministre de la Recherche a décidé de relancer son plan d'encouragement à l'élaboration de robots à conscience et de robots parthénogéniques. C'est le désormais célèbre docteur Francis Frydman qui a été sélectionné pour mener à bien cette mission. Alors qu'il travaille depuis quelques années en Corée du Sud, il vient d'apprendre qu'il pourrait bénéficier d'un laboratoire financé par l'État au sein même de l'université de la Sorbonne, s'il consentait à revenir travailler en France. Pour l'instant, le savant n'a pas encore donné sa réponse, signalant que les conditions de vie et d'encouragement à la créativité sont supérieures à Séoul, mais il s'est dit étonné par cette soudaine confiance de l'État qui lui avait tant manqué jusque-là. Il a même lancé :

« Je pense que ce retournement est lié aux Emachs, et je leur en suis indirectement redevable. »

ÉCOLOGIE – Les poissons ne cessent de se raréfier en raison de la surpêche. Certaines espèces qui ne peuvent se reproduire en captivité, comme le thon et l'espadon, sont en voie de disparition complète, et ne seront plus d'ici cinq ans que des souvenirs nostalgiques pour les prochaines générations. Parallèlement, la disparition de ces prédateurs de la mer entraîne une prolifération de méduses qui ont envahi pratiquement toutes les côtes touristiques.

MÉTÉO – La température connaît un redoux très marqué pour la saison.

69.

Le président Drouin roule la feuille de journal qui indique que sa cote de popularité est au-dessous des fatidiques 35 %, puis il s'en fait un tube et aspire la cocaïne.

Il regarde la photo de sa femme posée sur le bureau.

Heureusement que Bénédicte est là, sinon je serais seul à combattre cette meute de hyènes. Avec cette histoire d'Emachs rebelles, mes ennemis me croient sur le flanc. Ils sonnent déjà l'hallali. Mais j'ai encore quelques tours dans mon sac.

Sur son bureau, déguisées en huissiers, se trouvent des Micro-Humaines Pygmée Prod.

L'une tient le pot à stylos. L'autre porte une lampe. Une troisième maintient des livres.

Bon sang ! Les Emachs, je n'y fais même plus attention. Comme si c'étaient réellement des objets décoratifs.

– Ça va, les filles ? demande-t-il d'un ton détaché.

– Bien sûr, monsieur le président, répondent en chœur et avec enthousiasme les Emachs en uniforme.

Il ouvre son placard et les dépose une par une dans leur cage.

– Simple précaution, dit-il en guise d'au revoir.

Puis il referme la porte du placard. Et, pris d'un doute, ferme à clef.

La cocaïne me rend parano, mais ces histoires de Micro-Humaines qui tuent leur maître en jouant aux colliers strangulateurs me donnent des cauchemars.

La sonnerie de l'interphone retentit. Il appuie sur le bouton.

– Qui me dérange ?

– Le colonel Natalia Ovitz, président, répond sa secrétaire.

– Je ne veux pas la voir. Dites-lui que je suis occupé.

Il attend plusieurs minutes, puis rappelle :

– Finalement, dites-lui que je peux la voir, mais rapidement.

La porte s'ouvre et la petite silhouette vient se placer face à lui. Il se tourne vers le jeu d'échecs heptagonal et, sans lui prêter la moindre attention, il soulève le roi mauve et le couche en signe de défaite.

– On ne peut pas dire que votre projet soit une totale réussite, colonel Ovitz.

– Notre initiative commune a résolu des problèmes et en a produit de nouveaux. Tout procède ainsi, il est certain qu'en ne faisant rien, il ne se passe rien, rétorque-t-elle sans se démonter.

– Eh bien, quand je vois la cote de popularité de mon principal adversaire politique, qui durant tout son mandat n'a rien fait, je me pose des questions. Pourquoi s'agiter ? Pourquoi vouloir améliorer quoi que ce soit dans ce pays ou sur cette planète ? Dès que je lance une idée, elle agace tout le monde et fait baisser ma cote de popularité dans les sondages. N'est-ce pas simple vanité que de vouloir changer quoi que ce soit dans ce monde ?

Il avance un pion vert d'une case, comme à chaque accès de violence des sunnites ou des chiites. Puis un pion bleu et un pion rouge. Vu de loin, le jeu montre une forte présence vers le centre des pièces vertes.

– Et si, au lieu de vouloir comprendre, nous restions seulement spectateurs et que nous assistions à l'inévitable en jouissant au mieux de chaque seconde ?

Il reprend de la cocaïne, sourit, puis se sert un verre de whisky sans lui en proposer.

– Comme le dit l'expression « Après moi le déluge ». De toute façon, on va tous crever, alors ne croyez-vous pas que tout ça n'est après tout que gesticulations pour ne pas s'ennuyer ? La guerre, l'amour, la science, le terrorisme, la conquête spatiale, les massacres, le football, les jeux Olympiques, le cinéma, la littérature, l'éducation des enfants, tout ça, ce ne sont que des manières de lutter contre l'impuissance face à l'écoulement inexorable du temps qui nous attire tous au fond de l'abîme ?

Natalia Ovitz reste impassible devant cette envolée lyrique. Il sourit, puis change d'un coup de physionomie, saisit le roi mauve et redevient sérieux.

– Au final, vos Emachs nous auront apporté une gloire éphémère déjà oubliée, et une méfiance durable qui ne fait que grandir. Nos ennemis vont bientôt être tous ligués contre nous. N'était-ce pas vous qui m'aviez confié qu'au « jeu de Yalta », ce sont les alliances qui font les victoires ?

– Je comprends votre désarroi, monsieur le président.

– Vous comprenez mon quoi ? Mon « désarroi » !? Vous savez ce que me communiquent mes services secrets ?

– Probablement des stupidités. Ce sont des jaloux de tout ce qui se passe en dehors de leurs services.

Il soulève cette fois un pion dans le camp des blancs.

– Ils disent que les cas de rébellion (que nous appelons élégamment « accidents de produit ») ne cessent de se multiplier.

– Tout va très vite de nos jours.

– En effet, et ce genre d'informations a un impact immédiat sur le public. D'ailleurs, vous devez le constater vous-même, le marché des Emachs ne cesse de chuter.

– Et pour cause : le secteur est inondé de copies chinoises.

– Laissez-moi finir, colonel. Les gens ne se sentent plus en sécurité. Ils ont peur. Et ça, c'est mauvais pour les bénéfices. Bénédicte m'a signalé que vos finances étaient au plus bas. L'image de Pygmée Prod est elle aussi complètement dévalorisée.

– N'exagérons rien.

– J'« exagère » ?

Le président Drouin ouvre un tiroir, sort un dossier et exhibe des coupures de presse. Il lit à haute voix :

– « Emma 109 a été déclarée ennemie publique numéro 1 par Interpol. Certains témoins disent l'avoir reconnue lors de l'attaque de plusieurs usines. Les Micro-Humaines ont mis au point des techniques commando très précises. Elles sont amenées sur place, agissent très vite et repartent aussi vite avec celles qu'elles ont réussi à libérer. Si un humain s'interpose, elles le tuent sans hésitation. Elles ont déjà tué cinq personnes. Et... »

– Il n'y a aucune preuve.

– Attendez... je vais vous en lire un autre : « Le fait que l'un des principaux membres de la société Pygmée Prod, le docteur David Wells (déjà connu pour des incidents divers liés aux Emachs), ait disparu, laisse à penser qu'il pourrait les avoir rejointes. L'homme les protégerait et les transporterait en voiture sur le lieu de leurs coups de force. »

– Là encore, ce ne sont que des allégations, monsieur le président...

– Autre coupure : « La dernière attaque a été revendiquée par un groupe clandestin qui se fait appeler MIEL pour Mouvement International des Emachs Libres. » Le MIEL ! Il ne manquait plus que ça ! fulmine le président Drouin. À ce jour, selon les services de police, Emma 109, David Wells et les insurgées du MIEL ont déjà attaqué plus de vingt usines, tué cinq humains et volé pas moins de deux mille Emachs.

La militaire affiche une mine peu surprise par l'ampleur des chiffres.

– Face à la détermination des rebelles, les patrons d'usines ont vite réagi. Plusieurs tentatives de soulèvement d'Emachs ont été matées de manière violente, certains patrons n'hésitant pas à punir leurs ouvrières réfractaires de manière publique, à l'entrée de l'usine, pour refroidir toute velléité de rébellion de leurs congénères.

– ... Rébellions supposées mais non vérifiées.

Il repose d'un coup le roi mauve sur le jeu et le couche.

– Peu importe, du moment qu'ils l'imaginent, c'est comme si cela se produisait. De plus en plus d'entreprises prennent désormais la précaution d'enchaîner leurs Emachs sur les lieux de travail pour éviter tout risque d'évasion ou de sabotage.

– Réactions disproportionnées, monsieur le président.

– Disproportionnées ! Les gens ont la trouille pour leurs enfants. Savez-vous qu'il y a désormais une mention sur les Emachs-jouets ? Les clients sont avertis qu'à la moindre inquiétude ils peuvent les ramener au centre de recyclage qui s'occupe de désactiver les modèles ayant des comportements suspects.

– J'ai entendu parler de ces centres, et des horreurs qui s'y produisent, président Drouin. Le terme « recyclage » appliqué aux Micro-Humaines est un euphémisme. En fait, ils les mettent systématiquement à mort.

– Eh bien tant mieux. Ce n'est qu'un juste retour des choses. L'influence du MIEL ne fait que s'accroître et déjà des centres de distribution et des centres d'élevage ont été attaqués.

– Toute action entraîne une réaction.

– Le président de la Confédération des patrons d'industrie a demandé à ses membres de garder leur sang-froid, mais de s'équiper de matériel de sécurité et de se tenir prêts à affronter toutes les situations de crise. L'industrie de « mise hors d'état de nuire des Micro-Humaines séditieuses » est en plein développement.

Le président lui met un autre article sous le nez :

– « Le nombre d'Emachs évadées ne cesse de grandir. La police estime qu'elles sont regroupées dans un lieu clandestin, un sanctuaire secret qui pourrait être une usine désaffectée ou une caverne. »

Cette fois Natalia sort son fume-cigarette mais, songeant que la fumée pourrait indisposer le président, elle remplace la cigarette de tabac par une copie électronique. Le bout s'éclaire et elle lâche un nuage de vapeur d'eau imprégnée de nicotine parfumée au caramel.

– Où voulez-vous en venir, monsieur le président ?

– Où je veux en venir ? Mais… c'est vous, colonel Ovitz, qui avez créé tous ces problèmes, c'est donc à vous de les résoudre.

Saisi d'une idée, il ouvre le placard et ressort les cages avec les Micro-Humaines en tenue d'huissier.

– Reprenez-les, je n'en veux plus.

Elle fait semblant de ne pas avoir vu le geste. À son tour elle lui tourne le dos pour regarder le jeu d'échecs heptagonal.

– Je me rappelle être venue ici, dans ce bureau, il y a plusieurs mois, et vous avoir parlé des sept voies d'évolution qui me semblaient en rivalité. Et je vous ai parlé de ces deux voies d'évolution de notre espèce qui pouvaient sembler bizarres : la miniaturisation et la féminisation. Vous m'avez donné votre accord pour les encourager.

– Croyez bien que je le regrette.

– À mon avis, monsieur le président, vous avez fait le bon choix, et ce qu'il se passe actuellement n'est qu'une « péripétie de parcours ». Nous avons créé une nouvelle branche dans l'arbre de l'évolution de l'humanité.

– Une branche pourrie, oui !

– Je ne vous ai jamais dit que ce serait facile.

Elle redresse le roi mauve et replace les autres pièces mauves pour qu'elles soient bien centrées sur leurs cases respectives.

– Vous ne m'aviez pas parlé non plus de telles répercussions. Vous m'avez proposé de fabriquer des espions de taille réduite, pas un… prédateur de notre espèce.

– Ce ne sont pas des prédateurs, ce sont des « successeurs ». Elle lâche à nouveau une bouffée de vapeur froide dont elle recouvre le jeu.

– Vous voulez dire une humanité qui pourrait nous évincer ? Les Micro-Humaines écoutent la conversation avec intérêt.

– Non, une humanité qui pourrait nous sauver, comme elle l'a déjà fait en empêchant la guerre mondiale, en détruisant les centres nucléaires iraniens. Ou comme elle l'a déjà fait à Fukushima et dans les mines du Chili.

– Vous savez que l'Iran fanfaronne à nouveau, annonçant qu'ils avaient raison de se méfier de « ces horreurs complices des sionistes ». Là-bas, les Micro-Humaines sont interdites et celles qui entrent en contrebande et sont découvertes sont égorgées. J'en viens parfois à me demander s'ils n'ont pas fait le bon choix.

– Dans les virages, il ne faut pas freiner, monsieur le président. Au contraire, il faut accélérer.

– Vous savez que je suis bien sûr d'accord avec vous, mais… de manière concrète, que me proposez-vous, colonel Ovitz ? Même votre entreprise désormais célèbre est, vous me l'avez avoué, économiquement exsangue.

Il se penche à nouveau sur le jeu d'échecs.

– Ce que je vous propose, c'est d'anticiper le prochain épisode et de reconnaître l'humanité des Emachs. Dès lors, ils ne seront plus des ennemis, ils seront des… alliés.

Elle attrape délicatement un cavalier mauve et lui fait sauter la haie de pions qui aurait pu le retenir.

– Vous plaisantez, j'espère ?

– Non. Je crois qu'un jour nous serons forcés de les reconnaître comme des égaux. David Wells l'a compris avant nous.

– Des égaux ?

– Disons des « petits semblables ». Comme il est dit dans la Bible, Dieu a créé l'homme à son image, disons que nous avons créé les Emachs à la nôtre.

Le président Drouin hésite, puis range à nouveau les cages avec ses employées dans le placard qu'il referme à double tour.

Puis il revient vers la femme.

– Je crois que vous n'avez pas compris la situation, colonel. Les gens n'en veulent plus, de vos micro-monstres. Ils font peur. Ils effraient les enfants. Ils inquiètent les industriels. Ils vont devenir les nouveaux croquemitaines, bientôt les mères diront : « Si tu ne dors pas, des Emachs viendront dans la nuit, monteront sur ton lit et te feront un collier pour t'étrangler. »

Natalia affiche un air indifférent, et lâche une bouffée de vapeur opaque.

– Je crois que vous ne m'avez pas bien entendue, je vous parle d'une vision plus large, monsieur le président.

– Si, au contraire, je vous ai parfaitement entendue. Maintenant voici mes ordres concrets, colonel Ovitz. Trouvez le sanctuaire où les Micro-Humains rebelles se cachent, tuez-les tous autant qu'ils sont, ramenez-moi seulement vivante Emma 109 pour qu'elle ait un jugement et un châtiment spectaculaires. La guillotine ou la chaise électrique, on verra ce qui est le plus à la mode au moment de son procès. Voilà ce que j'en fais de votre « nouvelle branche d'humanité dont nous sommes les créateurs », je la coupe au sécateur.

Natalia hésite, puis finalement pose une lettre devant le président.

– Je m'en doutais. Dans ce cas, voici ma lettre de démission, monsieur le président.

Il saisit la feuille, la lit rapidement, puis la déchire avant de la brûler dans son cendrier.

– C'est trop facile d'abandonner le bateau quand il coule. Vous avez merdé, maintenant vous me nettoyez tout cela proprement. Et je veux des résultats rapides et efficaces. J'attends très vite de vos nouvelles, et je sais déjà qu'elles seront bonnes.

Il lui tourne le dos et observe par la fenêtre le parc de l'Élysée. De nombreux jardiniers s'affairent, nettoient les feuilles mortes et les statues poussiéreuses des dirigeants du passé.

70. ENCYCLOPÉDIE : LOUIS XVI

Louis XVI est le roi mal-aimé par excellence. Amateur de serrurerie, gros, souffrant de la goutte, considéré comme cocu, victime de la Révolution et, pour finir, guillotiné, il passe dans les livres d'histoire pour un « looser ».

Pourtant, si l'on devait, par exemple, le comparer objectivement à son illustre ancêtre Louis XIV (qui passe pour le « winner »), on verrait les choses peut-être différemment.

Ce dernier s'appuie sur la grande noblesse qu'il invite dans son palais de Versailles pour vivre dans un luxe inouï. Parallèlement, Louis XIV se lance dans des guerres coûteuses et inutiles, qu'il perd, et qui ruinent encore plus la France (ses troupes seront noyées en Hollande). Par incurie, il laisse deux famines ravager le pays (2 millions de morts), il mate toutes les révoltes populaires dans le sang (notamment celle des camisards). Il meurt laissant le pays ruiné, exsangue, mais en s'étant autoproclamé « Roi-Soleil ».

Son successeur, Louis XV, fait de son mieux pour que le pays ne s'effondre pas.

Louis XVI hérite d'une situation qui s'aggrave de jour en jour. Il commence par faire une analyse économique sérieuse du pays, et trouve anormal que la noblesse soit exemptée

d'impôts. Il tente, avec ses ministres, d'initier une politique économique plus raisonnable. Pour résoudre les problèmes fiscaux, il convoque les États généraux et pour connaître l'avis du peuple, il lance une campagne de « cahiers de doléances ». Dans tous les villages, les gens sont invités à parler de ce qui ne va pas. C'est la première fois que le roi interroge son peuple directement, et c'est donc la première fois que l'on sait vraiment comment vivent les « petites gens » de province.

Cependant, en tentant de réformer, Louis XVI s'en est fait des ennemis. Et le peuple, en exprimant enfin ses malheurs, commence à gronder.

Inspiré par les textes des économistes et des philosophes des Lumières, et souhaitant faire entrer son pays dans la modernité, Louis XVI tente de poursuivre ce travail de réforme. Il sera le roi qui mettra fin officiellement à l'usage de la torture. Il abolit le servage, la taille, les corvées (coutumes médiévales encore en pratique), il rétablit la tolérance religieuse (les protestants étaient jusqu'alors persécutés), il interdit les arrestations arbitraires, autorise les femmes mariées à toucher des pensions sans l'autorisation de leur mari, invente un impôt direct égalitaire. Pour lutter contre la famine, il développe la culture de la pomme de terre.

Visionnaire, grand amateur de géographie, Louis XVI lance un programme d'exploration navale de terres inconnues, qui fourniront beaucoup de colonies à la France, et donne pour la première fois la consigne de « ne pas maltraiter les indigènes mais de les traiter comme des humains égaux ». Il soutient et finance (par l'entremise de La Fayette) la guerre d'Indépendance américaine, qui sera la première révolution moderne.

En 1789, au début des manifestations populaires à Paris, il interdira à l'armée de tirer, annonçant que jamais il ne donnera l'ordre à des Français de tuer d'autres Français.

Finalement débordé par la contestation, arrêté, jugé hâtivement, il montera sur l'échafaud, et sa dernière phrase, lancée au bourreau, sera : « A-t-on des nouvelles de monsieur de La Pérouse ? », un explorateur récemment disparu. Avec le recul, on peut considérer que, plus que bien d'autres révolutionnaires autoproclamés (Robespierre, Lénine, Mao Tsé-tung ou Fidel Castro n'ont pas hésité à laisser leurs soldats tirer sur leurs compatriotes), Louis XVI a été un grand défenseur des intérêts du peuple et un réformateur déterminant, à qui l'histoire n'a jamais rendu justice. Quant au « Roi-Soleil », ce n'était qu'un dictateur mégalomane et violent... l'exact contraire de Louis XVI.

Encyclopédie du Savoir Relatif et Absolu,
Edmond Wells, Tome VII.

71.

Natalia Ovitz est en uniforme de commando. À côté d'elle, Martin Janicot porte lui aussi sa tenue de combat, dont la veste entrebâillée laisse malgré tout entrevoir son tee-shirt avec les lois de Murphy du jour, liées à des thèmes militaires.

5. Une blessure dans la poitrine est la façon pour Dame Nature de vous dire de ralentir.
6. Si c'est stupide mais que ça marche, ce n'est pas stupide.
7. Essayez de paraître sans importance... L'ennemi est peut-être à court de munitions, et ne voudra pas gaspiller ses balles pour vous.

Aurore Kammerer, cette fois, ne goûte pas cet humour décalé. Elle étale des photos sur le bureau.
– Voilà, j'ai tout, annonce-t-elle. Les gendarmes ont retrouvé les vidéos des caméras de contrôle de l'autoroute de l'Est, et

ont fini par identifier le camion. Ensuite il a fallu recouper les images avec celles des autres caméras.

Elle déploie une carte.

– Ils sont là. C'est certainement leur planque.

– C'est où ? demande Natalia presque par politesse. À l'est ?

– Non, au sud. Dans le froid, la neige et le vent, répond Aurore d'un ton sec.

– Plus précisément… ?

Aurore se penche sur une carte de France et pose son index.

– Là.

– C'est une station de ski, remarque Natalia.

– En été, c'est un endroit avec très peu d'habitants. Elles ont évidemment choisi un coin isolé.

Natalia et Martin examinent les alentours, et voient qu'il s'agit d'un lieu en plein Massif Central.

– Ils y sont parvenus en camion ? s'étonne Natalia.

– La dernière partie du trajet a dû être parcourue à pied. Selon mes estimations, ils sont dans une zone inaccessible à toutes les voitures, et même difficile à atteindre pour les humains normaux. Nous aurons combien d'hommes ?

– Vu l'importance de l'affaire, le président m'a accordé soixante gendarmes, avec du matériel et des chiens. Tout devrait aller vite.

Martin Janicot regarde la carte, Natalia entraîne Aurore à part.

– Il ne faut pas prendre cela de manière personnelle.

– Penthésilée a été assassinée, il n'y a rien de « personnel » à souhaiter que ce crime ne reste pas impuni.

– Hum… je n'aime pas ce ton. Un bon soldat ne doit pas se laisser submerger par les émotions.

– Je ne suis pas un soldat.

La naine saisit le poignet d'Aurore.

– Je crois préférable que vous ne veniez pas là-bas. Martin et moi, nous agirons comme nous en avons l'habitude, de manière discrète et efficace. Nous sommes des professionnels, entraînés pour cela. Faites-nous confiance.

Le lieutenant approuve.

– J'irai là-bas, articule Aurore, les dents serrées. Je suis aussi responsable de Pygmée Prod et disons que je veux savoir ce qui arrive à mes « produits » lâchés dans la nature.

Natalia l'observe, puis lui lâche le poignet.

– ... et à David ?

Piquée au vif, Aurore réagit aussitôt :

– Je me fous de David.

– Vous parlez comme une femme qui a trouvé son mari dans le lit d'une autre. Que s'est-il passé entre vous ?

– Rien. Absolument rien.

– Dans ce cas, je comprends mieux. C'est ce que vous lui reprochez.

– Quoi ?

– Qu'il ne se soit rien passé.

– Vous n'y êtes pas du tout, Natalia. Vous croyez tout savoir, vous vous prenez pour notre mère, notre père, notre patron, vous n'êtes juste qu'une...

– ... Naine ?

– Une personne trop sûre d'elle.

– En tout cas, je sais que lorsqu'on prononce le nom de David, vous démarrez au quart de tour. J'en conclus qu'il ne vous est pas indifférent.

Natalia revient à la carte, scrute l'emplacement probable du camp des Micro-Humains fugitifs.

– Quelque chose ne me plaît pas dans ce qui va se produire, signale la femme militaire.

– On ne fait pas d'omelette sans casser des œufs, rétorque Aurore. Et après les avoir pondus, il va être temps de les briser.

245

72.

Vous vous méfiez de vos Emachs ? Vous avez peur qu'elles vous attaquent alors que vous avez le dos tourné ? Vous craignez qu'un groupe de rebelles du MIEL vous démunisse de vos ouvrières ? Ne prenez plus de risques et équipez-vous des pièges à Emachs « Clapette ».

La Clapette est un piège ultra-perfectionné qui fonctionne comme les pièges à rats. À l'intérieur d'un tube se trouve un petit écran vidéo avec une scène pré-enregistrée où une Emach crie : « Au secours, aidez-moi, les Grands me font souffrir ! »

Lorsque la rebelle du MIEL entend cette voix et distingue l'écran, elle prend l'image pour une vraie congénère, entre dans le tube qui alors se referme et l'emprisonne.

Pour plus de sécurité, dès qu'une Emach sauvage est piégée dans un appareil de la marque « Clapette », une diode rouge s'allume, ainsi qu'un signal sur votre smartphone si vous n'êtes pas sur les lieux.

Vous verrez alors la petite Emach dans sa prison transparente, et vous aurez le choix, soit (pour les plus sensibles) de ramener votre Emach dans un centre de « recyclage » qui s'occupera de tout, soit, pour les autres, de déclencher le bouton « Delete » qui, à l'aide de trois lames de rasoir, mettra hors d'état de nuire la Micro-Humaine prise au piège.

Clapette anti-Emach : la sécurité dans votre jardin, votre cave, votre cuisine, votre chambre, comme dans votre entreprise. Les piles sont fournies et, pour l'achat de deux Clapettes anti-Emach, un sachet de croquettes tentatrices est offert, parfumées au saumon haricots verts ou au steak frites (elles adorent ça) et saturées d'arsenic concentré.

73.

Je me souviens.

La disparition des grands humains d'origine me posait problème.

Mon projet de fusée contre les astéroïdes géocroiseurs était désormais impossible à réactualiser.

Cependant, je pouvais encore communiquer par ondes télépathiques avec trois de ces derniers fossiles vivants : l'inventeur de la minihumanité Ash-Kol-Lein, sa femme Yin-Mi-Yan, et son fils Quetz-Al-Coatl.

C'étaient les trois derniers géants qui se souvenaient que j'étais consciente et que j'avais un problème personnel bien plus important pour l'univers que leurs dérisoires destins d'humains.

Ils s'étaient réfugiés dans la pyramide de Tiahuanaco, sur le territoire qu'on nomme maintenant la Bolivie.

Mais ils furent repérés et assiégés par les petits humains sauvages.

Avec un tremblement de terre bien ajusté, je les aidai à s'échapper.

C'était étrange de voir ces trois géants poursuivis par des petits humains qui leur arrivaient à peine aux chevilles.

Même lorsqu'ils embarquèrent sur leurs bateaux, les petits barbares les poursuivirent en criant « Mort aux géants ! ». Ils avaient oublié que jadis ces mêmes individus avaient été leurs créateurs, puis leurs dieux.

Les petits bateaux ne voulaient pas lâcher la poursuite du grand navire, et je dus là encore intervenir et déclencher une tempête.

Le grand vaisseau survécut et les petits coulèrent.

Restait à trouver un sanctuaire pour mes trois derniers complices.

J'ai cherché longtemps, mais tous les continents étaient envahis par les minihumains qui se reproduisaient de manière exponentielle.

Mes fugitifs ne pouvaient se réfugier nulle part. Ou du moins, nulle part où le climat était supportable. Je n'avais plus le choix : il fallait que je les cache dans mes zones les plus inaccessibles. Ils ont navigué vers mon pôle Sud.

Là, le froid et le vent ont été leurs meilleurs alliés. À cette époque, il faut dire qu'aucun minihumain ne s'était aventuré sur des côtes aussi inhospitalières.

Mon pôle Sud n'était alors hanté que par des rafales glacées et des hordes de manchots pacifiques.

ACTE 2

L'âge des confrontations

LE TEMPS DE LA MESURE

74. ENCYCLOPÉDIE : QUELQUES CHIFFRES POUR RELATIVISER

En l'an 2000, on comptait 250 000 naissances pour 100 000 morts par jour.

Donc, chaque jour, la population mondiale augmentait de 150 000 personnes, soit l'équivalent d'une grande ville européenne.

Chaque année, le nombre d'humains augmente de 52 millions.

1,5 milliard de personnes sont en surpoids (dont 500 millions d'obèses), pendant que 900 millions de personnes souffrent de malnutrition (dont 20 000 en meurent).

Chaque année, 3,6 millions d'hectares de forêts sont détruits pour être transformés en champs cultivables. Et... 8,3 millions d'hectares de terres cultivables sont abandonnés et deviennent des déserts.

L'argent que rapporte la drogue est l'exact équivalent de l'argent que rapporte la vente des médicaments.

Actualisation de l'Encyclopédie du Savoir Relatif et Absolu,
Charles Wells, Tome VIII.

75.

Une montagne surgit à l'horizon.

Une masse de nuages opaques en dissimule la cime. Ils freinent et se garent.

– Vous êtes certains que c'est là ?

Aurore Kammerer observe à la jumelle le lieu censé être le refuge des Micro-Humains.

L'officier de gendarmerie, le capitaine Tristan Malençon, lui explique :

– Selon les observations satellite, le camion a terminé sa course ici.

– L'endroit est beau, reconnaît le lieutenant Martin Janicot.

En l'honneur de cette journée, il arbore un tee-shirt qui se veut distancié :

36. Ne tirez jamais. Ça énerve ceux qui sont autour de vous.
37. Si l'ennemi est à portée de tir, vous l'êtes probablement aussi.
38. Ne soyez jamais le premier, ne soyez jamais le dernier, et ne soyez jamais volontaire.
39. Plus le chef est stupide, plus les missions qu'il doit accomplir sont importantes.

– C'est haut ? questionne Aurore.

Le capitaine Malençon se gratte le menton.

– Le Puy de Côme ? Pas mal oui. 1 252 mètres d'altitude. C'est en tout cas l'un des plus impressionnants volcans d'Auvergne. En quelque sorte notre « Fujiyama français ».

– On a l'impression d'être loin de tout, reconnaît le lieutenant Janicot, admiratif.

– Jadis, c'était dans ce coin que se trouvaient les plus importantes mines d'argent de France. Tout ça est abandonné de nos jours.

– Vous parliez d'un volcan ? Il y a déjà eu des éruptions ? demande le colonel Ovitz.

– La dernière a eu lieu il y a sept mille ans. Le Puy de Côme est un volcan rouge, c'est-à-dire « endormi ». L'activité la plus récente est une coulée de lave qui est descendue jusqu'à la ville de Pontgibaud. Là-bas.

Il désigne une étendue d'habitations dominée par un clocher.

– Ça ne pourra pas se reproduire. Un bouchon de lave durcie l'obstrue hermétiquement.

– Parfait.

– Malgré tout, depuis 2002, l'accès au sommet est interdit. Même la station de ski ne fonctionne plus. Seuls les bergers sont autorisés à y faire paître leurs moutons.

– Selon vous, pourquoi David et les Emachs sont-ils venus ici ? demande Aurore qui a du mal à cacher son impatience.

– Pendant la Seconde Guerre mondiale, les résistants avaient fait de même. Ils formaient des maquis en altitude, dans des endroits comme le Vercors, les montagnes de Savoie, les Glières... Et là-haut, ils avaient créé un véritable État dans l'État. Les Allemands et les collaborateurs ont eu beaucoup de mal à les vaincre, dit le capitaine Malençon qui semble autant féru d'histoire que de géographie. Mais à l'époque ils n'avaient pas les moyens dont nous disposons aujourd'hui.

Derrière eux, les cars des gendarmes s'alignent, attendant les ordres.

Le capitaine saisit une tablette numérique et désigne un point sur la carte qui apparaît sur l'écran.

– Selon les données les plus précises que j'aie pu obtenir, le camion que vous avez suivi s'est arrêté précisément ici. C'est une voie sans issue. Je pense que nous devrions facilement le retrouver dans les parages.

Ils regagnent leurs voitures respectives, prennent la direction désignée, commencent à suivre un chemin et aboutissent à une étendue rocheuse.

Après avoir ratissé la zone, derrière un mur végétal, ils trouvent le véhicule des fuyards abandonné dans une large caverne naturelle.

– C'est bien ce camion, reconnaît Aurore.

D'un bond, Natalia entre dans l'habitacle et découvre tous les aménagements du cockpit, notamment le petit gouvernail relié au grand volant par une courroie.

Le lieutenant Janicot repère les traces de petits pas au sol.

– Ils ont fui par là, signale-t-il.

Le capitaine Malençon donne ses ordres.

Les hommes en tenue noire et les brigades canines se déploient en tenant les chiens en laisse.

– Il faut jouer sur l'effet de surprise. Nous allons utiliser la même stratégie que les Allemands en 1944, quand ils ont pris le maquis des Glières. On les encercle et on resserre l'étau progressivement jusqu'à coincer les derniers.

– À cette petite différence près que ce ne sont pas des humains, et que nous n'avons pas à les faire prisonniers, ajoute l'un de ses sous-officiers.

– Que je sache, les Allemands n'ont pas fait de prisonniers au maquis des Glières, rappelle le capitaine Malençon.

– Il y a parmi eux des humains, lance Natalia. David Wells et Nuçx'ia. Vous devez seulement les faire prisonniers. Ils devraient être facilement repérables.

Le capitaine Malençon approuve.

– Bien sûr, bien sûr. J'ai reçu des consignes pour les ramener, eux et la chef rebelle Emma 109, afin qu'on puisse les juger. Et puis il y a ça.

Il désigne la route où vient d'apparaître un nuage de poussière.

Trois bus se garent. Des journalistes en descendent.

– C'est moi qui ai pris cette initiative, annonce Aurore. J'ai pensé qu'il serait bien que l'arrestation soit suivie en direct par les téléspectateurs. Ça montrera que nous, les gens de Pygmée Prod, nous sommes en première ligne pour réparer nos erreurs et garantir la sécurité des consommateurs.

Natalia n'apprécie pas l'initiative, mais elle se domine et ne fait aucune remarque, elle sait que le temps n'est pas à la dispute devant des personnes étrangères.

Le capitaine Malençon se caresse le menton où pousse une barbe rase poivre et sel, et affiche une mine dubitative devant cette arrivée inattendue.

– Je pense qu'il serait profitable à votre carrière d'être vu en train de réussir cette mission, capitaine, précise Aurore.

Le visage de Natalia reste fermé. Elle se tourne vers le capitaine.

– Ce n'est pas parce qu'elles sont petites qu'il faut les sous-estimer. Il ne faut pas oublier qu'Emma 109 a été formée par nos soins pour le combat commando. Et parmi les filles de Microland, plusieurs sont d'excellentes combattantes issues de nos écoles.

– Emma 109 a surtout été formée au sabotage, elle n'a aucune connaissance de la guerre tactique, se sent obligée de préciser Aurore.

– Elles auront du mal à enfoncer leurs clous dans nos casques ou à nous étrangler dans nos tenues de protection, complète le capitaine Malençon.

– Il y a peut-être de jeunes « Grands », des adolescents ou des anarchistes qui les auront rejoints, précise Natalia.

Le capitaine Malençon se caresse toujours le menton.

– C'est prévu. Nous lancerons des grenades lacrymogènes pour neutraliser les Grands pendant qu'on nettoiera la zone des Petits. Évidemment, mes hommes équipés de caméras ont reçu la consigne, au cas où les Grands résisteraient, de ne pas filmer. Dès que tout sera fini, nous donnerons des interviews aux médias, nous rangerons les cadavres d'Emachs dans les sacs noirs hermétiques prévus à cet effet. Emma 109 devra être enfermée dans la cage de la voiture 3. Si tout va bien, à midi tout est fini, et à treize heures nous nous retrouvons tous pour déjeuner. J'ai déjà repéré un excellent restaurant qui propose les spécialités locales : la potée auvergnate, les tripous, l'aligot et le petit salé aux lentilles du Puy.

Les sous-officiers s'approchent pour recevoir les dernières consignes.

Un peu plus loin, les journalistes règlent leurs caméras comme des armes.

Le capitaine Malençon sort sa montre.

– Mettons-nous d'accord. À ma montre, il est 6 h 11 minutes 35 secondes, au top il sera 6 h 12. 1, 2, 3… Top ! Nous donnerons l'assaut à 6 h 30 précises.

76.

Je me souviens.

Lorsque mes trois protégés Ash-Kol-Lein, Yin-Mi-Yan, Quetz-Al-Coatl arrivèrent sur les côtes glacées et désertiques de mon pôle Sud, je dévoilai un passage dans la roche qui menait à un tunnel pentu.

Lui-même aboutissait à une caverne profonde, qui avait pour particularité d'abriter un lac immense, et une cheminée de lave susceptible de leur fournir une température clémente.

Ainsi pouvais-je les garder au chaud dans mon sein et les protéger de l'agitation du monde où ils n'avaient plus leur place.

C'était mon petit sanctuaire, pour conserver vivants les derniers fossiles d'humains des origines.

77.

Le sommet du Puy de Côme disparaît peu à peu dans son manteau nuageux.

Une fine humidité tombe du ciel, mais remonte aussi de la terre. Les plantes déploient leurs feuilles pour capter la rosée. Les champignons gonflent. Une chaussure écrase l'un d'eux, produisant un bruit de baudruche crevée.

Les gendarmes avancent, pistolet au poing, alors que le ciel violine s'illumine progressivement.

En première ligne, les bergers allemands formés au dépistage des Micro-Humains aboient furieusement.

Soudain l'un d'eux manifeste son excitation.

– Il a trouvé quelque chose, annonce l'officier au journaliste qui filme derrière lui.

Ils découvrent en effet une minuscule chaussure. À partir de là, ils repèrent des petits pas qui filent vers les hauteurs du volcan.

– C'est bon, nous les tenons ! annonce le capitaine Malençon.

Les bergers allemands, nez au sol, entraînent les gendarmes vers une anfractuosité de la roche.

– C'est l'entrée de l'ancienne mine d'argent, signale l'homme en uniforme aux journalistes.

– Mais c'est très étroit.

– Au XIXe siècle, on y faisait travailler surtout des enfants. Les couloirs sont trop bas pour les adultes, explique-t-il.

– Je commence à comprendre le choix du lieu, dit Natalia Ovitz, de plus en plus préoccupée.

Les gendarmes sont obligés de se plier en deux pour pénétrer dans l'étroit tunnel de roche qui s'étrangle de mètre en mètre.

Comme les parois latérales rétrécissent aussi, les gendarmes avancent non plus cinq par cinq, mais trois par trois, puis deux par deux et un par un.

Soudain les chiens cessent d'aboyer et ils perçoivent un cri lointain : « Attention ils ont... » provenant de la tête de la colonne.

L'homme qui a crié s'effondre.

Les autres gendarmes ne peuvent agir. Coincés en file indienne dans le goulet, ils n'y voient rien et ne veulent pas prendre le risque de tirer sur leurs collègues.

Un secouriste parvient jusqu'à l'homme à terre. Il l'examine et revient vers son supérieur.

– Il n'est qu'endormi.

Il montre la minuscule fléchette qu'il a récupérée sur l'épiderme de la victime.

– Tirée par une sarbacane.

– Non, une arbalète, précise Natalia en l'examinant à son tour. Regardez l'encoche à l'arrière pour placer la corde.

– Je ne sais pas ce qu'il y a comme produit dans cette fléchette creuse, mais cet homme est hors d'état de poursuivre l'assaut. Les chiens aussi d'ailleurs, précise le secouriste.

– Nuçx'ia a dû fabriquer une substance soporifique, elle s'y connaît en botanique, rappelle Natalia en reniflant la fléchette.

Le gendarme touché est évacué jusqu'à l'ambulance et la colonne reprend prudemment son avancée dans l'étroit tunnel.

L'homme de tête entend soudain un sifflement sec et porte la main à son cou, comme s'il avait été piqué par un moustique. Il s'effondre à son tour.

Son remplaçant tombe lui aussi.

Un officier rejoint Malençon vers l'arrière.

– Qu'est-ce qu'on fait, capitaine ?

– Enfumez les couloirs.

Les gendarmes lancent des grenades lacrymogènes, puis avancent avec des masques filtrants. Ils peuvent cette fois s'aventurer plus profondément. Ils débouchent sur une caverne plus large, mais alors qu'ils éclairent les parois, une rafale de fléchettes siffle.

Huit hommes frappés au cou sont mis hors service.

– Elles se cachent, elles sont juste là en face, signale le capitaine Malençon, il n'y a qu'à charger, elles n'auront pas le temps de nous ajuster avec leurs arbalètes.

Aussitôt une dizaine de gendarmes foncent dans le tunnel, bouclier de plexiglas en protection, rentrant le cou pour offrir moins d'ouverture aux fléchettes.

Ils débouchent dans une vaste caverne et peuvent enfin se déployer.

– Attention ! Je sens qu'elles ne sont pas loin, lance l'homme de tête.

Ils perçoivent des bruits furtifs, semblables à ceux de rats courant sur les roches.

Les gendarmes lancent de nouvelles grenades lacrymogènes et avancent dans le brouillard artificiel. Soudain le sol se dérobe sous eux et une vingtaine d'hommes tombent dans une fosse profonde. Ceux qui veulent les aider à remonter sont obligés de poser leurs boucliers et reçoivent aussitôt une pluie de flèches des hauteurs de la caverne, et ceux qui parviennent à s'extraire de la fosse se font également arroser.

Lorsque les Grands se reprennent enfin, leurs minuscules assaillantes ont déjà disparu.

Sur les soixante gendarmes choisis pour cette mission, il ne reste qu'une vingtaine d'hommes valides.

– Je crois que pour le petit salé aux lentilles du Puy, il va falloir attendre un peu, remarque Natalia.

– Qu'est-ce que nous faisons dans ce piège à rats ? s'énerve Aurore.

– Tant que nous resterons dans ce labyrinthe nous nous ferons avoir, assure la naine. Venez, il faut chercher un autre passage, celui-ci n'est qu'un parcours piégé.

Alors, pendant que les derniers gendarmes talonnés par les journalistes poursuivent avec prudence leur progression dans les couloirs sombres de l'ancienne mine d'argent, Aurore, Natalia et Martin cherchent une autre issue.

– Je peux venir avec vous ? questionne un journaliste rouquin, portant sa caméra sur l'épaule.

– Non, tranche aussitôt Martin.

– Pourquoi pas ? rectifie Natalia. Si on filme en direct la prise d'Emma 109, ça peut être bénéfique pour nous.

Les deux femmes et le journaliste longent les flancs du volcan éteint.

Martin retourne vers la voiture, et ramène leur nouveau chiwawa.

– Les chiwawas ont l'odorat moins développé que celui des bergers allemands, mais ils sont plus intelligents, dit-il.

Et en effet, après une centaine de mètres, le petit chien finit par pousser un jappement signifiant qu'il a trouvé quelque chose. Ils découvrent un second passage dans la roche, encore plus bas de plafond et plus étroit que le premier.

– Restez dehors à nous attendre, lieutenant Janicot, je crois que vous ne passerez plus, constate Aurore.

Les deux femmes et le journaliste avancent, la scientifique en tête brandit d'une main une torche électrique et de l'autre tient en laisse le chiwawa qui la guide.

Après plusieurs minutes de progression prudente, ils débouchent dans une caverne trouée d'une dentelle d'orifices. À mieux y regarder, ce sont des habitations troglodytiques.

– Extraordinaire : ils vivaient cachés sous terre comme des fourmis, constate Natalia, impressionnée par l'ampleur des travaux nécessaires à la construction de cette cité souterraine.

Elles entendent les détonations lointaines des gendarmes probablement pris dans un nouveau piège.

– Ce n'est pas très bon pour l'image de la gendarmerie, regrette le journaliste rouquin. On a toujours l'air stupide quand on essaie d'écraser un moustique avec un marteau-piqueur. A fortiori devant les caméras.

– Au fait, vous êtes qui ?

– Nicolas Leber. Je suis journaliste indépendant, mais là je suis en liaison directe avec « Canal 13, la chaîne de l'extrême ».

– Eh bien, monsieur Leber, ne cessez pas de filmer, propose la naine. Je crois que vous allez avoir des images exclusives.

Le journaliste, utilisant sa torche de caméra, filme déjà lentement les habitations creusées dans la pierre qui s'alignent sur plusieurs étages.

– À voir le nombre de trous dans les murs, ils sont plus nombreux que nous le pensions, constate Natalia. Regardez, des dizaines de milliers d'habitations. C'est même plus grand que Microland.

– Il doit y avoir là vos Emachs, plus toutes les Xiaojiei qui ont récemment été libérées des usines et des centres d'élevage. Ça commence à faire du monde, reconnaît-il.

Le projecteur de la caméra révèle des arcades, des baies, des balcons, des fenêtres en ogive.

– Ils ont un style d'architecture particulier qui ne ressemble à rien de connu, s'émerveille le journaliste tout en filmant.

– Ils ont bâti un début de civilisation qui leur est propre. Avec leurs propres armes, ajoute Natalia, émerveillée à son tour en découvrant des arbalètes et des fléchettes dans des caisses.

Elle dégaine son smartphone et parvient à joindre le capitaine Malençon.

– Capitaine, laissez tomber votre piste et venez nous rejoindre avec vos hommes valides, vous trouverez un passage en contournant la paroi nord. J'ai laissé une écharpe rouge comme repère.

Bientôt, la dizaine de gendarmes indemnes ainsi qu'une meute de journalistes excités les rejoignent.

Nicolas Leber insiste pour rester devant. Ils progressent dans les couloirs de roche et ne rencontrent cette fois ni tir d'arbalète, ni trappe, ni piège d'aucune sorte.

Le chiwawa entraîne la troupe sans aboyer. Natalia repère au sol des traces de minuscules pas qui semblent récentes.

– Elles ont couru, annonce-t-elle.

– Comment le savez-vous ?

– La pointe des empreintes est plus marquée que le talon.

Puis, après un temps de réflexion, elle poursuit :

– Je crois comprendre leur stratégie. Elles ont dû nous repérer dès notre arrivée au bas de la colline. Ensuite elles ont improvisé une défense. Elles ont fait exprès de laisser des traces qui convergeaient vers l'entrée principale de la mine d'argent où se trouvaient tous les pièges. Pendant ce temps elles filaient par une autre issue. Mais là, nous les tenons.

Ils avancent dans les couloirs rocheux qui serpentent jusqu'au cœur de la montagne. Le tunnel débouche à la lumière et à l'air libre.

Une clairière couverte d'herbes hautes apparaît.

Aurore et son chien avancent en suivant toujours les petites empreintes. Natalia perçoit un danger, mais elle n'a pas le temps d'avertir Aurore qui, précédant les gendarmes, s'enfonce dans la végétation haute et dense.

Soudain ils ont la sensation de quelque chose qui se faufile entre leurs jambes. Les gendarmes tirent avec leurs armes vers le sol sans pouvoir viser. L'un d'eux pousse un hurlement, il s'est tiré lui-même une balle dans le pied.

– Halte au feu ! braille le capitaine Malençon.

Le silence qui suit semble interminable, souligné par le halètement des chiens et le croassement étrange d'un corbeau.

Aussitôt, les gendarmes sentent les formes furtives jaillir entre leurs mollets. Ils n'ont pas le temps de comprendre que déjà des frôlements entourent leurs pieds. Au deuxième croassement, ils comprennent que leurs chevilles sont entravées. Ils veulent se débarrasser de ces liens mais le corbeau croasse à nouveau et les cordes se tendent et les serrent d'un coup. De toute leur hauteur, les Grands aux pieds liés s'affalent sur le sol.

Quatrième cri du corbeau et une chorégraphie complexe se déroule sous les herbes.

Le capitaine Malençon a eu le réflexe de tirer au pistolet en direction d'un adversaire qui lui semble plus visible que les autres. Un râle lui répond.

Il est aussitôt assailli par une multitude de Micro-Humaines surgies de nulle part qui le désarment et le ligotent.

David apparaît enfin.

Il soulève et porte à bout de bras la victime, mais il est trop tard.

Nuçx'ia a été touchée en pleine poitrine.

Tout se passe alors très vite.

Le lieutenant Janicot est à son tour attaqué, alors qu'il patientait dans la voiture, sans se douter de ce qui se déroulait à quelques centaines de mètres de lui. Une fléchette soporifique lui interdit tout combat. Tous les prisonniers, portés par une multitude de bras, sont enfermés dans une vaste salle souterraine de la mine d'argent.

Le capitaine Malençon, ligoté les mains dans le dos, se tourne vers Aurore, elle aussi étroitement saucissonnée.

– Pourquoi ne nous avez-vous pas avertis ?

Elle est trop furieuse pour lui prêter attention et concentre toute son énergie à se débarrasser de ses liens.

Natalia, elle aussi immobilisée, observe David qui essaie de soigner Nuçx'ia, entouré d'une dizaine de petites Emachs chirurgiennes.

– Je suis désolée, David, lance la femme naine. Croyez bien que je n'ai pas voulu cela.

Il ne répond pas, affairé à fournir des ciseaux et des pinces aux Micro-Humaines qui opèrent.

Nuçx'ia sourit, mais un filet de sang coule de ses lèvres. Les chirurgiennes font signe qu'elles n'arrivent plus à contenir l'hémorragie.

David lui relève la tête pour qu'elle puisse respirer.

Elle essaie d'articuler quelque chose.

David se penche vers elle, entend un souffle plus qu'une voix :

– C'est fini, David. Je quitte le jeu... je retourne à ma... vraie place... dans la nature. S'il te plaît, enterre-moi ici... au cœur de cette belle montagne... où nous avons eu... notre première victoire... sur le vieux monde.

Il voudrait répondre, mais rien ne sort de sa gorge. Il embrasse son front.

– David... Je sais que tu n'étais plus amoureux de moi... mais tu as été un compagnon de vie... parfait...

Il la serre dans ses bras.

Elle lui prend la main.

– Je crois que tu n'as plus... besoin de moi pour faire Ma'djoba... Dans ma loge... un sachet de... lianes et de racines...

– Tiens bon, Nuçx'ia.

– Je n'ai pas peur de la mort... David, souviens-toi, l'âme est un cours d'eau... qui coule sur une pente. On peut... la faire tourner, la ralentir, mais... on ne peut pas l'arrêter... elle finit par rejoindre... l'océan. Nous nous retrouverons... dans une autre vie... pour continuer... ce que nous avons... commencé ensemble...

Il lui caresse les cheveux.

– À bientôt... bi'péNé David.

Elle sourit, puis ferme définitivement les yeux.

78.

Mais que se passe-t-il ?

Une fois de plus, les petits sont en train de faire du mal aux grands.

Les humains de la troisième génération s'en prennent à ceux de la deuxième génération, exactement comme ces derniers s'en étaient pris autrefois à ceux de la première. Tout recommence comme il y a huit mille ans.

Et comme il y a huit mille ans, ils n'ont pas peur de leur taille dix fois supérieure.

Je dois reconnaître que je me suis trompée : la miniaturisation n'apporte rien de bon.

Je crois que plus les humains ont un petit volume crânien, moins ils ont de conscience.

Il faut que j'admette l'idée que l'évolution ne saurait passer par ces minuscules êtres agressifs.

J'ai retenu la leçon, cette fois je ne les laisserai pas reproduire la même catastrophe.

Il faut absolument que j'intervienne pour aider les Grands à vaincre les petits ignares ingrats.

Après tout, ce sont eux qui ont choisi de se cacher dans un volcan endormi. Ce n'est qu'un...

79.

... furoncle à crever. Le président Stanislas Drouin se penche vers le miroir, presse avec deux doigts et fait jaillir le pus jaunâtre.

Puis, agacé, il passe de l'alcool à 90° sur la plaie, enfile un peignoir blanc brodé à ses initiales en bleu-blanc-rouge : « S.D. » À travers la porte, il lance :

– Préparez-vous mes brebis, ça y est j'arrive. C'est qui le grand méchant loup ?

En retour, deux voix lui répondent en chœur :

– Bêee, bêee, bêeee…

Le président surgit dans la pièce qui jouxte son bureau, où il a installé un grand lit. Les deux filles, des membres des Jeunesses de son parti, sont déjà nues sous les draps.

Il enlève son peignoir et se met à son tour à pousser un cri.

– Houuuuu houuu ! C'est moi le grand méchant loup.

Il les serre contre lui et les embrasse avec gourmandise, comme des friandises.

Le téléphone sonne.

– Au diable le travail. On en était où déjà ? Houuu houuu houuuu, je vais vous dévorer, mes brebis.

Mais le téléphone ne cesse de sonner.

Finalement il décroche.

– Qui me dérange ?

À l'autre bout du fil, une voix débite nerveusement un flot de paroles.

Mécaniquement, le président répète ce qu'il entend pour être sûr d'avoir bien compris.

– Les Micro-Humaines ont battu nos gendarmes mobiles au Puy de Côme, et le monde entier a vu ça en direct ? Et en plus les Emachs ont fait prisonniers le capitaine Malençon ainsi que tous les gendarmes, et les associés de Pygmée Prod qui étaient avec eux…

Il reste un instant atterré, raccroche, et se tourne vers les filles.

– Fichez-moi le camp !

Le président Stanislas Drouin appuie sur l'interphone.

– Trouvez ma femme et dites-lui de me rejoindre dans mon bureau dans cinq minutes.

Il sniffe une ligne de cocaïne pour réfléchir plus vite.

Quelques instants plus tard, sa femme est face à lui, dans son bureau.

– Cette fois, tu as déconné, Stan, commence-t-elle.

– Qui aurait pu s'attendre à ce qu'une poignée d'Emachs pas plus grandes que des lutins des forêts arrivent à bout de soixante gendarmes entraînés et suréquipés ?

– Tu aurais dû m'en parler. Tu sais que ce dossier me tient à cœur. Depuis le début je me suis investie dans Pygmée Prod, car je crois que c'est là que les choses bougent. Mais quand ça bouge, il faut contrôler, et surtout ne pas prendre de risques. En terrain inconnu, avec une équipe réduite de gendarmes, et des journalistes qui filment en direct, c'était risqué.

– Désolé, chérie, je pensais que ça ne valait pas la peine de te déranger durant ta thalasso. Je n'ai même pas suivi les événements à la télévision, j'étais persuadé que tout allait fonctionner. On m'avait garanti que cela allait parfaitement se…

– Pas la peine de parler du passé, nous sommes dans le présent. Il ne faut pas baisser les bras. Quand on a commencé à étrangler le canard, il faut l'achever.

– À quoi penses-tu, ma chérie ?

Elle replace ses lunettes sur l'arête de son nez.

– Il faut considérer ces Emachs comme des ennemis à part entière. Depuis le début, l'erreur a été de les sous-estimer. Parce qu'ils sont petits et à 90 % des femmes. Ce n'est pas l'image habituelle du guerrier ennemi inquiétant. Changeons d'état d'esprit. La situation est la suivante : quelques milliers de rebelles (peu importe leur taille) ont gagné une bataille contre soixante gendarmes.

– Ce sont quand même des…

– En battant nos soldats, elles créent un précédent. Tu imagines si les autres Micro-Humains du monde entier l'apprennent ?

– Ce ne sont que des petites...

– Quand les sauterelles s'abattent sur un champ, elles sont minuscules, pourtant le champ est détruit.

– C'est toi qui as raison, ma chérie.

Elle le gratifie d'un geste tendre.

– Donc, si tu veux que la victoire soit certaine, ce n'est pas soixante Grands contre cinq mille petits qu'il faut envoyer, mais au moins cinq cents.

Il glisse sa tête entre ses mains.

– Tu veux que j'utilise une escouade complète ?

– Bien sûr. Et avec de l'armement lourd. Tu as vu les sondages ? Politiquement nous ne pouvons pas nous permettre une nouvelle défaite. En outre, le fait que les Micro-Humaines soient parvenues à ne tuer aucun des soixante soldats et à tous les capturer vivants est une humiliation supplémentaire. Des otages, tu te rends compte ! En Afghanistan, nos ennemis ont au moins la décence d'égorger les prisonniers qu'ils capturent, ce qui nous place clairement dans le rôle des défenseurs de la civilisation contre la barbarie. Mais là... ce sont elles qui passent pour les civilisées et nous pour les barbares !

Elle se penche vers lui et, d'un air navré :

– Nous sommes dans la situation des gros lourdauds qui se sont fait avoir par les petits malins. Ça, c'est très mauvais pour les sondages. Et catastrophique pour Pygmée Prod.

Il se redresse, déterminé.

– Cinq cents soldats ? Très bien. Et pour ne pas perdre de temps... je vais envoyer une unité d'élite. Les parachutistes.

– Enfin une parole raisonnable.

Il sent la cocaïne stimuler les zones engourdies de son cerveau tout en les détruisant un peu plus chaque fois.

Bénédicte observe, intriguée, le jeu d'échecs heptagonal. Il lui explique son usage.

– L'idéal serait que, durant l'offensive, les soldats arrivent à récupérer vivants la naine Ovitz, son néandertalien de mari et la biologiste loyale, Aurore Kammerer… Tu leur donnes à tous une médaille, tu fais tuer tous les prisonniers Emachs survivants et tout redevient « propre ».

Elle sort une boîte de chocolats et les dévore un à un. Il sait qu'elle est accro au cacao, il lui faut sa dose quotidienne.

– Pour la suite de la production, nous allons mettre au point un système de sécurité directement inclus dans le produit. Nous pourrions par exemple disposer une nanobombe à déclenchement radiocommandé dans leur corps, tu sais, comme les puces RFID. Ainsi le propriétaire pourrait facilement les « désactiver » en cas de rébellion ou de comportement suspect.

– Génial, tu penses vraiment à tout, ma chérie.

Il vient vers elle et dépose un léger baiser sur ses lèvres.

– Ma Béné chérie.

Elle soupire.

– Je sais ce que tu vas dire : je devrais être président à ta place. Mais je préfère que tu sois en première ligne, j'aime bien mon rôle d'éminence grise.

Il lui serre les mains et l'attire vers lui…

– Je t'aime.

– Moi aussi, je t'aime.

Ils s'embrassent.

– Tu sais, je n'ai jamais aimé que toi, insiste-t-il.

– Oui, je le sais.

– Et sans toi, je ne serais rien. Je suis conscient que je te dois tout, chérie.

Elle observe le jeu d'échecs et prend instinctivement la reine mauve pour l'observer de près.

– Encore une chose : après la victoire et après le recondi-
tionnement des Emachs, il faudra quand même penser à trouver une définition officielle pour nos produits. Tous les
problèmes viennent du flou autour de leur statut.

Il a un geste vague.

– Eh bien, ce sont des animaux...

– S'ils sont définis comme animaux, nous aurons toutes les
sociétés de protection des animaux sur le dos.

– Ce ne sont pas des végétaux...

– Ce sont des objets. En plus de la puce RFID potentiellement destructrice, il faudra leur tatouer un identifiant de type
code-barre sur la nuque dès la naissance. Avec peut-être la mention « Made in France », tatouée elle aussi. Il faudra être clair
pour court-circuiter le sentimentalisme de ceux qui voudraient
prendre leur défense.

Elle serre la reine mauve comme si elle voulait l'étrangler.

– Et il faudra aussi soigner la terminologie. Une Micro-
Humaine malade, c'est une « Emach en panne ». Elle n'est pas
soignée. Elle est « réparée ». Et si elle meurt, elle est « hors
d'usage ».

– Tu penses vraiment à tout.

– Une Emach hors d'usage ne s'enterre pas dans le jardin,
ni dans un cimetière quelconque, on la jette à la poubelle dans
un sachet plastique pour éviter les infections. Ou bien on la
« recycle » pour en faire du compost.

– Mais tu m'as expliqué tout à l'heure que si nos gendarmes
ont été vaincus, c'est parce que nous les avions sous-estimées.

– Justement, nous, nous le savons, mais nous ne pouvons
pas prendre le risque que le public le découvre. Et c'est bien
pour ça qu'il faut légiférer, pour éviter toute velléité de leur
accorder des droits.

Elle pose la reine mauve et saisit un fou mauve.

– Pour éviter toute humanisation possible, il faut leur enlever le prénom d'Emma. Nous leur laisserons juste le numéro. Une Emach se nommera à l'avenir 30 000 ou 100 000.

Il le note sur une feuille pour ne pas oublier.

– Une sorte d'immatriculation. Quoi d'autre ?

– Il faudra limiter leur éducation et leur accès aux livres. C'est la lecture qui leur a fait prendre conscience de leur état véritable, et qui leur a donné le goût de la désobéissance et de la liberté. Tu comprends bien qu'une Emach qui lit Karl Marx ou même l'histoire de Spartacus, de Robin des bois, des révoltés du *Bounty*, ou même celle de la Révolution française de 1789, peut facilement être tentée par la rébellion. Il faut qu'elles restent « incultes ». Regarde ce qu'il s'est passé au Maghreb, en Syrie ou en Iran : dès que les jeunes sont devenus plus instruits, ils n'ont plus supporté la dictature ou la religion.

– C'est vrai que la plupart des révolutions sont liées à l'instruction des jeunes, reconnaît le président.

– Il faudra évidemment interdire l'accès des Emachs à Internet.

– Comment ?

La femme du président réfléchit.

– Nous pourrions placer à côté de la puce RFID une sorte de brouilleur qui leur donnerait des migraines dès qu'elles s'approcheraient d'un ordinateur. Ça demandera évidemment un peu de technologie, mais c'est un défi parfait pour nos ingénieurs.

En signe de complicité, il prend l'un de ses chocolats et demande :

– Et hum... tu crois que ce sera bon pour me faire remonter dans les sondages ?

80.

David Wells plante un arbuste sur la tombe de Nuçx'ia, creusée sur un terrain plat, à l'extérieur du volcan du Puy de Côme. Il est tard, et il reste figé face à la tombe.

Emma 109 vient le rejoindre.

– C'était vraiment quelqu'un de formidable.

– Je crois qu'elle sera bien ici. Elle aimait les volcans.

– Vous étiez beaux tous les deux.

– Elle a été la femme la plus importante de ma vie. Elle m'a « élevé » dans tous les sens du terme.

Emma 109 grimpe sur la pierre tombale, pour être proche de son regard.

– Tu n'étais plus amoureux, n'est-ce pas ?

Il s'assoit en tailleur, pour réduire encore la distance entre eux.

– J'avais le sentiment que c'était quelqu'un de ma famille, une sœur, une complice. C'était une autre forme d'amour.

La Micro-Humaine est étonnée de cet aveu. En cet instant, elle cherche à élargir le sujet.

– Et tu as déjà ressenti un sentiment « amoureux complet » pour quelqu'un ?

– Oui.

– Qui ?

– Aurore.

Cette fois, la Micro-Humaine ne peut retenir un sursaut.

– Notre ennemie !?

– C'est en cela que l'amour est une forme de drogue. En général, on a envie d'aller avec la mauvaise personne, au pire moment et sans possibilité de réussite. Et après, cela nous détruit. Une des lois de Murphy disait : « L'amour est la victoire de l'imagination sur l'intelligence. »

– Et l'imagination nous amène à être amoureux non pas de la personne qui vous « élève » (pour reprendre ta propre expression), mais de celle qui vient avec des gendarmes et des chiens pour vous tirer dessus !?

Le jeune scientifique sourit.

– On veut peut-être combler l'espace. Et plus l'espace est grand, plus l'envie de le combler est intense.

– Donc vous aimez plus fort les gens qui ne vous aiment pas que ceux qui vous aiment ?

– Oui, je sais, ça peut sembler débile.

– En tout cas, Aurore Kammerer est avec les autres prisonniers, attachée dans une caverne à côté, à ta merci.

Il soupire.

– Ce n'est pas si simple. Il faudrait aussi qu'elle soit d'accord.

– Donc, ce qui te motive, c'est l'envie de la faire changer d'avis ?

Il prend un air navré.

– Et tu dis ça devant la tombe de Nuçx'ia, que tu considères comme la femme la plus importante de ta vie ?

Elle hausse les épaules.

– Je crois que je ne comprendrai jamais l'amour chez les Grands, conclut-elle.

– Nous sommes des animaux paradoxaux et imparfaits… Nous avons encore beaucoup de mutations à connaître. Vous faites peut-être partie de notre progression vers une humanité meilleure.

Instinctivement, retrouvant un geste de coquetterie, Emma 109 se lisse les cheveux de la main.

– Tu dis ça pour me flatter ?

– Je pense vraiment que les Emachs peuvent réorienter toute l'évolution de l'espèce. Les évolutions majeures se font toujours par des accidents qui semblent a priori insignifiants.

273

Ils observent la tombe, avec son arbuste malingre planté de guingois. Les rares branches ont pourtant déjà des feuilles et des bourgeons.

– Tu crois qu'elle va évoluer comment l'humanité, à long terme ?

– Eh bien, dans dix ans, on peut imaginer que...

– Non, je parle vraiment du long terme.

Il lève la tête vers le ciel.

– L'enjeu crucial est la conquête spatiale. Soit nous parvenons à essaimer sur d'autres planètes du système solaire, soit nous restons enfermés sur cette planète qui, de berceau, deviendra prison puis cercueil.

– C'est la raison pour laquelle tu surveilles avec autant d'attention les progrès du *Papillon des Étoiles 2* ?

– Je reste conscient que l'évolution de notre espèce n'est pas seulement géographique.

Emma 109 lève à son tour le regard vers le ciel bleu-violet constellé de points lumineux.

– Porte ton imagination encore plus loin dans le temps. Allez, observe non pas dans des dizaines, ni des centaines, mais des millions d'années, grand David. Alors tu la vois comment l'humanité ?

Il sourit à l'expression « grand David ».

– Si la couche d'ozone disparaît et que nous n'avons plus de bouclier pour nous protéger des rayons du soleil, nous serons forcés de vivre sous terre comme des fourmis ou dans l'eau comme des poissons. La terre et l'eau sont d'excellents filtres pour les rayonnements mortels.

– Intéressant. Il y aurait alors deux subdivisions probables de l'espèce humaine ?

Sans même y prêter attention, elle se lisse encore les cheveux et commence à se redresser en bombant la poitrine.

– Une sous-espèce souterraine et une sous-espèce sous-marine.

– Avec forcément des adaptations morphologiques différentes. Les humains souterrains creuseraient des galeries et auraient des mains qui ressembleraient à celles des taupes ?

Il réfléchit, puis :

– Ils seraient probablement aveugles, la fonction crée l'organe, mais l'absence de fonction défait l'organe. Sur des millions d'années ils auraient des dents prévues pour mâcher des racines. Peut-être même des mandibules. Et comme la terre empêche la diffusion des sons, ils communiqueraient plutôt par les odeurs, ce qui développerait leur sens olfactif.

– On pourrait imaginer l'apparition d'antennes émettrices-réceptrices de phéromones.

– C'était l'idée d'Edmond Wells, mon arrière-grand-père. C'est pour cela qu'il s'était passionné pour les fourmis.

– Oui, je sais, à New York j'ai lu l'*Encyclopédie du Savoir Relatif et Absolu*. La vision de l'humanité fourmi est originale. Il évoque même pour son humanité subterrestre de grands nids profonds... Mais ce n'est qu'une branche de l'Arbre des possibles.

– L'Arbre des quoi ?

– Ah, tu n'as pas lu ça, c'est une autre de ses propositions futuristes : cartographier les avenirs probables de l'humanité.

– Maintenant que tu m'en parles, il me semble avoir vu ça. L'Encyclopédie est trop vaste pour la lire en entier et se souvenir de tout.

Elle continue à avoir des gestes de coquetterie. David s'aperçoit qu'il n'a jamais pensé qu'une Emach était une petite femme et que l'envie de plaire pouvait exister chez ces êtres. Elle semble vouloir l'impressionner en lui montrant ses connaissances livresques.

– Il évoque même pour les humains sous-marins la transformation des mains en nageoires. Tu sais, comme les dauphins, qui sont des mammifères sortis de l'eau, qui ont vécu sur terre, puis sont retournés dans l'eau. On peut aussi imaginer une troisième espèce d'humains volants, qui seraient dotés d'ailes commes des chauves-souris. Leurs mains dont les doigts écartés seraient reliés par une membrane fine pour constituer des ailes.

David est surpris de l'érudition de la Micro-Humaine.

– Hum... tu as lu tout ça dans l'Encyclopédie ?

– J'avais du temps, beaucoup de temps pour lire. Et puis ce sont des pistes de réflexion. L'Arbre des possibles nous invite à faire nos propres prospectives.

Ils observent le ciel étoilé.

– Et dans des dizaines de millions d'années, tu vois quoi, Emma ?

– Si la température de la planète augmente encore, les trois sous-espèces humanoïdes devront s'adapter. Les humains aquatiques vivront dans des eaux plus profondes, comme les poissons des abysses. Les humains souterrains creuseront leurs cités plus profondément, et leur peau s'épaissira comme celle des fourmis. Les humains volants se cacheront peut-être dans les cavernes où ils dormiront tête en bas.

Le Grand désigne son smartphone.

– Tu oublies les machines, Emma. Les robots sont aussi une voie du futur. On pourrait imaginer que le fameux robot Asimov de Francis Frydman, tu sais ce prototype réalisé en Corée du Sud et qui a fabriqué tout seul son propre « fils », parvienne à une sorte de perfectionnement permanent. Il y aurait dès lors des partenaires d'évolution parallèle, des robots non seulement conscients mais de plus en plus perfectionnés. Ce sera la quatrième branche humanoïde.

– Je les avais oubliés, ceux-là. Eux aussi pourraient coloniser l'espace ou protéger les humains des rayons du soleil en inventant, je ne sais pas... des dômes-boucliers protecteurs sous lesquels nous cacherions nos cités...

– Tellement de futurs possibles.

Ils voient passer une étoile filante qui, après s'être embrasée, disparaît d'un coup.

– Tellement de risques de catastrophes... Une seule guerre, une seule bombe atomique, une seule épidémie, un seul astéroïde et, en quelques minutes, tout peut disparaître. Et il n'y aurait plus rien.

– Plus rien sur cette planète, et s'il n'existe pas d'autres planètes avec de la vie, plus rien nulle part ailleurs.

– Cela ne se produira pas, dit Emma 109. L'humain trouvera toujours une solution, quelle que soit la menace. Nous sommes une forme de vie surdouée et indestructible, nous possédons l'imagination. Et ça, c'est ce qui nous a fait résister jusqu'à présent et nous fera survivre ici ou ailleurs.

David ne relève pas ce « nous » inaccoutumé.

Ils restent à regarder la profondeur étoilée, avec la sensation vertigineuse de mettre en perspective sans fin leur espèce dans le temps et l'espace, de n'être que les infimes acteurs d'une période elle-même infime et dérisoire dans le vaste écoulement des siècles.

– Mais à court terme, demain, militairement, politiquement, diplomatiquement, que faisons-nous ? questionne Emma 109.

Il dédie un dernier salut à la tombe, et se dirige vers l'entrée des galeries de la mine pour rejoindre la caverne. Après avoir nourri les Grands, les Micro-Humaines soignent leurs blessés, puis se nourrissent elles-mêmes. Dans un coin, des Emachs recomptent leurs flèches et rangent les fioles de soporifique.

– Je pense que demain ils vont nous envoyer un négociateur, ils vont vouloir récupérer les otages, lance David.

– Et nous répondrons quoi ?

– Nous négocierons, et nous les leur rendrons.

– En échange de quoi ? De l'argent ? Une immunité ?

– Je pense demander un droit de m'exprimer à la tribune de l'ONU pour exposer « vos » justes revendications.

277

– Ah ? Et revendiquer quoi au juste ?

Des combattantes blessées se regroupent pour bénéficier des soins de l'équipe médicale spontanément mise en place.

– Il faudrait demander une sorte de droit de vivre tranquillement. À moi de trouver les termes pour exprimer cette idée.

– On en revient encore à un problème d'imagination. Comment comptes-tu faire, David ?

– Me faire aider par un autre.

– Qui ?

– Mon moi-même d'il y a huit mille ans. Il a dû être confronté à ce genre de problème, et Nuçx'ia m'a donné des produits qui me permettent de savoir comment il a réglé ce genre de situation en son temps.

– Et moi, si je prenais le produit, tu crois que je comprendrais des choses ? demande Emma 109.

Il lui caresse le sommet de la tête, d'un geste paternel.

– Il faut avoir des vies antérieures, et je crois que tu es une âme neuve, Emma, sans la moindre influence passée. C'est ce qui fait ton originalité, tu es exempte de blessures et d'erreurs anciennes. Apprécie d'être à ce point « une âme vierge ».

Autour du feu, des Emachs entonnent un chant pygmée, que Nuçx'ia leur a appris. Les fines gorges produisent un son aigu et puissant qui emplit la caverne.

– Quoi qu'il arrive, je ne vous laisserai pas tomber.

Emma 109 inspire fortement.

– Je suis de plus en plus persuadée que tous les problèmes peuvent être résolus par l'imagination, c'est à nous ce soir de trouver quoi demander à l'ONU (si tu arrives à leur parler bien sûr). Je vais y réfléchir de mon côté.

À nouveau, la petite Emach prend la main du grand humain et lui fait un clin d'œil maladroit.

– Nous ne sommes pas obligés de gagner, mais nous sommes obligés d'essayer. Après, l'histoire dépend de trop de facteurs que nous ne pouvons maîtriser, reconnaît-il.

– Je sais que ce mot n'a aucune signification entre quelqu'un comme toi et quelqu'un comme moi, je sais qu'après la mort de Nuçx'ia, c'est le pire moment pour prononcer cette phrase mais... dans les jours qui viennent tout peut mal tourner... alors je voudrais te dire quelque chose, mais tu ne dois surtout pas répondre.

Elle prend une inspiration et, en baissant les yeux :

– Je t'aime, David, souffle-t-elle.

Puis elle ajoute, pour gommer la gêne et lui montrer que durant sa vie clandestine, elle a eu le temps d'entretenir sa culture et qu'elle a lu le *Roi Lear* de Shakespeare :

– ... « simplement, comme une fille doit aimer son père ».

81. ENCYCLOPÉDIE : BATAILLE DE LITTLE BIG HORN

À la suite de la ruée vers l'or, aux États-Unis, au début des années 1870, des chercheurs découvrent des gisements aurifères dans les Black Hills, à la frontière du Montana et du Dakota. Le gouvernement américain, comprenant que les chercheurs d'or vont affluer, propose aux Sioux de leur racheter les terrains dont ils sont légitimement propriétaires. Mais ils n'arrivent pas à s'entendre sur le prix (le gouvernement américain proposait une somme cent fois moindre que celle réclamée par les Indiens).

Dès lors, le général Terry lance un ultimatum aux Sioux : s'ils n'évacuent pas leur territoire, ils seront chassés militairement.

Ceux-ci ne cèdent pas, et c'est le colonel George A. Custer qui est envoyé avec les 647 hommes du 7e régiment de cavalerie de l'US Army pour « régler le problème ».

Face à eux, une alliance des Sioux et des Cheyennes, venus à la rescousse, forme une armée de 1 500 guerriers. Ces derniers sont placés sous le commandement centralisé du grand chef indien Sitting Bull.

Afin de procéder à une manœuvre d'encerclement du campement qui comprend 6 000 Sioux – femmes, enfants et vieillards –, le colonel Custer divise ses hommes en trois colonnes indépendantes. L'une dirigée par lui-même, les deux autres confiées au major Reno et au capitaine Benteen. La bataille commence le 25 juin à 15 h 25 et tourne à l'avantage des 170 hommes de Reno qui attaquent le campement sioux par le sud, pour surprendre les Indiens. Mais Reno, après s'être enfoncé dans les lignes ennemies, tombe sur une forte résistance et préfère se replier dans la forêt proche.

Cependant, les arbres l'empêchent d'ordonner ses troupes et les Indiens, dirigés par les chefs Two Moon, Crazy Horse, Rain in the face et Crow King, les harcèlent.

Reno finit par battre en retraite. Pendant ce temps, Custer, qui croit que Reno occupe les Indiens au sud, lance une attaque par le nord, mais son assaut est arrêté par plusieurs centaines de guerriers indiens qui les attendaient de pied ferme. Custer fuit vers les collines et c'est lui qui se retrouve encerclé. Complètement à découvert, il fait abattre ses propres chevaux pour édifier une barricade.

Les trois groupes de la cavalerie US n'ont plus aucun lien visuel, et ne savent pas ce qu'il advient des autres.

Benteen, qui finit par être informé que Reno a battu en retraite, le rejoint alors que la troupe de Custer se retrouve seule sous l'assaut des Indiens et résiste comme elle peut.

En fin d'après-midi, les lignes de défense de Custer cèdent. Le colonel américain et tous ses soldats meurent durant l'assaut final des Indiens dirigé par le chef subalterne cheyenne Lame White Man (ce dernier mourra durant la charge).

Au final, 263 Américains sont morts, 38 sont blessés. Il semble que du côté indien les pertes s'élèvent à 200 morts. Les stratèges qui ont analysé la bataille de Little Big Horn considèrent que le colonel Custer n'a pas, à proprement parler, commis d'erreur tactique, mais que c'est le lâchage du capitaine Benteen et du major Reno qui a causé la défaite des soldats américains.

Ces deux officiers seront jugés en 1879 pour ne pas avoir porté secours au colonel Custer.

« Je pensais que Custer pouvait se débrouiller seul », rétorquera le capitaine Benteen.

« Aider Custer aurait été suicidaire », précisera le major Reno. Il semblerait que ces deux hommes de la vieille école se seraient disputés la veille avec leur cadet et qu'ils n'auraient pas apprécié « le ton » que prenait Custer pour leur donner des ordres.

Le grand chef Sitting Bull déclarera bien plus tard : « Je dois reconnaître que Custer était un honorable chef de guerre et que ses hommes étaient parmi les plus braves que j'aie jamais combattus. Sans que j'aie eu besoin de le leur demander, les Indiens l'ont respecté et ne l'ont pas scalpé. »

Encyclopédie du Savoir Relatif et Absolu,
Edmond Wells, Tome VII.

82.

AFFAIRE DES EMACHS – Et nous rejoignons notre envoyé spécial Georges Charas sur le terrain des opérations. Alors, est-ce que l'on approche de l'épilogue dans cette drôle de guerre au milieu des volcans d'Auvergne, Georges ?

– En effet, Lucienne, je suis sur place pour vous offrir en direct les meilleures images de ce que l'on appelle déjà « La bataille du Puy de Côme ». Comme vous le voyez, le ciel se remplit de fleurs rondes qui tournoient et tombent. Ce sont les parachutistes de la 3ᵉ compagnie aéroportée qui se déploient sur le pourtour de ce superbe volcan éteint de la chaîne du Puy. C'est le général Lajoignie qui a pris le commandement des troupes. Je vais l'interviewer pour vous.

– Alors, général, comment comptez-vous venir à bout de ces Emachs rebelles qu'on sait désormais cachés dans les mines d'argent du Puy de Côme ?

– Ayant tiré les leçons de la maladroite attaque précédente, nos troupes sont cette fois plus nombreuses, plus informées, mieux équipées. Nos effectifs d'assaut sont en effet passés de soixante gendarmes à cinq cents soldats entraînés et suréquipés.

– Comment comptez-vous vous y prendre, général ?

– Nous avons revu les images du premier assaut de nos collègues gendarmes, et je pense que la principale erreur a été de sous-estimer l'adversaire et de les chasser comme on chasserait des animaux. Pour moi, ce qu'il se passe ici ressemble plutôt à la prise d'otages de la grotte d'Ouvéa en Nouvelle-Calédonie, par des indépendantistes kanaks en 1988. De la même manière, une trentaine de gendarmes avaient été faits prisonniers, et de la même manière un commando les a libérés. Pour l'instant, notre principale question est : « Que ferons-nous des prisonniers emachs ? Devons-nous les épargner ou les tuer ? » Je crois que nous verrons cela dans le feu de l'action. Je connais mes hommes, si les Emachs se battent bien, ils auront tendance à les épargner. C'est une sorte de respect de soldat à soldat, une notion difficile à expliquer à un civil.

– Combien de temps devrait durer l'opération ?

– Nous allons donner le signal d'assaut lorsque toutes les troupes seront à leur poste. Normalement à 18 heures. Nous espérons finir avant l'heure du dîner pour pouvoir présenter un bilan positif aux actualités de 20 heures.

– Merci, général Lajoignie. Eh bien, Lucienne, nous allons suivre les opérations minute par minute et tout retransmettre. Pour ma part, je me prépare à monter à bord de l'hélicoptère pour vous offrir des images en altitude alors que mes collègues, qui sont réunis aux mêmes endroits, risquent de fournir à toutes les chaînes les mêmes prises de vue au sol.

– Merci, Georges, nous vous rappellerons pour suivre en direct le début de ce qu'il faut donc nommer « La bataille du Puy de Côme ». Et maintenant nous passons tout de suite aux autres titres de l'actualité, à commencer par le football. Les résultats ont été plutôt décevants pour l'Équipe de France qui a raté plusieurs opportunités et joué de malchance lors des...

83.

La main touche le bouton de la tablette numérique qui réceptionnait les actualités télévisées.

– Ils sont déjà là pour l'assaut. Qu'est-ce qu'on fait, David ? questionne Emma 109.

– Comme d'habitude, on improvise.

– Je croyais que c'était : 1) on s'informe, 2) on réfléchit, 3) on agit. Enfin, c'est la devise de ton arrière-grand-père.

– Par moments il faut faire le contraire des principes qu'on a établis. Donc : 1) on agit, 2) on réfléchira plus tard aux conséquences, 3) on s'informera des moyens d'arranger les choses.

La Micro-Humaine ne sait pas s'il plaisante ou non. Elle a toujours été troublée par la notion d'humour chez les Grands.

Elle songe que c'est là le problème avec David : il a, depuis son arrivée en clandestinité, pris une sorte de ton ironique et désabusé. La mort de sa compagne a encore accentué son cynisme.

Autour d'eux, les Micro-Humains ne chantent plus. Ils sont épuisés. Les blessés dorment. Quelques couples d'Emachs se dissimulent dans les recoins pour faire l'amour. La peur de la mort donne envie de perpétuer la vie. Mais avec 90 % de femelles pour 10 % de mâles, il règne un certain déséquilibre, en faveur des rares mâles présents qui sont très courtisés, voire bousculés.

Plus loin, des mères cachent leurs œufs derrière un faux mur de roche et de sable.

Des combattantes rangent les carreaux d'arbalètes dans leurs carquois. La plupart mangent pour prendre des forces et se rassurer avant l'assaut que tous et toutes pressentent imminent.

Dans un coin, les soixante-quinze prisonniers géants (soixante gendarmes plus les trois Grands de Pygmée Prod et les douze journalistes) sont eux aussi assoupis.

– Vous devriez vous rendre, David.

Le jeune homme reconnaît la voix qui vient de prononcer cette phrase.

Il rejoint Aurore, qui ne dort pas. Elle est assise, les mains liées dans le dos, les pieds entravés. À côté d'elle, Natalia et Martin sont assoupis.

– Et quand bien même nous nous rendrions, il se passerait quoi ?

– Vous pourriez négocier votre reddition. Il faudrait évidemment nous libérer et vous constituer prisonniers. Toi et les Emachs.

– Lors du siège du ghetto de Varsovie, les derniers juifs résistants, affamés après des mois de combat et de siège, ont fini par se rendre, ils ont tous été massacrés.

David vérifie les entraves des prisonniers.

– Tu as donc choisi ton camp, constate Aurore.

– Je n'aime pas faire les choses à moitié. Pour moi, ce n'est pas un choix, juste une responsabilité assumée.

284

– Tu délires, David. Ce n'est pas une nouvelle humanité. Regarde-les, le pape a raison, ce sont nos « expériences de laboratoire ». Comme les cobayes qu'on utilise pour les tests, ou les grenouilles pour apprendre la vivisection aux étudiants dans les lycées. Tout le monde te l'a dit mais tu ne veux pas entendre la vérité. Tu défends une cause perdue.

– Ce sont des êtres vivants, intelligents et conscients, et donc, en tant que tels, dignes d'être respectés.

Quelques Micro-Humains s'approchent pour écouter le dialogue.

La jeune femme ne semble pas avoir peur d'affronter son ancien collègue.

– Penthésilée a été assassinée. Tes « nouveaux humains » l'ont étranglée en faisant une ronde autour de son cou. Est-ce là le comportement « honorable » d'une espèce « digne d'être respectée » et considérée comme notre égale ?

– Les Emachs n'avaient pas le choix. « Tes » gendarmes par contre ont tué Nuçx'ia alors que la bataille était finie et que ça ne servait à rien.

Elle secoue ses cheveux, qui tombent sur ses épaules.

– Je ne te reconnais plus, David, tu es en train de trahir ton espèce…

– … pour m'investir dans la nouvelle.

Les deux anciens collègues se fixent avec défi.

– Le changement est la loi de l'univers. Tout se transforme, tout évolue, j'ai évolué… pas toi, dit-il.

– De toute façon tu as tort, David, puisque tu vas être vaincu. La loi de l'évolution veut que les vaincus soient évacués.

– C'est la théorie darwinienne. Moi je crois au lamarckisme, avec non pas la « prédominance du plus fort » mais la « transformation des individus ». Contrairement à toi, Aurore, j'ai fait ma métamorphose personnelle.

– Tu es juste devenu fou, David.

– On a traité Galilée de fou.

– Tu te prends pour Galilée, maintenant !

– Je me prends pour quelqu'un qui a eu une idée et qui est prêt à se battre pour qu'elle devienne réalité.

– C'est une cause perdue, mon pauvre David.

– Les combats désespérés sont peut-être les plus beaux.

Une Micro-Humaine surgit, monte sur l'épaule de David et lui murmure quelque chose à l'oreille.

Il allume son smartphone et apparaissent les images des actualités avec la mention : « En direct du Puy de Côme. »

– Ça y est, les renforts sont là. Ils sont à l'entrée est. Ils devraient mettre une heure pour arriver ici, évalue-t-il. Avertissez les autres. Il faut filer vers l'ouest.

– Et les otages ? demande Emma 109.

– Nous les laissons là, nous ne pouvons pas nous encombrer d'eux. De toute façon, ils sont trop lourds et volumineux. Ils vont boucher les tunnels.

Les Emachs se hâtent de réunir les bagages et s'amoncellent vers les couloirs de la mine allant vers l'ouest.

– Vous fuyez ? s'étonne Aurore. C'est ça votre courage ? ironise-t-elle.

– C'est notre adaptation aux événements immédiats, rectifie David.

Les cinq mille Micro-Humains s'enfoncent en ordre parfait dans le couloir latéral.

Emma 109 ouvre le chemin, David placé à l'arrière surveille sur l'écran de son smartphone l'avancée de leurs poursuivants filmée par les journalistes des actualités.

84. ENCYCLOPÉDIE : LE DÉBAT HUXLEY-WILBERFORCE

En novembre 1859, Charles Darwin publie *L'Origine des espèces*.

Sept mois plus tard, Samuel Wilberforce, évêque d'Oxford, propose à ce savant un débat contradictoire sur le thème de l'évolution de l'espèce humaine. Charles Darwin refuse de venir, prétextant des problèmes de santé, mais envoie l'un de ses amis, Thomas Henry Huxley, qui partage ses points de vue et qu'il estime être son meilleur champion oratoire. La salle du musée de l'Université d'Oxford est pleine à craquer, plus de 1 000 personnes sont présentes. Ceux qui ont été refoulés restent à l'extérieur pour se faire raconter les débats.

L'évêque commence son discours ainsi :

– Amis humains, je suis certain de parler au nom de tous ceux qui sont ici dans cette salle, et même en celui des absents, lorsque je décris l'inquiétude que je ressens devant un singe, et que l'on veut me faire croire qu'il est mon ancêtre !

La salle réagit vivement, selon qu'elle soutient ou non l'évêque. Wilberforce poursuit par une dénonciation de toutes ces bêtises qui prétendent contredire la Bible. Il cite :

– M. Darwin nous dit qu'il a trouvé des fossiles d'animaux géants dans des grottes de calcaire de Patagonie, animaux qu'il nous dit être les ancêtres de ceux, plus petits, qu'il a rencontrés dans la jungle amazonienne. Ne peut-il comprendre que ces fossiles sont simplement les os des créatures antédiluviennes qui périrent lors du Déluge, parce qu'ils étaient trop grands pour entrer dans l'arche de Noé ?

Et l'évêque Wilberforce de conclure :

– Quant à vous, monsieur Huxley, je vous pose la question : est-ce par votre grand-père ou par votre grand-mère que vous prétendez descendre d'un macaque ?

Ce à quoi Thomas Huxley répond :
– Les conflits entre la doctrine religieuse et les choses scientifiques ne sont pas choses nouvelles. Si M. Darwin avait vécu quatre cents ans plus tôt, nul doute qu'il aurait été mis en prison, torturé, brûlé vif par l'Inquisition au nom de la religion. Heureusement, nous vivons à une époque plus éclairée. À ceux qui ont des yeux pour voir et une cervelle pour penser, M. Darwin propose une théorie qui vise à expliquer ce qu'accomplit la nature. J'aimerais, monseigneur Wilberforce, que vous considériez votre propre transformation (de graine de matière invisible à l'œil nu, en l'adulte que vous êtes devenu au bout de quelques dizaines d'années) comme une preuve que la nature agit de même sur des millions d'années. Enfin, à propos de mes ancêtres qui vous intéressent tant, monseigneur Wilberforce, je dois vous dire que je n'aurais pas honte d'avoir un singe pour parent lointain. Par contre, j'aurais honte d'avoir un lien familial avec un homme choyé par la nature, disposant de moyens et d'influence, qui utilise son intelligence pour voiler et obscurcir la vérité.
À la fin du débat, les deux camps estimèrent que leur champion avait été le plus convaincant et les journaux défendant les deux bords annoncèrent une nette victoire des défenseurs de leur propre opinion.
Actuellement, malgré les progrès de la science et les découvertes de plus en plus nombreuses de fossiles permettant de retracer le passé de notre espèce, 80 % des humains (toutes nations et religions confondues) pensent que l'homme a été créé par un ou des dieux. Et beaucoup sont prêts à tuer pour couper court à toute forme de débat sur ce sujet.

Encyclopédie du Savoir Relatif et Absolu,
Edmond Wells, Tome VII.

85.

EN DIRECT DU PUY DE CÔME – Chers téléspectateurs, nous retrouvons tout de suite notre envoyé spécial sur place, Georges Charas.

– Ça y est, Lucienne, l'assaut a été donné. Comme il était prévu par le général Lajoignie, dès l'entrée des troupes dans les issues à l'est de la mine, les Emachs ont fui vers l'ouest. Mais là les attendaient, bien cachés, une centaine de soldats avec des filets spécialement adaptés à la capture des Micro-Humains. Ces derniers, aveuglés et asphyxiés par les lacrymogènes, ont tenté de résister comme ils pouvaient, et à l'heure où je vous parle, il y a encore des combats à l'entrée ouest des mines d'argent du Puy de Côme.

– Et la meneuse, Emma 109 ?

– Le général Lajoignie pense l'avoir repérée parmi les prisonniers. Cette information reste cependant à vérifier.

– Et David Wells ?

– Il n'est pas encore sorti du labyrinthe, mais selon toute probabilité il doit être assez proche de la zone des combats. Malheureusement, d'ici, sur cet hélicoptère, je ne peux rien voir. Il semble en tout cas que la ruse du général Lajoignie consistant à montrer l'attaque de l'est aux journalistes était la bonne, les rebelles devaient avoir accès aux actualités télévisées, ma chère Lucienne.

– Donc, Georges, les derniers survivants emachs nous regardent ? Et c'est nous qui, quelque part, les avons incités à fuir dans la mauvaise direction ?

– Oui, c'est l'ironie de la situation. Comme le dit la physique quantique, « l'observateur modifie ce qu'il observe » ou plutôt, en l'occurrence, « l'objectif du journaliste détermine l'actualité ». En tout cas, depuis l'hélicoptère, nous voyons bien la fumée des combats qui se déroulent à la sortie ouest des mines d'argent. Et je pense que Franck, mon collègue, doit pouvoir vous fournir des images plus nettes, prises directement depuis le sol.

– Très bonne suggestion. Justement, à vous Franck. Vous qui êtes au beau milieu des combats sur le front ouest, que voyez-vous ?

– Comme vous le savez, c'est le soldat qui est en première ligne qui voit le moins la bataille, Lucienne. Dans le brouillard des lacrymogènes, j'entends seulement des coups de feu et des cris. Il semble que les Micro-Humains se soient tous fait prendre au piège.

– Il me semble distinguer un groupe de militaires derrière vous, Franck.

– Précisément, Lucienne, je vais suivre cette troupe qui s'enfonce dans l'entrée ouest et j'espère vous fournir très vite des images de la bataille qui se déroule à cette seconde même.

– Merci, Franck, je repasse tout de suite l'antenne à Georges Charas. Du neuf, Georges ?

– Si j'en crois ce que je peux voir depuis l'hélicoptère, la situation n'a pas évolué. Il semble seulement que les combats soient plus longs que prévu et c'est tout à l'honneur de ces petites créatures, que nous nommons Emachs, d'offrir une résistance acharnée face à des adversaires dix fois plus grands et plus puissants qu'elles.

– Très bien, Georges. Je tiens à rappeler que l'ordre a été donné d'euthanasier tous les Emachs capturés parce qu'ils ont été « infectés » par les idées de rébellion. C'est une décision en provenance de l'Élysée, afin d'en terminer avec cette affaire, de rassurer les marchés et peut-être de relancer Pygmée Prod, dans lequel l'État a toujours une participation non négligeable. Mais rejoignons notre correspondant sur place. Du nouveau, Franck ?

– Ici, la bataille fait rage, j'ai pu voir de loin les zones de combat. Ce sont des manœuvres desespérées, mais il faut l'avouer, les Emachs n'ont désormais plus rien à perdre. J'ai vu plusieurs soldats recouverts de petites femmes armées de couteaux qui toutes les frappaient simultanément. Mais cette fois les armures exosquelettes en fibrocarbone sont efficaces. Moi-même, Lucienne, j'ai été à moitié escaladé par l'un de ces monstres dont je me suis débarrassé d'un simple revers de main. Les soldats n'ont guère de difficulté pour les attraper au filet et les déverser dans les grandes cages prévues à cet effet.

– Comment réagissent-elles plus précisément ?

– Celles qui n'ont pas encore été prises attaquent seules, sans la moindre concertation avec leurs congénères. Elles ont compris qu'en terrain découvert elles n'avaient aucune chance.

– Attendez, attendez, Franck. Georges vient de me réclamer l'antenne, il y a du nouveau.

– Oui, Lucienne, il se passe quelque chose de sidérant. Depuis l'hélicoptère, nous assistons au phénomène...

– Quoi, Georges ? Des combats vers une nouvelle issue ? L'utilisation d'armes nouvelles ?

– Je crois que... enfin j'en suis sûr puisque je le vois, et je vous le montre... le... le volcan du Puy de Côme vient d'entrer en éruption.

86.

J'ai choisi mon camp.
Il est hors de question que je laisse à nouveau les petits humains faire du mal à leurs créateurs.
Maintenant il s'agit de bien régler ma participation au conflit.
Il faut que je vise avec précision.

87.

Tout vibre et s'effondre autour d'eux.

Derrière David Wells, les Micro-Humains restent groupés.

Sous l'effet de la surprise, les militaires ont abandonné les filets et les cages. Les prisonnières emachs ont pu se libérer et rejoindre leurs sœurs calfeutrées dans les tunnels.

Emma 109 circule, accrochée à la besace de David.

Pour échapper à leurs poursuivants, les insurgés décident de descendre dans les couloirs rocheux les plus profonds. Ils pénètrent dans un labyrinthe de boyaux. Ils foncent. Alors que tout le Puy de Côme est secoué, David arrive devant une rivière souterraine, orange et lumineuse.

La matière semi-liquide s'épanche comme du pus corrosif et leur barre le chemin.

David bifurque vers le flanc droit où un tunnel semble épargné par les coulées de lave. Ils courent. La température ne cesse de monter.

Quelques Emachs sont écrasés par les éboulis.

Le devoir d'un berger est de perdre le moins possible des membres de son troupeau, mais je ne pourrai jamais les sauver tous.

Autour d'eux, les couloirs s'obstruent, mais de nouveaux passages se dévoilent derrière des pans qui s'effondrent.

– Par là ! s'écrie Emma 109.

L'Homo sapiens court et les Homo metamorphosis courent derrière lui.

Enfin David repère une lumière au bout d'un tunnel.

La sortie nord.

Ils dévalent la pente alors que la lave s'écoule en fins ruisseaux orange autour d'eux. Le sol vibre de plus en plus fort, lâchant par moments des jets de vapeur comme une cocotte-minute sur le point d'exploser.

Ils repèrent des Grands qui abandonnent leurs armures pour courir plus vite.

Certains suffoquent, pliés en deux, alors que la lave commence à dessiner de longues marbrures sur les flancs du volcan.

Les journalistes se sont eux aussi regroupés autour des voitures et se battent pour monter à bord. Certains hésitent entre filmer cette scène spectaculaire ou sauver leur vie.

Maintenant, la lave orange, emportée par la pente, s'écoule plus fluide et plus rapide. Tout le monde galope, humains, Emachs et animaux : marmottes, mouflettes, lapins, mulots, serpents, grenouilles surgissent de tous les trous et fuient, poursuivis par le feu liquide.

– Attends ! lance soudain David.

– Quoi ?

– Aurore, Natalia et Martin... les gendarmes.

– Ne t'inquiète pas pour eux. Les militaires ont dû les libérer depuis longtemps, rétorque Emma 109.

Le jeune homme sort ses jumelles et observe les attroupements autour des véhicules.

– Je vois des uniformes verts, mais pas le moindre uniforme bleu.

David signale aux Micro-Humains qu'ils doivent se retrouver au point de ralliement, puis, serrant Emma 109 dans sa besace, il remonte la pente et contourne le flanc du volcan en essayant de trouver un passage vers l'entrée est, que la lave n'a pas encore touchée.

Au-dessus d'eux, un hélicoptère reste en vol stationnaire, un homme harnaché et penché en avant filme toute la scène.

David trouve un passage dans la montagne et s'enfonce dans le tunnel.

Il court en direction des otages.

Enfin, il perçoit des cris.

– Au secours ! Par là, nous sommes là ! clament plusieurs voix qui toussent.

Mais un effondrement stoppe leur progression. Emma 109 saute hors de la besace et, seule, arrive dans la salle où les prisonniers se débattent sans pouvoir se libérer des cordelettes qui les entravent.

Aurore, Martin et Natalia gisent au sol, étouffant sous les fumerolles qui envahissent la caverne. Le capitaine Tristan Malençon, les autres gendarmes et la dizaine de journalistes qui avaient accompagné la première attaque sont autour d'eux, ainsi que le chiwawa.

Alors, choisissant volontairement le lieutenant, car il semble le plus costaud, Emma 109 vient vers lui et, utilisant un couteau à lame crantée, elle coupe ses liens. Dès que Martin est libéré, il peut à son tour libérer les autres.

– Suivez-moi ! crie Emma 109 en indiquant le chemin qu'elle a pris pour les rejoindre.

Ils se retrouvent devant le tunnel étroit. Le chiwawa libéré ne comprend pas que les autres ne passent pas et se met à aboyer.

– Nous n'allons pas renoncer maintenant.

Martin, aidé de quelques gendarmes, arrive à dégager à la main les roches et ils parviennent à passer en rampant, tout en s'écorchant contre la roche anguleuse.

Ils passent le goulet le plus étroit, terminent en courant à quatre pattes, et se retrouvent là où David les attend.

Ce dernier leur indique une issue.

Tous galopent pour dévaler la pente du Puy de Côme alors que la lave serpente lentement depuis le sommet.

Le chiwawa, qui avait voulu explorer seul d'autres pistes de sortie, tombe dans une faille, en poussant un dernier glapissement sinistre avant de partir en fumée.

Plus loin, le sol se déchire et c'est un groupe d'Emachs qui périt.

Une seule Micro-Humaine arrive à se cramponner sur le bord : Emma II.

– Au secours ! hurle-t-elle.

– Notre reine est en danger ! reprennent aussitôt les Emachs proches.

Elles essaient de la sauver, mais alors que le sol vibre de nouveau, leur reine est happée par le volcan.

C'est à ce moment que David, tous les sens aiguisés, repère un camion-régie de la télévision abandonné.

Il fait signe aux Emachs qu'ils doivent embarquer au plus vite. Ceux-ci ne se font pas prier. Le véhicule démarre et fonce droit devant.

Derrière eux, le volcan est secoué de soubresauts et la lave s'épanche en ruisseaux de plus en plus fluides.

David, très concentré sur le volant, manœuvre pour éviter tous les obstacles. L'engin bringuebale de gauche à droite. Tout le monde s'accroche aux sièges. La chaleur commence à devenir étouffante et l'air bouillant fait onduler toutes les formes alentour.

Pour ne pas perdre de vitesse, David passe au point mort et le camion dévale la pente abrupte du volcan en roue libre. Le jeune scientifique ne laisse parler que ses souvenirs de ski. Il oublie la peur et se contente de slalomer entre les obstacles avec pour seul souci de gagner encore et encore quelques dixièmes de seconde. Ses compagnons lancent des regards effrayés dans les rétroviseurs où la mort liquide dévale la pente à leur suite.

88.

Cela a marché.
J'aurais dû agir de même il y a huit mille ans pour sauver les créateurs de leurs créatures ingrates.

295

Où en étais-je ? Ah oui… je me souviens, j'avais mes trois derniers humains d'origine installés profondément dans mon pôle Sud : Ash-Kol-Lein, sa femme Yin-Mi-Yan, et leur fils Quetz-Al-Coatl.

Protégés de l'agitation en surface, ils ont écouté ma requête : « Soyez la mémoire de votre propre civilisation. Racontez ce qu'il s'est passé, afin que personne n'oublie, et qu'un jour les "derniers hommes" sachent d'où ils viennent et à quel prix ils ont gagné leur place sur… moi. »

LE TEMPS DE LA PREMIÈRE TRANSFORMATION

89.

– Qu'est-ce qu'un être humain ?

Face au pupitre de marbre de la salle plénière de l'ONU, David Wells s'adresse à l'assistance.

Il est en costume mauve, chemise mauve et cravate mauve à peine plus foncée. Son visage porte encore les marques de brûlures et de blessures reçues lors de la bataille du Puy de Côme. Ses mains sont couvertes de cloques et de cicatrices.

Devant lui, les représentants des 199 nations qui forment l'humanité terrestre. La salle lui semble immense, et tous ces regards fixés sur lui l'intimident.

Le jeune homme laisse un long silence ponctuer sa question, et celle-ci résonne longtemps en échos dans les micros.

– « Qui peut, selon vous, recevoir le titre d'être humain ? » Voilà la question que je pose à chacun d'entre vous personnellement. Dans la Rome antique, les femmes, les esclaves et les étrangers n'avaient pas le statut d'être humain. On pouvait les tuer sans être considéré comme un criminel. Plus tard, au temps des premiers explorateurs, les primitifs africains, les Indiens d'Amérique, les peuples indigènes des forêts n'avaient pas non plus droit à ce qualificatif en deux syllabes : « hu-main ».

Il rajuste sa cravate, fixe l'assemblée, s'efforce de trouver les mots exacts qui expriment sa pensée.

– Longtemps cette dénomination a été sélective. Et puis la famille de l'humanité s'est élargie et l'on a considéré que les femmes, les esclaves et les étrangers (peut-être pas dans cet ordre) étaient des êtres qui avaient leur dignité, et qui méritaient le respect, et l'égalité des chances. Désormais, pour chacun d'entre nous, c'est une évidence. Pourtant, que de morts, que de douleurs, que de combats avant d'en arriver là.

Il inspire pour trouver son rythme, saisit son verre d'eau et l'avale d'un trait. La salle reste à l'écoute.

– En élargissant la famille des êtres humains, ce n'est pas l'homme qui élève des « prétendants au titre », c'est tout simplement l'homme qui s'élève lui-même. Car chaque fois qu'il a accepté de nouveaux pairs, l'humain s'est enrichi de leur différence.

David pose un silence, pour laisser l'idée faire son chemin dans les esprits, puis il reprend.

– Mais à peine a-t-on intégré une nouvelle catégorie que déjà de nouveaux candidats surgissent. Parmi les plus récents : 1) Les clones. Quand on fabrique artificiellement une copie d'humain, un jumeau en tout point biologiquement identique, mérite-t-il l'appellation d'humain ? 2) Les fœtus. À partir de quel moment considère-t-on que les tuer est un crime ? Neuf mois, six mois, trois mois, une heure, trois secondes après la fécondation ? À partir de quel moment une cellule qui se divise peut-elle être considérée comme dotée d'intelligence, de conscience, d'une âme susceptible de lui prodiguer le titre d'humain ?

Une rumeur monte des rangs des pays qui ont voté des lois contre l'avortement.

– 3) Les comateux. Est-ce qu'une personne qui est dans le coma depuis plusieurs années, sans parler ni bouger, maintenue en vie par des perfusions, un cœur ou des poumons artificiels est toujours un être humain ?

Là encore, les représentants des pays qui ont légiféré sur le sujet réagissent.

– 4) Les robots. Est-ce qu'un androïde qui pense exactement comme nous, qui se comporte comme nous, qui a la même éducation que nous (et qui, depuis peu, est capable de prendre conscience de son « moi » et de se reproduire tout seul, comme l'Asimov 002 de mon ami Francis Frydman), est un être humain ?

Cette fois, moqueries et railleries fusent dans la salle.

– Et pourquoi pas les machines à laver et les toasters ? lance une voix.

Aussitôt quelques rires encouragent le trublion.

David ne se trouble pas.

– Croyez-moi, vous serez confrontés un jour à ce questionnement qui vous semble pour l'instant du pur délire ou de la science-fiction. Un jour apparaîtront parmi nous des robots fous, des robots amoureux, et peut-être même une sexualité des machines. Je fais confiance à mon collègue le docteur Frydman pour nous mener jusqu'à cette problématique. Alors, au nom de quoi leur rétorquerons-nous : vous n'êtes pas comme nous ? Vous êtes inférieurs ? Vous êtes une sous-espèce uniquement destinée à nous servir et à vous taire ?

Des quolibets fusent de partout. Cette fois, David ne peut plus les ignorer, il attend que le calme revienne.

Il a compris qu'il faut, pour être écouté, ménager de longs silences entre les phrases pour laisser peser les mots.

– Aujourd'hui, je viens vous présenter un nouveau candidat au statut envié d'« être humain ». Ses initiales sont MH, ce qui signifie Micro-Humain. Depuis peu, nous avons pris l'habitude de les nommer par la phonétique de leurs initiales : Emachs. Pour nous, scientifiques, leur nom est HM qui signifie Homo metamorphosis. L'humain métamorphosé, mais l'humain quand même.

À nouveau, quelques personnes manifestent leur réprobation. Le scientifique français poursuit, imperturbable.

– Les Micro-Humains sont en tout point identiques à nous. Ils satisfont à la définition des anthropologues : mammifères, position bipède, mains à cinq doigts, pouce opposable, yeux mobiles en position faciale et capables de capter le relief, omnivore, cortex développé capable d'abstraction, et j'ajouterai : hygiène instinctive, capacité à utiliser des outils, à dialoguer et à raisonner.

David, la bouche sèche, boit une gorgée d'eau.

– Un auteur français dont j'ai oublié le nom disait que ce qui différencie les humains des autres animaux, c'est : 1) l'humour, 2) l'amour, 3) l'art. Je pense qu'on peut utiliser cette grille de tests. Ayant vécu avec eux, je peux vous le garantir, les Emachs plaisantent, rient, ont une capacité de second degré et même une forme d'autodérision.

David sent la salle sceptique, alors il précise :

– Actuellement, l'une de leurs sources de plaisanterie, c'est… nous. Tenez, je peux vous raconter une blague emach.

Cette fois la salle est attentive. *La meilleure manière de captiver*, songe David, *reste encore une simple blague.* En ménageant ses effets, il articule posément.

– C'est une devinette… « Quel est l'animal qui grandit le plus vite ? Réponse : la femme des Grands. Car le soir, le mâle Grand dit à sa compagne : "Bonne nuit, ma puce", et le lendemain matin, il lui dit : "Allez debout, grosse vache." »

Ils sont quelques-uns à sourire. D'autres ont ri nerveusement, pour se donner une contenance, les femmes affichent un certain agacement, mais la salle tout entière s'est détendue.

– Bon, je pense que cette blague vient de l'observation de nos émissions télévisées. Chez eux… la notion de sexisme ou de misogynie n'a pas de sens, étant donné, comme vous le savez, qu'il y a une très grande majorité de femmes.

À nouveau une rumeur parcourt l'assistance. David regrette aussitôt d'avoir rappelé cette différence qui heurte certaines nations à la culture machiste.

– Ensuite l'amour, enchaîne-t-il. Comment constater qu'une espèce est capable de ce sentiment irrationnel qu'on nomme l'amour ? Et avec ce mot je ne parle évidemment pas de l'instinct de reproduction ou de l'assouvissement des pulsions sexuelles, mais d'une émotion abstraite provoquée par un sentiment. Je les ai beaucoup observés : les Emachs aiment leurs enfants, s'aiment entre eux, et peuvent aimer certains Grands. En tout cas, j'ai eu le sentiment en vivant près d'eux que certains m'aimaient. Je vous donne un exemple. J'ai fêté mon anniversaire parmi eux dans les cavernes du Puy de Côme, et ils m'ont offert des cadeaux, non seulement parce qu'ils savaient que c'était notre coutume de Grands, mais pour me faire plaisir, et parce que cela leur faisait plaisir de me faire plaisir. Vous me comprenez ? Leur sensibilité, contrairement à ce qu'on prétend aujourd'hui, les pousse vers l'affection. Le matin, les Emachs s'embrassent. Rien de sexuel là-dedans, c'est seulement de la gentillesse. Les Emachs ont ce que l'on pourrait appeler une parade nuptiale. Même s'il y a peu d'hommes, ils discutent avant de faire l'amour, ils offrent des fleurs, des cadeaux. Pour reprendre l'une de nos expressions : ils « draguent ». Je ne vous cache pas qu'étant en minorité, les garçons sont rarement repoussés.

Cette fois, quelques rires résonnent franchement.

David tend la main vers son verre d'eau, pour marquer un temps et se reconcentrer.

– Et je peux vous dire que les femmes emachs sont très romantiques. Vous m'avez compris, ce ne sont pas des singes qui se reniflent les fesses pour voir si la femelle est en chaleur.

Quand ils forment des couples, ils sont jaloux, ils se disputent... comme nous.

Nouveaux rires dans la salle. David mise sur la détente, qui provoque la sympathie.

– Ils ont l'humour, ils ont l'amour, ont-ils une capacité à comprendre et développer l'art ? Eh bien, plutôt qu'un long discours, j'ai apporté ici les plans de la cité troglodytique que les Emachs ont spontanément construite dans la montagne du Puy de Côme, en quelques jours seulement.

Il rajuste sa cravate mauve, saisit une télécommande et déclenche un diaporama. Apparaît à l'écran une vue des habitations creusées dans la roche.

– Examinez bien ces images. Observez ces fenêtres en ogive, ces balcons, ces ponts de ciment, ces arches. La forme de ces pièces est le fruit de la créativité de leurs architectes. Elles ne ressemblent à rien de connu dans notre monde. Elles n'ont pas copié, elles ont inventé leur propre style artistique, et il est unique. Remarquez ici ces gravures. Elles sculptent, gravent, peignent, cisèlent. Ce sont des artistes.

Il fait apparaître le cliché d'un mur sur lequel est peint un homme très grand à côté d'une femme plus petite.

– Ça, c'est de l'art réaliste. Elles ont voulu me représenter. Elles font même de l'art abstrait. Et de la musique.

Il déclenche une vidéo, des Emachs groupées en chorale sont en train de chanter.

Dans les haut-parleurs de la salle de l'ONU résonne une polyphonie de voix très aiguës.

– Ce sont leurs chants. Quand nous étions cachés, elles prenaient le risque de chanter pour souder leur groupe. Écoutez bien, vous entendrez un refrain. C'est un mélange de chants grégoriens, en plus aigu, et de gazouillis d'oiseaux, sur une vraie ligne mélodique. Elles font aussi de la musique. Écoutez.

Une composition harmonieuse retentit dans les haut-parleurs. La salle est attentive.

Avant la fin du morceau, David reprend :

– 1) L'humour, 2) l'amour, 3) l'art. Mais nous pourrions aussi évoquer l'existence d'une civilisation complète car elles ont leur propre technologie. Ce que vous voyez sur ces photos, ce sont des appareils qu'elles ont fabriqués de leur propre initiative, avec des mécanismes que je ne comprends pas moi-même. Je pense que nous construisons nos machines en nous inspirant de la nature que nous voyons à notre échelle. Et elles voient à leur échelle d'autres formes et obtiennent donc d'autres sources d'idées.

Il fait défiler un diaporama montrant des champs cultivés.

– Ce sont leurs cultures. Ici, des céréales sauvages que nous n'avons jamais pensé à planter. Elles les nomment « graines à farine ».

Il sent que la salle commence à s'impatienter. Il décide de changer de ton.

– Je vais ajouter un élément qui prouve qu'elles sont bien humaines : elles ont combattu des gendarmes et elles les ont vaincus. C'est peut-être l'argument le plus susceptible de vous convaincre, en tout cas pour l'instant, puisque, dit-on, le facteur déterminant pour juger de la valeur d'un peuple est sa capacité à vaincre par la force.

Quelques voix s'insurgent, une rumeur s'élève.

– Vous avez vu les images en direct de la bataille du Puy de Côme. Non seulement elles ont su fabriquer leurs armes, non seulement elles ont su se défendre, non seulement elles ont su vaincre, mais elles avaient déjà prévu que si leur victoire était meurtrière, il y aurait de la rancœur de votre part. Aussi ont-elles pensé à utiliser des fléchettes soporifiques pour ne pas tuer alors que, je vous le rappelle, face à elles les gendarmes étaient armés de pistolets-mitrailleurs et ne se gênaient pas pour tirer à balles réelles sur tout ce qui bougeait, et ce sans la moindre sommation.

À nouveau, la salle réagit violemment, mais David ne sait plus si c'est positif ou négatif.

– Par ce geste de pure magnanimité, elles ont montré que non seulement elles étaient nos égales en force militaire, mais nos supérieures en respect de la vie. Et après avoir vaincu plus de soixante hommes et femmes commandos dix fois plus grands qu'elles, elles les ont faits prisonniers, les ont soignés et nourris, respectant ainsi les conventions de Genève.

Une rumeur sourde et hostile monte.

– Elles ont fait encore mieux, elles les ont sauvés alors que le volcan menaçait de tuer leurs prisonniers.

La rumeur continue de s'amplifier.

– Je sais, vous n'avez pas eu les images vidéo, pour vous c'est comme si ces scènes n'existaient pas, mais j'ai ici un témoignage écrit et signé du capitaine Malençon, qui relate et reconnaît les faits.

Il exhibe une feuille manuscrite à bout de bras.

– C'est bien Emma 109 qui l'a délivré en passant là où les « Grands » ne pouvaient plus passer. En sauvant au péril de leur vie des êtres censés être leurs ennemis, elles nous ont montré leur capacité de compassion...

Au fond de la salle, un homme se lève et lance :

– C'est vous, docteur Wells, qui leur avez donné des consignes, c'est vous qui étiez leur stratège, c'est vous qui avez été traître à votre espèce et la cause de la défaite des humains face à ces monstres !

– Qui parle ? Vous pouvez vous présenter, s'il vous plaît ?

David essaie de repérer dans l'assistance la source de la voix. Mais les projecteurs l'aveuglent, et il a beau mettre sa main en visière, il ne distingue personne.

– En effet je ne pourrai jamais vous prouver que l'initiative est venue de leur part. Pourtant vous avez ma parole que…

– ILS NAISSENT DANS DES ŒUFS ! DES HUMAINS NE PEUVENT PAS NAÎTRE DANS DES ŒUFS ! hurle la voix.

– Et pourquoi les humains ne pourraient-ils pas naître dans des œufs, s'il vous plaît, monsieur ?

– Parce que… nous ne sommes pas des oiseaux !

Un brouhaha moqueur monte et sert de soutien au trublion.

– Ils ne peuvent pas être intelligents, lance un autre. Leurs cerveaux sont dix fois moins volumineux que le nôtre.

– Faux ! En informatique, la miniaturisation augmente la puissance de calcul. On peut être plus petit *et* plus intelligent.

– Admettons qu'ils possèdent une forme d'intelligence, ça ne signifie pas qu'ils possèdent une âme. Je crois que le pape Pie 3.14 vous a éclairé sur le sujet. Il en a fait part à la presse en tout cas…

Nouvelle rumeur de soutien à l'homme qui vient de s'exprimer.

– La notion d'âme est une notion subjective humaine et, que je sache, il n'y a pas encore de « détecteur d'âme » qui se déclenche comme un compteur Geiger, rétorque David.

Quelques rires soulignent la phrase, en provenance de représentants de nations laïques. Toute l'assistance n'est donc pas liguée contre lui, David reprend courage. Mais déjà une autre voix l'interpelle.

– « Vos » Micro-Humains sont pour la plupart des femmes, une espèce féminisée à 90 %, ce n'est pas équilibré, notre humanité est à peu près à 50/50.

David ne se laisse pas démonter.

– Chez les fourmis aussi, il y a 90 % de femelles et 10 % de mâles. Or les fourmis sont sur la Terre depuis 120 millions d'années, et l'homme depuis tout au plus 7 millions d'années.

Elles sont donc nos aînées et leurs choix sont issus d'une histoire bien plus ancienne. En les prenant pour repères, nous voyons vers quoi nous allons probablement évoluer. Elles étaient à 50 % de mâles il y a longtemps, elles sont passées à 10 % aujourd'hui. C'est le sens de l'évolution des espèces civilisées.

– Les fourmis ne sont pas civilisées ! s'exclame la première voix du fond de la salle.

– Les fourmis construisent des villes de plus de 50 millions d'habitants. Elles ont une agriculture et cultivent des champignons. Elles pratiquent l'élevage des pucerons qu'elles traient comme nous trayons nos vaches. Elles utilisent des outils pour tisser des feuilles. Elles font la guerre, elles nouent des alliances avec d'autres espèces. Si bien qu'elles ont traversé les océans, occupent tous les continents et bâtissent leurs cités dans tous les milieux. Actuellement elles sont cent fois plus nombreuses que nous, et si un extraterrestre venait nous rendre visite, il aurait plus de chances de tomber sur des fourmis que sur des hommes pour représenter l'espèce terrienne.

Cette fois, la salle est silencieuse.

– Vous voulez que nous prenions exemple sur les fourmis ? ricane la première voix.

David comprend qu'il s'est laissé emporter par son enthousiasme, cependant il n'ose faire machine arrière.

– Pourquoi pas ? Elles ont en tout cas une meilleure communication et une plus grande solidarité que bien des humains.

– Dans ce cas, puisqu'elles ont tout ça, pourquoi ne pas réclamer aussi le statut d'humains pour « vos » fourmis tant qu'on y est ! lance la même voix narquoise.

L'ensemble de la salle réagit par une franche rigolade.

David sent qu'il perd pied.

Quel imbécile j'ai été. Maintenant ils vont faire l'amalgame Emach = fourmi, et ils ont un prétexte supplémentaire pour rejeter ma proposition en bloc. S'ils ne sont pas capables d'estimer des humanoïdes de 17 centimètres, ils sont encore moins capables d'estimer des êtres de quelques millimètres pourvus de pattes et d'antennes. Je ne me suis pas rendu compte à qui je parlais. Ce ne sont pas des scientifiques, pas même des esprits curieux, ce sont des politiques, toute leur réflexion n'est tournée que vers leur pouvoir personnel. Que faire ? Tant pis, je n'ai plus le choix, il faut continuer.

Il boit rapidement une gorgée d'eau et reprend :

– Les fourmis ont, comme je vous l'ai dit, 113 millions d'années d'avance sur nous. La chose devrait nous inspirer le respect plutôt que le mépris, ne croyez-vous pas ? C'est une « espèce aînée » issue du passé le plus profond et qui nous montre comment nous pourrions évoluer dans l'avenir. Ce ne sont pas des humains, mais ce sont des êtres « terriens ».

Après quelques moqueries dans des langues qu'il ne comprend pas, certains représentants le sifflent et le huent.

Il attend que la salle portée à ébullition se calme, puis :

– À moins que vous ne soyez à ce point limités dans votre conscience, pour ne juger les êtres que sur leur apparence physique, a fortiori sur leur taille.

Les sifflets et les quolibets résonnent maintenant dans toute la salle.

Je m'enfonce. Mais je ne vais pas renoncer.

– Mes Micro-Humains sont peut-être l'intermédiaire entre « l'humain grand et égoïste » et « la fourmi petite et solidaire ».

À cet instant, l'éclairage change et le fond de la salle s'illumine. L'homme qui l'avait interpellé en premier lieu se révèle être le représentant de l'Autriche. Il pointe sur lui un doigt accusateur.

– À ce détail près, clame-t-il, que vos intermédiaires entre l'humain et la fourmi n'ont rien de naturel et qu'elles ont été fabriquées dans des éprouvettes ! Comme n'importe quel gadget ou n'importe quel produit chimique.

– Voilà enfin le vrai reproche. Vous les dénigrez parce qu'elles sont « nos » créatures. Ce qui démontre l'estime que nous avons pour nous-mêmes et pour ce qui est issu de notre imagination et de notre travail.

– Vous êtes, docteur Wells, un nouveau docteur Frankenstein !

Le brouhaha se divise, des camps s'opposent.

La présidente Avinashi Singh est obligée de frapper du maillet pour obtenir le silence.

– Laissez parler notre intervenant jusqu'au bout s'il vous plaît, je vous en prie !

Le silence revient progressivement.

– Vous pouvez poursuivre, docteur Wells.

– Ce que je vous demande aujourd'hui, c'est de réfléchir à notre avenir. Actuellement, la réflexion a été remplacée par le réflexe. Et celui-ci est toujours motivé par la même chose : la peur. Surmontez votre appréhension de l'inconnu, de la nouveauté, de la modernité, de l'évolution. Les générations futures se rappelleront forcément ce vote et vous jugeront. Si vous ne saisissez pas l'opportunité unique que je vous offre, vous passerez auprès de vos enfants et de vos petits-enfants pour des gens aussi rétrogrades que ceux qui jadis refusèrent de reconnaître l'humanité des esclaves, des étrangers et des femmes.

Les insultes et les invectives fusent en toutes langues, qu'il ne comprend pas. Il essaie de se recentrer.

Je dois délivrer le message jusqu'au bout quoi qu'il arrive. Au nom de l'œuvre commencée par mon arrière-grand-père et poursuivie par mon père. Pour les générations futures. Pour l'avenir des Micro-Humains.

Ne pas baisser les bras et prononcer les mots prévus.

La présidente Avinashi Singh, à grands coups de maillet, réclame le silence.

David se penche vers le micro.

– Aussi suis-je venu vous demander officiellement de changer votre vision sur ce que l'on appelle pour l'instant des « Micro-Humains » mais que nous pourrions appeler nos congénères. Je viens vous demander de voter pour qu'ils soient non seulement reconnus comme des humains à part entière, mais aussi pour leur droit à vivre dans un État indépendant protégé de tous ceux qui voudraient abuser d'eux. Je vous propose de voter pour l'émergence d'un 200ᵉ État, une vraie patrie pour les Micro-Humains, une patrie-sanctuaire, où personne ne pourrait plus aller les maltraiter. Deux cents nations, cela ferait désormais un chiffre rond.

Il inspire amplement, le cœur battant.

– Du haut de cette noble assemblée des représentants des nations de notre planète, je ne dis pas : « Les civilisations passées nous contemplent », mais : « Les générations futures nous jugeront. » Ne les décevez pas. Soyez en avance d'une mentalité sur celle de vos ancêtres. Nous n'avons pas de comptes à rendre à nos parents, mais à nos enfants.

La présidente de l'ONU, Avinashi Singh, lui fait un signe, afin qu'il achève son discours.

– … Je vous remercie pour votre attention, déclare-t-il, ne sachant comment terminer autrement.

Il n'y a pas d'applaudissements, mais des rumeurs partent de toutes les directions de la salle.

La présidente demande à nouveau le calme.

– Nous allons donc procéder au vote. Qui est d'accord pour que les Emachs soient considérés comme des humains et aient droit à un État indépendant, qui serait donc le 200ᵉ de l'ONU ? Par ordre alphabétique :

– Albanie ?

– Non.

– Arménie ?

– Oui.

– Azerbaïdjan ?

– Non.

– Bengladesh ?

– Non.

– Birmanie ?

– Non.

– Burkina Faso ?

– Non.

– Cameroun ?

– Non.

L'appel des 199 États se poursuit. Puis la présidente fait le compte et annonce :

– Sur 199 pays, nous avons donc 183 votes « non ». Six votes « oui » (Arménie, Corée du Sud, Danemark, Israël, Pérou, Sud-Soudan). Dix votes d'abstention (Angleterre, Arabie Saoudite, Australie, Bulgarie, France, Hollande, Maroc, Thaïlande, États-Unis). La proposition de reconnaissance du statut d'humain aux Micro-Humains est donc rejetée. Nous passons au débat suivant, sur les incidents survenus à la frontière de la Thaïlande et de la Malaisie, incidents qui ont fait une dizaine de morts et une centaine de bless…

– Je voudrais dire encore quelque chose, madame la présidente, insiste Wells.

– Non, désolée, docteur Wells, votre temps de parole est terminé, veuillez rejoindre votre fauteuil.

Alors, complètement résigné et un peu abasourdi, le scientifique descend de l'estrade et va s'affaler, vaincu, dans son coin.

90.

La main baisse le volume du téléviseur et se dirige vers le jeu d'échecs heptagonal pour renverser le fou mauve.

– Il a été nul. La partie est désormais finie pour l'un des camps, prononce Stanislas Drouin.

Il observe le fou gisant.

– Et il va entraîner les autres pièces mauves.

En prévision de ce qu'il sait être la suite, il renverse le cavalier, puis les deux tours, puis tous les pions mauves.

Natalia avait raison, quand plusieurs camps se liguent contre un seul, même s'il est très combatif, il finit par céder. Les échecs heptagonaux sont plus diplomatiques que stratégiques.

Il pense aux mouvements précédents, il avait retranscrit la bataille du Puy de Côme comme une chorégraphie compliquée, où il lui avait semblé que les mauves s'étaient avancés et avaient pris des pièces aux blancs.

Bénédicte vient le rejoindre.

– Tu as vu les actualités ? demande-t-elle.

– Même quand nous perdons au football c'est moins déprimant.

– Wells a au moins essayé.

– Avoir raison trop tôt est pire qu'avoir tort…

– Tu penses que David a raison ?

– En tout cas, je suis persuadé que les autres n'ont rien compris à ce qu'il se passait dans le monde, et à la formidable ouverture que nous offraient ces scientifiques.

Bénédicte regarde la mappemonde.

– Les politiciens ont peur de la nouveauté. Ils ne veulent même pas imaginer le futur de l'espèce.

– Alors rien ne changera donc jamais ?

– Qui a réellement envie que ça change ?

311

Elle vient s'asseoir sur ses genoux et lui caresse tendrement la joue.

– Moi, répond-il.

– Nous arrivons trop tard. C'était peut-être possible à l'époque de la Préhistoire. Aujourd'hui nous sommes emportés par l'élan de nos ancêtres. Nous ne pouvons ni freiner ni réorienter facilement un si énorme tanker.

Alors, par réflexe, il ouvre le placard et libère les huissières micro-humaines qui, aussitôt, reprennent leurs activités respectives.

Stanislas et Bénédicte Drouin les observent avec curiosité.

– Est-ce qu'il y a une conscience d'espèce ? Est-ce qu'elles se doutent de ce qu'il se passe ?

À celle qui lui sourit et effectue une petite révérence, il répond par un soupir triste, puis il range les pièces mauves du jeu d'échecs heptagonal dans une boîte et les enferme dans le placard.

Le couple présidentiel s'assoit sur le canapé, remonte le son du téléviseur et écoute la suite des débats à l'ONU.

91.

Je les entends.

Je les vois.

Je les perçois grâce à leurs ondes télévisées que je peux réceptionner.

Et je constate.

Cette fois-ci, c'est donc le contraire...

Les petits humains, loin de proliférer, sont en danger. Ils sont même sur le point de disparaître. Tous autant qu'ils sont.

J'ai souhaité la réduction jadis, je l'ai encouragée, mais quand je vois ce que cela a entraîné, je me demande si l'élimination des petits n'est pas ce qui peut arriver de mieux. En tout cas... il me semble que c'est ce qui aurait dû se passer il y a huit mille ans.

Plus j'y pense, plus j'en suis persuadée : si la première humanité avait eu la sagesse de se débarrasser de la deuxième, nous n'en serions pas là aujourd'hui.

92. ENCYCLOPÉDIE : SEMMELWEIS

Avec le recul, force est de constater que l'humain qui a fait le plus de bien à sa propre espèce, celui qui a objectivement sauvé le plus de vies humaines est : Ignace Semmelweis.

Ce médecin obstétricien hongrois est en effet le premier à avoir eu l'idée de demander aux médecins et aux sages-femmes de se laver les mains avant d'effectuer les accouchements. Jusque-là, on considérait normal que 12 % des femmes meurent de fièvre puerpérale dans les hôpitaux, et l'événement était considéré comme une fatalité. À la même époque, en France, on pensait que cette fièvre était liée au froid ou à l'influence de la Lune. Voici son histoire.

En 1846, le docteur Ignace Semmelweis devint médecin assistant au service d'obstétrique de l'hôpital général de Vienne. À la mort de son ami le professeur d'anatomie Jakob Kolletschka, il a l'intuition que ce sont les médecins qui, en voulant soigner Jakob, lui ont apporté par leurs mains sales les particules de contamination qui l'ont tué.

À cette époque, on n'avait pas encore découvert les microbes et Semmelweis évoqua un « poison invisible ». Il proposa pour s'en débarrasser de se laver les mains au chlorure de chaux. Dès 1847, les services dont il était responsable suivirent cette recommandation et virent le taux de mortalité passer de 12 % à 2,4 %.

De même, Semmelweis préconisa que toutes les personnes qui pratiquaient les autopsies se lavent les mains avant de procéder aux accouchements.

Dès que sa recommandation fut appliquée, le taux de mortalité chuta, cette fois, dans son service à 1,3 %.

Cependant, sa réussite déchaîna la jalousie puis la haine de ses collègues. À Vienne, il devint l'objet de toutes les moqueries et l'on évoqua sa proposition de se laver les mains comme une forme de « superstition religieuse juive » (dans la Torah il est en effet préconisé de se laver les mains avant de soigner). Du reste de l'Europe, Semmelweis ne reçut aucun soutien et devint même un sujet de moquerie malgré ses résultats incontestables.

Il fut finalement chassé de l'hôpital de Vienne, et ne fut repris dans une maternité de Budapest (ville natale de son père) qu'à la condition qu'il n'évoque pas ses stupides histoires de lavage de mains.

En 1865, alors qu'il veut s'exprimer sur ce sujet à l'université de Budapest, il est arrêté par la police. Il fait une dépression nerveuse, et ses confrères le conduisent de force à Vienne où il est interné dans un asile psychiatrique. Selon les témoignages de l'époque, Semmelweis restait si obsédé par son « lavage de mains » qu'il agaçait les soignants et se faisait frapper par les infirmiers. Comble de l'ironie, suite à un tabassage particulièrement violent, il eut de multiples blessures ouvertes et fut soigné par un médecin qui, ne s'étant pas lavé les mains, lui transmit une infection. Celle-ci se transforma en gangrène et finit par le tuer dans d'abominables douleurs.

La découverte de l'asepsie, vingt ans plus tard, apportera une explication logique à l'intuition de Semmelweis qui, ainsi, deviendra une évidence et sauvera des millions de vies.

Encyclopédie du Savoir Relatif et Absolu,
Edmond Wells, Tome VII.

93.

David Wells, effondré sur son siège, n'écoute plus.

Les débats de l'assemblée générale de l'ONU se poursuivent sur des sujets divers, comme la définition des zones de pêche, la circulation des déchets nucléaires toxiques, la difficulté à acheminer de la nourriture aux populations souffrant de famine au Soudan (à cause des attaques de bandes armées), l'automutilation des bonzes tibétains qui manifestent contre l'invasion chinoise, les hormones dans la viande de bœuf américaine, la destruction des forêts de Papouasie pour laisser place à des plantations destinées à la production d'huile de palme.

Il est 17 heures. Tout le monde commence à être fatigué et à avoir faim. La présidente Avinashi Singh annonce la clôture des débats du jour.

Mais soudain surgissent deux femmes et un homme qui, d'un pas décidé, traversent la travée, et montent à la tribune.

– Personne ne sort ! Tout le monde rejoint sa place, lance l'une des femmes.

– Qui êtes-vous ? s'insurge la présidente. Vous n'avez pas le droit d'entrer ici.

– Il vous manque une information vitale pour prendre une décision concernant le statut des Emachs. Il faut recommencer le vote.

Tout le monde reconnaît le docteur Aurore Kammerer, le colonel Nadia Ovitz et le lieutenant Martin Janicot.

David les rejoint.

– ... Comment avez-vous pu pénétrer ici !? chuchote-t-il à Natalia.

– Nous avons emprunté l'entrée du personnel. Une petite souris nous a aidés.

Elle désigne la petite tête qui dépasse de son sac à dos.

— Emma 109 ! Tu es là !?

— Elle s'est faufilée partout et nous a ouvert les portes. En plus elle était déjà venue et connaissait l'endroit. Elle y a fait un discours avant toi, je te le rappelle.

La présidente de l'ONU met du temps à réagir, et se décide enfin à bafouiller :

— Vous n'êtes pas à l'ordre du jour, veuillez quitter immédiatement cette enceinte, s'il vous plaît ! De toute façon, la séance est close.

— Nous ne partirons pas tant que le monde ne saura pas la vérité, assène Natalia.

La présidente Avinashi Singh fait signe à un homme du service de sécurité qui s'avance, menaçant... mais devant la curiosité de l'assemblée, elle l'arrête et laisse Aurore s'exprimer. Celle-ci se place face au micro :

— Mesdames et messieurs, je fais appel à vos mémoires. Ici, dans cette enceinte, le président iranien avait été accusé de vouloir attaquer Ryad. Il avait nié. Voici des preuves, des documents top secrets issus du ministère des Armées montrant les installations militaires, mais aussi les plans d'attaque de Ryad, et même le plan d'invasion des pays voisins, notamment le Qatar et le Koweit, les sultanats d'Oman et les Émirats Arabes Unis.

Joignant le geste à la parole, elle introduit dans son ordinateur portable une clef USB et allume l'écran. Apparaissent alors des plans, des photos satellite, et des pages de documents en gros plan.

— Ce sont des faux ! lance aussitôt le représentant de l'Iran.

— C'est grâce à une Micro-Humaine envoyée en commando que Ryad n'a pas été atomisée. Et cette Emach héroïque, c'est précisément Emma 109. Et quand elle a fait naufrage en mer de Chypre, elle revenait de sa mission réussie.

– Mensonges ! reprend l'Iranien.

La salle devient houleuse.

– Sans Emma 109, la destruction de Ryad aurait entraîné des réactions en chaîne que vous tous, ici, êtes à même d'imaginer. Les conséquences d'un tel acte auraient été incalculables. Probablement la troisième guerre mondiale. Voici les images qu'elle a elle-même filmées de sa mission.

La vidéo se déroule, puis se termine par l'explosion du centre et la chute du missile.

Cette fois, un silence pesant écrase le public.

L'Iranien éclate de rire.

– Ce sont des images fabriquées de toutes pièces avec des effets spéciaux. Ça ne peut duper personne !

Aurore poursuit.

– Emma 109, considérée récemment comme l'ennemie publique numéro 1, est probablement l'amie publique numéro 1 de l'humanité. Et on ne lui a jamais dit merci.

Aurore la hisse devant le micro. Dans la lumière des projecteurs, Emma accuse le représentant iranien.

– Et vous avez torturé ma sœur 523 pour savoir qui d'autre était au courant, afin que personne ne découvre vos vrais projets.

La Micro-Humaine s'approche plus près du micro.

– À Fukushima, ce sont mes sœurs qui ont évité une catastrophe aux conséquences mortelles.

Aurore prend le relais.

– Les mettre en esclavage ou les éliminer serait nous priver d'une aide précieuse. David Wells a raison, les Homo metamorphosis ne sont pas seulement des expériences de laboratoire, ils sont nos... enfants, issus de notre volonté de prolonger l'aventure humaine. Nous ne pouvons pas les traiter comme des animaux. Ou alors nous risquons un jour de payer un prix bien plus lourd. Dans le futur, qui arrêtera les missiles

317

nucléaires ? Qui entrera dans les centrales sur le point d'exploser ? Qui sauvera les mineurs chiliens coincés sous des tonnes de roches ?

— Des Xiaojiei ! glapit le représentant chinois en se dressant. Elles sont comme vos Emachs mais plus sûres. Elles obéissent aveuglément et ne se rebellent jamais.

— Encore fraudrait-il les éduquer, ce que vous vous gardez bien de faire. Vous parlez d'objets, nous parlons d'êtres humains ! Alors, chers membres de cette prestigieuse assemblée, cette vérité nous vous la devions. Vous aviez oublié la vraie problématique de ce débat, vous aurez à cœur de voter à nouveau, j'en suis sûre.

La présidente Avinashi Singh, craignant de commettre une maladresse, n'a toujours pas réagi. La scientifique aux yeux dorés en profite.

— Bien, recommençons l'appel des représentants des nations. Albanie ? Vous votez quoi ?

— Euh... non.

— Arménie.

— Oui.

— Azerbaïdjan.

— Non. Désolé. Je ne vois pas pourquoi nous...

Alors Natalia sort un pistolet-mitrailleur de son sac et le brandit en direction de la salle. Puis elle tire une rafale au plafond. Des morceaux de plâtre se décollent et tous les représentants des États se plaquent au sol.

— Mesdames, messieurs, je crois que nous nous sommes mal compris. Je vais donc utiliser ce petit outil qui aide à la fluidité dans la traduction.

Aurore et le lieutenant Janicot ont eux aussi dégainé leurs armes, plus grosses, qu'ils pointent sur la salle.

Deux vigiles se précipitent mais Martin tire une rafale à quelques centimètres de leur tête. Ils se jettent au sol.

Le lieutenant s'approche et les tient en joue.

– Tout ce qui peut mal tourner risque de mal tourner, leur murmure-t-il en guise d'avertissement, et en dévoilant l'inscription sur son tee-shirt :

84. L'ennemi attaque invariablement à deux occasions : quand il est prêt, et quand vous ne l'êtes pas.
85. Aucun plan de bataille ne survit au contact de l'ennemi.
86. Un plan de bataille parfait n'existe pas.

Cet humour décalé trouble les vigiles qui, après une hésitation, se disent qu'ils ont affaire à des illuminés. Dans le doute et considérant leurs salaires, ils préfèrent rester couchés.

– Vous deux, empêchez les autres d'entrer et verrouillez les portes, ordonne le lieutenant Janicot.

Ils obtempèrent.

Aurore et Natalia les entravent ensuite avec leurs propres menottes et bloquent les portes à l'aide des gros fauteuils.

– Maintenant, je vais confisquer tous les téléphones portables, annonce Martin en lâchant une nouvelle rafale au plafond, histoire de décourager les plus téméraires.

– Vous êtes cinglés ! s'énerve David. Nous allons tous terminer en prison ! Moi qui voulais argumenter sur l'aspect non violent et pacifique des Micro-Humains…

– La bataille du Puy de Côme m'a ouvert les yeux. Nous ne pouvons pas rester sans rien faire et attendre que les nœuds se dénouent tout seuls. Et pas non plus espérer que les gens changent d'avis. Einstein disait qu'il est plus facile de désintégrer un atome qu'un préjugé. Pour tout le monde, les Micro-Humains ne sont que des « petits esclaves ». Nous ne pourrons pas modifier un tel état d'esprit en le demandant poliment. Les révolutions ne se sont pas faites avec des gens qui discutent autour d'une table, mais avec *ça*, dit Aurore en désignant son arme.

Natalia a gagné l'autre bout de la salle pour surveiller le flanc opposé de son compagnon.

– Nous avons assez perdu de temps. La peur est le levier le plus rapide pour ouvrir les portes rouillées des consciences rétrogrades, déclame Aurore sur un ton de passionaria inspirée.

– C'est toi qui dis ça ?

– Crois-le ou non, nos aventures récentes m'ont ouvert des perspectives. Les « portes de la conscience », comme disait Jim Morrison. En quelques heures j'ai changé d'avis. C'est toi qui avais raison, David. J'étais aveugle.

Il la guette du coin de l'œil, méfiant.

– Tu ne m'en veux plus pour la mort de Penthésilée ?

– Nous défendions une mauvaise cause.

– Et tu as compris ça, d'un coup ?

– Une guerre, un volcan en activité, des Micro-Humains qui vous sauvent la vie in extremis, ça oblige à réfléchir, à se remettre en question.

– Tu es sérieuse ?

– Allez, arrête de te méfier de moi, je suis venue pour te soutenir, David. N'as-tu pas dit quand nous nous sommes rencontrés que tu avais l'impression que nous avions des choses à accomplir ensemble ? Nous y voilà, ici et maintenant, nous sommes sur le point de changer le cours de l'histoire de notre espèce.

Pendant ce temps, Martin repère un homme qui essaie de s'esquiver par une porte latérale. Il tire avec calme une rafale au-dessus de sa tête, et l'autre s'excuse, revient à quatre pattes et s'excuse encore.

Natalia fait signe à son compagnon qu'il faut passer à l'étape suivante.

Martin ouvre une valise. Il en sort plusieurs objets qu'il vérifie, branche et règle.

David reconnaît du matériel vidéo : six caméras, leur lien d'antenne radio, et leurs trépieds.

Aidés d'Emma 109, les deux militaires installent les appareils. Quatre objectifs sont tournés vers la salle, selon différents cadrages. Deux vers le pupitre central. Natalia se place elle-même face à l'ordinateur qui lui sert de régie images. Emma 109 a le même attirail branché pour contrôler la qualité du son.

Elles font signe à Aurore qu'elles sont prêtes.

La diode rouge d'une caméra s'éclaire et la scientifique lance dans le micro :

– Chers membres de l'Assemblée de l'ONU, j'ai une bonne et une mauvaise nouvelles.

Elle affiche un air faussement léger.

– La mauvaise nouvelle, c'est que si vous vous obstinez à reproduire vos comportements rétrogrades, vous allez entraîner nos congénères dans le chaos et, tels les dinosaures, nous allons disparaître.

Elle sourit.

– La bonne, c'est que si vous renoncez au monde ancien et que le courage vous vient d'affronter l'inconnu et de prendre des risques, vous allez peut-être avoir le privilège de faire évoluer votre espèce.

Et toujours d'un ton aimable :

– Je ne saurais trop vous conseiller le second choix. Nous allons donc réitérer le vote pour la reconnaissance de l'humanité des Micro-Humains et leur droit à vivre tranquilles sur cette planète, dans un État indépendant, le 200ᵉ en l'occurrence. Essayez de sourire, l'ensemble de ces délibérations sera transmis en direct sur plusieurs sites Internet grâce à ces caméras.

Aurore saisit la liste alphabétique.

– À l'appel du nom de votre pays, vous vous lèverez et vous prononcerez simplement le mot « Oui ». Puis vous vous étendrez au sol, mains sur la tête. Voilà, la règle est simple. Par contre je vous demanderais de faire vite, car nous n'avons pas toute la journée.

– Albanie ?

Un homme livide, les mains sur la nuque, se relève et bafouille.

– Heu... Oui.

– Ah, très bien, monsieur est raisonnable et moderne. Il montre le chemin. Merci l'Albanie. Donc une voix pour. Arménie ?

Cette fois l'homme s'empresse de répondre.

– Oui !

– Azerbaïdjan ?

L'homme hésite. Aurore le met en joue avec son arme.

– ... Oui !

– Bengladesh ?

– Oui.

– Birmanie ?

– Oui.

– Burkina Faso ?

– Oui.

– Cameroun ?

– Oui.

Enfin, quand le décompte des 199 votes est achevé, Aurore annonce en articulant exagérément pour être bien comprise :

– C'est donc un vote unanime pour la reconnaissance de l'humanité des Micro-Humains et de leurs droits légitimes à vivre en paix dans un État indépendant. Pas de refus, pas d'abstention, c'est merveilleux. Désormais la Terre comprend 200 nations. Il n'y a plus qu'à leur trouver un territoire, mais ce n'est qu'une formalité secondaire, quelques idées sont déjà dans l'air.

À ce moment, Emma 109 vient vers elle pour lui chuchoter quelque chose à l'oreille.

– Ah ? Comme nous l'espérions cette séance a été reprise et diffusée, en plus d'Internet, par la plupart des grandes chaînes d'actualités, ce qui fait que plus de la moitié des habitants de cette planète ont pu vous voir voter.

Puis elle se tourne vers David et déclare :

– Quand même, c'est fou ce qu'on peut perdre comme temps en formalités, n'est-ce pas, cher collègue ?

La présidente Avinashi Singh arrive cependant vers elle et, s'approchant du micro pour être vue par la caméra de Natalia et de Martin, annonce :

– Un vote sous la contrainte est nul. Tout le monde a pu constater que vous teniez les votants en joue avec des armes à feu.

Aurore examine son pistolet-mitrailleur, comme si elle découvrait ce qu'elle tenait en main. Elle se contente de baisser le canon.

Natalia prend son téléphone portable, place son oreillette, échange quelques phrases avec l'extérieur, puis revient vers la présidente Avinashi Singh.

– Vous avez raison, tout le monde a vu notre coup de force filmé par les caméras. Mais il y a justement une réaction. Lieutenant Janicot, pouvez-vous brancher l'écran mural sur une chaîne d'infos, que ces messieurs voient comment est accueillie notre initiative.

L'image sur écran géant montre des foules réunies sur les esplanades et les places des grandes capitales pour suivre le vote. Des applaudissements retentissent.

Aurore se place à nouveau face au micro.

– Je crois, mesdames et messieurs, que vos populations ont l'air satisfaites de votre « vote spontané ».

Alors que certains grommellent, elle ajoute :

– Je sais aussi que vous allez contrarier beaucoup de vos amis industriels qui vont devoir se passer de la main-d'œuvre emach gratuite, mais peut-être pourrez-vous signer de fructueux contrats avec les futurs industriels du nouvel État indépendant micro-landais.

Personne ne réagit.

– David Wells tout à l'heure évoquait l'histoire de l'éman-cipation des femmes et des esclaves... Avec le recul, on peut se rendre compte que les économies des États n'y ont pas perdu. Au contraire. Quand on laisse les êtres libres, qu'on les respecte et qu'on leur fait confiance, ils se mettent à travailler bien mieux que sous la contrainte.

La jeune femme laisse filer un silence. Elle tient à laisser les représentants des nations digérer ce qu'elle dit.

Justement, comprenant qu'il est dépassé par la situation, le représentant du Danemark décide de prendre l'initiative de se relever et de se mettre à applaudir, d'abord lentement. Il est seul dans la salle face à l'écran où l'on voit des foules qui, elles, applaudissent sans retenue.

Alors le représentant de Singapour fait de même, puis celui de la Belgique, celui du Pérou. Ils applaudissent lentement.

L'idée suit un chemin géographique tordu mais se répand. Ils sont bientôt une vingtaine à imiter le Danois, puis une cinquantaine, puis une centaine.

Aurore pousse un soupir de soulagement.

– Eh bien, murmure-t-elle à David, je peux te l'avouer, jusqu'à la dernière seconde, j'ai bien cru que ça n'allait pas marcher.

À ce moment les policiers défoncent les portes.

– Lâchez vos armes tout de suite ! hurle l'officier qui les dirige.

Aussitôt, Aurore, Natalia, Martin et Emma 109 déposent leurs armes et lèvent les mains.

Les policiers tentent de les maîtriser, mais la présidente de l'ONU leur fait signe de n'en rien faire en leur indiquant les caméras qui filment et la foule qui, sur l'écran, semble les observer.

Il y a un instant de flottement.

Le représentant de la Corée du Sud, pressentant avant les autres les enjeux, lance alors :

– Vive le 200ᵉ État !

C'est l'étincelle qui embrase la paille. Comme un seul homme, tous les autres se dressent alors pour applaudir franchement.

– Vive le 200ᵉ État ! Vive Microland !

David se penche à l'oreille de sa partenaire.

– Comment tu t'y es prise pour réunir les foules sur les esplanades ?

– Les réseaux MLF et Women's Lib que m'avait montrés ma mère. Ils savent réagir vite et diffuser les informations de manière large.

– Mais comment as-tu pu les convaincre ?

– Je leur ai dit que si les Emachs étaient considérés comme humains à part entière, automatiquement le statut des femmes serait amélioré par simple effet de succession de couches.

– Cynique mais efficace.

– Ensuite j'ai utilisé les réseaux gauchistes, anarchistes, écologistes.

– Ils m'ont tous rejeté !

– Il faut parler leur langage, David. Je les ai convaincus qu'ils tenaient là une opportunité rare : tous ces partis minoritaires convoitent le large public des jeunes. S'ils étaient passés à côté d'un mouvement mondial d'émancipation de « nouveaux humains », ils auraient aussitôt été affublés d'une image de ringards.

– Et ils ont marché ?

– Ils n'avaient pas le choix. Pour eux aussi c'est une question de survie. Et puis j'ai assorti ma proposition d'une menace.

– Laquelle ?

– Tout simplement que si nous réussissions sans eux, nous signalerions publiquement qu'ils nous avaient rejetés.

Les applaudissements se poursuivent dans la grande salle plénière alors que, sur l'écran, les foules en liesse lèvent des pancartes « SOUTIEN AUX EMACHS », « LES MICRO-HUMAINS SONT NOS FRÈRES ET SŒURS ».

David est impressionné.

– Le pouvoir des foules… peut compenser le pouvoir des dirigeants qui prétendent parler en leur nom, énonce-t-il, rêveur.

– C'est toi qui aurais dû faire ce coup de force, David. C'est juste que tu n'es pas une femme, donc tu n'es pas assez brutal.

Elle lui lance une œillade complice.

Natalia vient vers eux, plus émue qu'elle ne le laisse paraître.

– Mission réussie, dit-elle sobrement.

Les membres de l'ONU ont complètement changé de physionomie : d'apeurés, ils sont désormais enthousiastes. Ils se congratulent et affichent des airs satisfaits comme s'ils avaient souhaité tout ce qui s'est déroulé.

– Dire que, plus tard, tous ces diplomates se vanteront d'avoir eu le courage de faire ce vote historique, ironise Aurore. Tout sera récrit en ce sens et deviendra une évidence pour tous.

Emma 109, paradoxalement, est en proie au trouble. Elle s'était habituée à la vie difficile, au combat, à la lutte pour la survie.

Et maintenant qu'ils ont gagné, que va-t-il se passer ?

À sa grande surprise, alors que tous la congratulent et la fêtent, alors que sa victoire est incontestable et que ses alliés célèbrent leur triomphe, elle ressent, pour la première fois de sa vie, le sentiment confus de la vacuité.

94. ENCYCLOPÉDIE : CONTE DU COQ

Le roi Xuan de Zhou désirait avoir un coq de combat très fort. Il demanda à l'un de ses instructeurs, Ji Shengzi, de l'entraîner. Au début, celui-ci lui enseigna la technique du combat proprement dit.

Au bout de dix jours, le roi Xuan demanda :

– Peut-on organiser un combat avec ce coq ?

– Non, non, répondit l'instructeur. Il est fort, mais cette force est vide, il est excité et sa puissance est éphémère. Il est intrépide et cherche le combat sans réfléchir. Il faut encore que je le prépare.

Dix jours plus tard, le roi demanda à l'instructeur :

– Alors, maintenant peut-on organiser un combat ?

– Non, non, pas encore. Il est passionné, il veut toujours la querelle. Quand il entend la voix d'un autre coq, même d'un village voisin, il se met en colère. Il est haletant et combat dans le vide.

Après dix nouvelles journées d'entraînement, le roi Xuan demanda de nouveau à son instructeur Ji Shengzi :

– À présent, est-il possible d'utiliser ce coq pour le faire combattre ?

L'homme répondit :

– Maintenant il ne se passionne plus, quand il entend ou voit un autre coq, il reste calme et immobile. Sa posture est juste, sa puissance maîtrisée. Il ne se met plus en colère. L'énergie et la force ne se manifestent pas à l'extérieur.

– Alors c'est d'accord pour le combat ? s'impatienta le roi Xuan.

L'éducateur répondit :

– Peut-être.

On amena de nombreux coqs de combat et on organisa un tournoi. Mais les autres coqs n'osaient pas s'approcher du coq éduqué par Ji Shengzi. Ils s'enfuyaient, effrayés. Aussi ce coq n'eut-il même pas besoin de combattre.

Il avait dépassé l'entraînement de la technique de lutte. Il avait acquis une énergie intérieure si forte qu'elle n'avait plus besoin de se manifester à l'extérieur.

Et les autres coqs ne pouvaient que la percevoir, et s'incliner devant son assurance tranquille et sa force cachée.

Encyclopédie du Savoir Relatif et Absolu,
Edmond Wells, Tome VII.

95.

Un coq chante. Le drapeau se lève sur le mât, en même temps que retentit l'hymne microlandais interprété par une fanfare en uniforme impeccable.

Le vent fait claquer le tissu de soie.

Au centre du drapeau mauve, un cercle blanc contient une fourmi noire stylisée.

« *Mauve comme l'aurore, l'instant où le soleil, porteur de renouveau, commence à poindre à l'horizon.* »

Ce drapeau, ce symbole et cette formule ont été trouvés par Emma 109 qui, lors du discours de David à l'ONU, a été frappée par la référence aux fourmis définies comme une « espèce aînée issue du passé le plus profond et qui nous montre comment nous pourrions évoluer dans les siècles à venir ». Ce totem et le choix des couleurs lui sont dès lors apparus comme une évidence.

Elle en a aussi déduit la devise de la nouvelle nation : « *En évoluant nous-mêmes, nous faisons évoluer le monde.* »

Après le vote de l'ONU, tout était allé très vite.

Les 199 États, après concertation, convinrent d'installer la nation libre des Micro-Humains dans l'archipel des Açores, perdu et isolé en plein milieu de l'Atlantique, entre le continent européen et le continent américain.

Tous pensaient que là, les Micro-Humains ne pourraient pas créer de problèmes.

Découvertes officiellement en 1427, les Açores furent une étape du voyage de Christophe Colomb en 1492, et plus tard le lieu de nombreuses batailles navales entre Portugais, Espagnols, Flamands et Français pour le contrôle des routes commerciales vers l'Amérique.

Cependant, après avoir connu de multiples tiraillements politiques et militaires, l'île était finalement échue au Portugal.

Quant à l'emplacement de l'État emach, le choix s'était porté plus précisément sur l'île de Flores, « l'île aux fleurs », l'île la plus à l'ouest de l'archipel, lui-même étant l'ensemble de terres le plus à l'ouest de l'Europe.

C'était une suggestion du colonel Ovitz. Elle savait que cette île était jadis spécialisée dans l'industrie de la chasse aux baleines et la manufacture de ses dérivés (fanons, huiles, os, graisse). Depuis l'interdiction de cette chasse sous la pression des écologistes, les habitants l'avaient progressivement abandonnée. Après le vote sur la protection de ces cétacés en 1982, la population était passée de 20 000 personnes à 3 000, et chaque année ce chiffre allait en décroissant.

En tant que militaire, Natalia Ovitz savait que la principale activité de l'île était désormais de louer son territoire pour les tests de missiles balistiques de l'armée française, mais même cette activité était en déclin.

Compte tenu de la rudesse du climat, du relief chaotique de l'île, et grâce à une forte rémunération en compensation, il n'avait pas été difficile de convaincre les derniers représentants de la population autochtone (des Portugais souvent descendants directs des antiques chasseurs de baleine) de se déplacer sur l'île voisine de Pico, plus grande et mieux aménagée. Une centaine d'entre eux cependant étaient restés à la demande des Microlandais pour assurer les « tâches de Grands dont les Emachs se sentaient pour l'instant incapables ». Ces « Grands d'exception parmi les Petits » avaient dès lors pris la double nationalité microlandaise et portugaise.

L'île de Flores offrait selon Natalia tous les avantages pour créer un nouvel État tranquille : pas, ou peu, de voisins susceptibles de vouloir les envahir, pas d'enjeux économiques du fait de l'absence de matières premières. Malgré sa superficie réduite de 141 kilomètres carrés, elle possédait cependant plages, montagnes et plateaux où on pouvait cultiver. Là encore, un volcan éteint culminait en son centre.

Quand les architectes micro-humains avaient proposé de reconstruire un dôme de verre protecteur, Emma 109 avait répondu :

– Nous n'avons pas à être protégés des caprices de la météo. La nature nous force à évoluer, notre civilisation ne va pas éternellement grandir dans une couveuse comme une « espèce bébé ». Brisons la coquille. L'ancienne Microland était sous verre pour nous protéger. Micropolis, notre nouvelle capitale, sera en plein air pour nous forcer à nous adapter.

Et elle avait ajouté :

– Même si j'ai pu entendre un proverbe de Flores qui dit : « Ici les quatre saisons se déroulent en une journée », je pense que c'est une bonne chose de vivre au milieu des éléments naturels, aussi contrastés soient-ils. Au moins le temps passera plus vite.

Une fois les frontières terrestres et maritimes de la 200e nation tracées et reconnues par la communauté internationale, Microland avait été inscrite sur toutes les cartes.

– Bientôt nous serons un pays comme les autres, avait annoncé Emma 109. Mais notre priorité est d'atteindre le plus rapidement possible une autosuffisance qui permette de ne plus dépendre de l'extérieur.

Suite à cette déclaration, des travaux colossaux avaient été lancés.

L'installation des colons microlandais était pour l'instant limitée à la capitale et à ses alentours immédiats. Au sud, l'unique et proche aéroport de Flores avait été modernisé pour permettre l'importation de matériaux et de matières premières par des avions de ligne. Encore plus au sud de Micropolis étaient apparus, dans les mois suivant l'Indépendance, des champs cultivés mais aussi des prairies où paissaient des troupeaux de micro-vaches, de micro-moutons, de micro-chèvres. Autant de créations issues des brevets de Pygmée Prod et importées pour l'occasion (les agriculteurs microlandais s'étaient aperçus que certains animaux bonsaïs devaient être attachés ou lestés pour ne pas être emportés par le vent puissant de la région).

Dans la banlieue ouest, des bâtiments de Grands avaient été récupérés et réaménagés pour être transformés en centres administratifs (là où les Grands avaient un étage, les Microlandais en incluaient sept). Plus à l'ouest encore avait été aménagée une zone industrielle où aucun Grand n'était autorisé à pénétrer. Là, les ingénieurs microlandais, profitant de la tranquillité, avaient promis de faire avancer en secret leurs technologies de miniaturisation.

Enfin, au nord, se trouvaient les zones-dortoirs, hauts buildings contruits autour de jardins circulaires.

Tout semblait fonctionner comme dans un État « normal ».

Le mois précédant la première fête de l'Indépendance, les Microlandais avaient procédé à une élection démocratique, et ce fut sans surprise qu'Emma 109 avait été élue officiellement la nouvelle « reine » pour succéder à Emma II, morte sur le volcan.

Elle avait installé une administration de base : avec un système policier, un système judiciaire, un système éducatif, un système médical, un système fiscal, un système de gestion de l'énergie et des transports, une armée de défense.

Tout semblait désormais en marche vers une normalisation de la présence des Emachs sur Terre, et cette grande fête devait en être l'apothéose.

Pour l'occasion, comme la ville de Micropolis dans son ensemble n'était encore qu'un vaste chantier, les Emachs avaient préféré que la cérémonie se déroule dans le stade de football proche de la capitale. Les trois quarts des sièges avaient été remplacés par des micro-sièges pour le micro-public, et un quart était resté intact pour le public des Grands invités.

À l'une des extrémités de ce stade ovale, une haute estrade avait été positionnée, et au-dessus une autre plus réduite.

L'hymne microlandais, inspiré du 4e mouvement de la *Symphonie du Nouveau Monde* de Dvořák (encore une idée de Natalia) mais aux sonorités très aiguës, touche à sa fin, et c'est un soulagement pour les représentants des Grands invités à la cérémonie, dont les tympans habitués à des sons plus graves commençaient à devenir douloureux.

La reine micro-humaine s'avance vers le pupitre et s'apprête à faire son premier discours de chef d'État régnant sur la 200e nation indépendante de la planète.

La foule se tait.

À force de manger pour se rassurer et fêter la victoire, Emma 109 a perdu sa silhouette svelte d'espionne tout-terrain, pour prendre des courbes plus arrondies de monarque.

En fait, elle devient complètement obèse, quasi sphérique. Ce qui ne nuit en rien à sa popularité, au contraire : sa densité impressionne ses sœurs plus menues.

Elle porte une robe de soie mauve aux coutures brodées d'or. Sur la tête, une couronne, et dans la main un sceptre.

Elle observe son peuple, sous les caméras des journalistes de toutes les télévisions du monde, et les petites caméras de la nouvelle télévision emach officielle « Télé M ».

– Chers Microlandais, chères Microlandaises, nous comprenons que les humains « Grands » aient eu des difficultés à nous estimer nous, les « Petits », car nous ne sommes pas que des étrangers, nous sommes aussi leurs créations. Et comment ne pas avoir un sentiment de supériorité par rapport à ce que l'on a créé ? Pour reprendre la métaphore de David Wells à l'ONU, notre rapport à l'homme de grande taille est le même que celui de l'enfant à l'adulte. Nous sommes plus petits, nous sommes plus tardifs, donc nous semblons en retard. Pourtant l'enfant est l'avenir de l'adulte. Et quand on fait confiance à l'enfant, il peut surpasser ses parents. En revanche, quand on lui demande seulement d'obéir sans discuter, on obtient un robot serviteur sans intérêt.

Quelques applaudissements polis ponctuent sa phrase.

Telle quelle, Emma 109 ressemble à Winston Churchill haranguant les foules anglaises durant la Seconde Guerre mondiale.

– Je profite justement de la présence de quelques Grands « amis » pour rappeler ma proposition aux autres humains : faites-nous confiance, nous ne vous décevrons pas.

Nouveaux applaudissements à peine plus motivés.

– Je voudrais pour ma part remercier les 199 représentants des États qui ont voté notre admission à l'ONU en qualité de 200ᵉ État. Oh, et puis zut, assez de discours, de toute façon je suis nulle pour les grandes phrases de politique générale, allons directement à l'essentiel.

La foule des Micro-Humains et des Grands est surprise par ce ton.

– Je veux surtout profiter de cette première fête de l'Indépendance pour vous annoncer la composition du premier gouver-

nement microlandais. Comme vous allez le voir, je l'ai voulu
« tourné vers le passé mais aussi vers l'extérieur et vers le futur ».
Commençons par les « étrangers ». Je nomme donc : le colonel
Natalia Ovitz ministre des Affaires étrangères. Ce qui tombe
bien : elle a une taille intermédiaire entre nous et les Grands.
Je rappelle qu'elle a participé au coup de force qui a permis la
création de notre État et c'est elle qui en a trouvé l'emplacement à l'ouest de l'archipel des Açores.

Emma 109 appuie sur un bouton et son estrade s'élève grâce
à des vérins hydrauliques pour venir se placer à hauteur du
visage de la femme naine.

Celle-ci reçoit sa médaille, son accréditation et son accolade.

– J'essaierai de me montrer digne d'un tel honneur, dit la
militaire.

– Je nomme ensuite le « Grand » David Wells ministre de
la Recherche. Ce qui me semble la moindre des choses puisque
c'est lui le premier qui nous a imaginés, avant de nous « inventer ».

Les applaudissements ponctuent la fin de sa phrase.

À nouveau, la reine appuie sur un bouton et l'estrade monte
encore d'une vingtaine de centimètres.

David esquisse un baisemain, la reine lui fixe une médaille,
lui tend une accréditation écrite de la taille d'une carte de
visite, puis lui donne l'accolade sous les acclamations de la
foule.

– Passons à la suivante par ordre de grandeur. Si elle
l'accepte, je nomme Aurore Kammerer... ministre de la
Défense.

Cette fois, la foule, qui sait que la femme aux yeux dorés a
dirigé la troupe des gendarmes contre le volcan du Puy de
Côme, manifeste une sourde rumeur de désapprobation.

– Je rappelle qu'elle aussi nous a inventés. Lors de la
bataille du Puy de Côme, j'ai pu apprécier sa détermination.

Je crois qu'il vaut mieux l'avoir comme alliée que comme ennemie.

Nouvelle rumeur suivie de quelques sifflets.

– J'ai pu constater son efficacité lors du vote de notre humanité et de notre indépendance à l'ONU. Comme dit l'un des proverbes grands : « Il n'y a que les imbéciles qui ne changent pas d'avis. » Elle a changé d'avis sur nous, aussi est-il juste de changer d'avis sur elle. Voilà la vraie métamorphose intérieure : être capable de dire le contraire de ce que l'on a dit précédemment parce que, entre-temps, on a pris du recul et on a réfléchi.

L'assistance reste impassible.

– Enfin c'est l'autre raison qui m'a poussée à choisir Aurore Kammerer : je l'ai sauvée, mais... je ne lui en veux pas pour ça.

Cette fois quelques rires animent l'assistance.

Aurore s'avance d'un pas gracieux, et la reine actionne le bouton pour faire élever son estrade mobile encore de quelques centimètres.

– Évidemment que j'accepte, répond l'intéressée.

Elle reçoit sa médaille, l'accolade, et la carte de visite-diplôme de ministre de la part de la reine, puis elle déclare à haute et intelligible voix :

– C'est un grand honneur de recevoir ce poste de la part d'une chef d'État aussi prestigieuse et légitime qu'Emma 109. Dans le passé, je me suis trompée, je le confesse, je l'ai compris et j'ai changé de point de vue avant de changer de comportement et même de camp.

Quelques applaudissements timides se font enfin entendre. La reine s'avance à nouveau.

– Je nomme enfin le lieutenant Martin Janicot ministre de la Culture. Sa connaissance des phrases lapidaires, qui résument avec humour tout sur tout, nous sera fort utile. Et puis je crois qu'il est intéressant d'avoir un géant dans notre gouvernement au cas où… nous nous serions trompés sur le sens de l'évolution de notre espèce.

Cette fois, la reine Emma 109 a trouvé la plaisanterie qui fait l'unanimité. Elle règle son estrade pour s'élever encore plus haut, au niveau du visage de Martin.

L'arrivée de l'homme demesuré recevant sa médaille et son diplôme de la part d'un être minuscule juché sur une estrade à vérins est une image impressionnante que ne manquent pas de figer la multitude de photographes grands et microlandais.

Pour l'occasion, Martin ouvre sa veste, dévoilant les lois de Murphy inscrites sur son tee-shirt de fête. Il les exhibe à la foule alors que des projecteurs se tournent vers son torse puissant pour permettre une lecture plus aisée :

8. Si tout semble fonctionner correctement, alors vous avez oublié quelque chose.
9. Il est impossible de concevoir quelque chose résistant aux idiots, car les idiots sont très ingénieux.
10. Quoi que vous décidiez de faire, il y a autre chose à faire auparavant.
11. Chaque solution apporte de nouveaux problèmes.

La reine Emma 109 active les vérins hydrauliques pour redescendre au niveau de sa population.

– Les autres ministres du gouvernement sont tous des Microlandais. J'ai cependant tenu, au nom de l'égalité des sexes, à ce qu'il y ait autant d'hommes que de femmes.

L'annonce surprend, tous savent que même si les Micro-Humains ont intégré les Xiaojiei plus équilibrés en représentants des deux sexes, les mâles ne forment qu'une minorité de leur société.

– Et je voudrais que désormais l'on considère que les hommes ne sont pas nos inférieurs. J'ai vu certaines d'entre vous qui les reléguaient à de simples fonctions sexuelles et de reproduction, c'est une erreur. Nous sommes tous, hommes et femmes, égaux en droits et en devoirs.

Les uns après les autres, les ministres cités viennent recevoir leurs médailles et leurs cartes-diplômes.

Une fois que tous sont montés sur l'estrade, que le nouveau gouvernement dirigé par Emma 109 a été présenté au complet, et que la photo officielle a été prise, la reine s'approche à nouveau du micro.

Les caméras de toutes tailles filment.

– Je voudrais conclure par un message qui s'adresse spécialement aux industriels du monde des Grands. Toutes les entreprises qui avaient l'habitude de travailler avec les Emachs pourront continuer à nous utiliser en sous-traitant à des sociétés de Microland. Elles pourront ainsi profiter de nos créatifs qui ont l'avantage de penser différemment des Grands.

Cette fois l'assistance applaudit franchement.

David s'approche de la reine.

– Le ministre David Wells souhaiterait s'exprimer.

Le jeune scientifique se replace au centre de l'estrade. Il commence par tousser dans sa main, puis sort un discours qu'il avait visiblement préparé.

– D'après un fragment de l'Encyclopédie de mon arrière-grand-père, l'homme aurait connu trois vexations. Tout d'abord, première vexation, Copernic, qui a annoncé que contrairement à ce que l'on affirmait jusque-là, la Terre n'est pas au centre de l'univers, mais dans sa périphérie. Et ce n'est pas le Soleil qui tourne autour mais le contraire. Ensuite, deuxième vexation, Darwin a compris que l'homme est issu d'un primate et donc qu'il n'est pas un animal particulier au-dessus des autres, mais un animal parmi des millions d'autres qui, comme lui, se nourrissent, se reproduisent et meurent. Et enfin, troisième vexation, Freud, qui a annoncé que la principale motivation de nos actes est la sexualité et donc la recherche de l'immortalité par la progéniture. Eh bien, je viens vous présenter une quatrième vexation : nous sommes une espèce de transition. Non seulement entre le primate et l'homme spirituel à venir, mais aussi entre les géants et ces humains d'une autre taille que j'ai moi-même participé à créer : les Emachs.

L'émotion est forte dans l'assistance des Emachs. Il attend pour laisser chaque mot pénétrer les esprits.

– C'est là encore une vexation difficile à accepter : nous, les Homo sapiens, nous les humains dits « normaux », nous, les Grands qui nous croyons l'aboutissement de l'évolution des animaux... nous ne sommes peut-être là que pour aider au passage vers une autre humanité. Cependant, il me semble que nous sommes suffisamment « mûrs » pour entendre la phrase que voici : « L'humain du futur c'est peut être... vous. »

Un silence suit.

– Pour ma part, je l'ai compris en observant les Pygmées, puis ces fameuses fourmis qui vous servent d'emblème. Je pense que d'ici quelques années, nous serons de plus en plus nombreux, chez vous comme chez nous, à le comprendre. L'humain est en transformation. Il change de forme, de pensée, de rapport à la nature. Pourvu que cette transition se déroule dans la paix, l'harmonie et la sérénité. Merci de votre attention.

Cette fois, c'est une ovation générale.

Les quelques Grands présents restent plus circonspects, certains murmurent des « il a peut-être raison », d'autres « c'est quand même un traître à sa propre espèce ».

La reine Emma 109 reprend le micro.

– Maintenant assez de discours. Vive la nation emach ! Vive Microland ! Vive notre capitale Micropolis et place à la fête ! Mangez, buvez, détendez-vous ! Je crois que nous l'avons tous bien mérité. Et demain, nous nous mettrons au travail pour bâtir une nouvelle société humaine à notre taille.

Elle fait un signe et des policiers dévoilent des tables de buffet pour les Micro-Humains à gauche du stade, et pour les Grands à droite.

La foule mêlée ne se fait pas prier pour pêcher les assiettes et faire la queue devant les gourmandises de la toute nouvelle gastronomie microlandaise.

Dans la zone VIP des Grands, deux hommes se retrouvent parmi les convives, assiette à la main.

– Hello, Franck.

– Hello, Stan. Comment s'annoncent tes élections législatives ?

Le président de la République française baisse les yeux.

– Je suis confiant. Les sondages en ma faveur ont remonté. Mon seul problème est l'histoire de cette journaliste. Après une interview, elle est allée parler de harcèlement. Comme si elle ignorait qui j'étais. Du coup, ma femme me fait un peu la tête, elle m'a dit : « Tu peux coucher avec qui tu veux mais il ne faut pas que ça se sache et que je passe pour une femme trompée. » Maintenant elle fait chambre à part. Et c'est terrible, je suis fou amoureux de ma femme.

Le président américain lui donne une tape amicale dans le dos.

– Tu ne serais pas un peu pervers ? Sacré Stan. Finalement, au-delà de la politique et de toutes ces histoires d'économie et de diplomatie, toi et moi, nous sommes juste deux types romantiques, amoureux de leurs épouses officielles… Et tout ce que nous accomplissons, y compris ce soutien aux Emachs, c'est pour les impressionner, comme nous impressionnions nos mamans avec nos jolis dessins quand nous étions enfants.

– Franck, je crois que tu as complètement résumé ma vie.

Ils éclatent de rire et remplissent leurs assiettes d'aliments étranges et multicolores.

Plus loin, la grosse reine Emma 109, portée par Martin, discute avec Natalia.

– J'ai appris l'histoire de votre famille Ovitz en lisant l'Encyclopédie, puis le livre de votre ancêtre, *Nous étions des géants*. Je dois vous avouer que cela m'a bouleversée, j'en ai fait des cauchemars pendant plusieurs nuits. Je me suis dit que si les Grands sont capables de produire des nazis, nous avons sous-estimé votre capacité de nuisance.

– Tous les Grands ne sont pas comme ça. Et au final, les nazis ont perdu et ma famille a survécu. Ce qui montre qu'ils ne font pas partie du sens de l'évolution, mais nous, les nains juifs hongrois, si. Et aussi les géants comme mon mari. En fait, la Nature aime la diversité, et tous ceux qui essaient de l'unifier et d'évacuer les différences se prennent des retours de bâton. Nos vrais ennemis sont toutes les formes de totalitarisme, qu'ils soient nationaux, religieux, ou même d'espèce.

– Vous croyez que nous sommes seulement des humains différents ? demande la reine.

La naine réfléchit, puis :

– Sincèrement oui. Un jour on oubliera comment vous êtes apparus, vous serez avec nous, c'est tout. Comme on a oublié comment est apparu l'homme de Cro-Magnon et comment a disparu l'homme de Néandertal.

Soudain, une musique aiguë de type gigue résonne pour inviter tout le monde à la danse.

Des policiers emachs demandent aux invités grands de ne pas danser sur la piste officielle afin d'éviter qu'ils ne piétinent ou n'écrasent leurs petits voisins. Une piste pour Grands a été spécialement installée sur la plage qui jouxte le stade afin d'éviter ce genre d'incident.

Grands et Petits se séparent alors que les deux pistes de danse se remplissent.

À l'extérieur du stade, l'air est moins étouffant. Le lieu de fête installé sur la plage offre la vision d'une mer d'huile que nacre une lune resplendissante.

Les Grands semblent rassurés d'être à nouveau dans un décor familier, avec des congénères de leur taille.

Quelques-uns commencent à danser sur la musique retransmise par les haut-parleurs.

Aurore s'approche de David.

À cet instant, son téléphone portable sonne. Sans réfléchir, elle décroche et entend :

– J'ai une bonne et une mauvaise nouvelles à vous annoncer.

Avant qu'Aurore n'ait eu le temps de prononcer un mot en retour, la voix, qu'elle reconnaît immédiatement, ajoute :

– La bonne nouvelle, c'est que vous venez de récupérer un père. Il vous a vue à la télévision et il est très fier de vous et de votre réussite. La mauvaise, c'est qu'il s'en veut énormément et qu'il ne sait pas comment le manifester.

Elle déclenche le système de visiophonie et découvre le visage d'un homme maigre et affaibli qui semble avoir plus que son âge. Son regard est fébrile mais sa bouche tente de sourire.

– Tu vois, j'ai survécu à la grippe, dit-il.

Elle hésite à répondre, quelque chose la retient, alors il continue.

– J'ai suivi toutes tes aventures à la télévision. Je t'ai vue à l'ONU, tu as été tellement courageuse, et tu es devenue tellement… belle. En plus, maintenant, tu es ministre.

Elle hésite, inspire un grand coup et articule enfin :

– Désolée, papa. Le vase qui est brisé ne peut être recollé. Je t'ai laissé une chance, tu ne l'as pas saisie.

– Laisse-moi une deuxième chance, s'il te plaît, Aurore. Tu ne peux pas savoir comme j'ai réfléchi et comme j'ai souffert. Tu sais, si je ne t'ai pas laissé entrer quand il y a eu l'épidémie de grippe, c'est parce que j'avais peur. Maintenant je n'ai plus peur.

341

– Tu as laissé passer le train qui ralentissait pour que tu montes, maintenant il file trop vite pour que tu puisses en être le passager.

– Mais je…

Déjà elle a raccroché. L'appareil se remet aussitôt à sonner, alors elle l'éteint complètement et le range au fond de son petit sac à main.

Elle prend deux coupes de champagne, et cherche David qui entre-temps à disparu.

Elle le trouve seul sur un banc, en retrait de la fête.

Elle lui tend une coupe.

– Et voilà, c'est nous les « heureux gagnants », annonce-t-elle sur un ton désabusé. Nous n'avons pas été sélectionnés comme lauréats de la promotion Évolution de la Sorbonne, mais nous sommes ministres de Microland. C'est plus chic, non ?

Il contemple les étendues d'hortensias bleus, d'azalées et de gingembre qui recouvrent l'ouest de l'île. Éclairées par la lune, ces plantes prennent des reflets fluorescents.

– Des fleurs, des fleurs à perte de vue, l'île de Flores porte bien son nom, reconnaît-elle.

– Dire que l'une des îles de l'archipel des Açores s'appelle « Formigas ». L'île des Fourmis. Ç'aurait été plus simple pour moi de boucler la boucle, dit-il.

– Je l'ai vue sur la carte ton île « Formigas », c'est un îlot de quelques kilomètres à peine. Il faut au moins ces 100 kilomètres carrés pour que nos Micro-Humains puissent imaginer un développement démographique et urbain.

Elle hausse les épaules.

– Les Açores… Moi j'imaginais cet archipel comme un ensemble d'îles chaudes avec des cocotiers. Finalement c'est plutôt un décor de côtes bretonnes, avec le vent, les récifs, les falaises abruptes et quelques plages de sable fin.

– Toutes ces rocailles qui nous entourent, ce sont peut-être les restes des montagnes de l'Atlantide engloutie, soupire-t-il.

Elle désigne le volcan sous la clarté lunaire qui apparaît au loin.

– Moi je crois que c'est plutôt une île volcanique surgie de la même manière que des milliers d'autres, comme La Réunion ou l'île Maurice dans l'océan Indien.

Des autochtones aux visages burinés participent aux festivités en roulant des chariots de plats et proposent aux invités des assortiments de sushis.

– Et eux ce sont les descendants des massacreurs de baleines, dit Aurore.

– L'île a longtemps vécu de cette mise à mort, c'est là que les dauphins et les baleines venaient se reproduire. Ici reste encore la tradition de la chasse au harpon, et dans leurs légendes, des héros affrontent les monstres des abysses.

– Alors il ne faut pas leur parler de Greenpeace ou des associations de défense des cétacés.

– Il faut se mettre à leur place. Ils ont mal supporté le « sentimentalisme » occidental qui les a obligés à renoncer à leurs traditions. Et à partir de maintenant, ils doivent obéir à ce qu'ils appellent dans leur langue des « gnomes ».

Un feu d'artifice éclate, spectaculaire, alors que retentit à nouveau la *Symphonie du Nouveau Monde* de Dvořák, interprétée non plus par la fanfare des cuivres mais par un orchestre symphonique de Micro-Humains.

Ils marchent jusqu'à ce que s'éteigne le dernier son en provenance de Micropolis.

Enfin elle fait signe que l'endroit lui plaît, et ils s'assoient sur le sable blanc mouillé.

Il l'observe. Elle a bien changé depuis leur première rencontre. Même ses yeux sont plus foncés. De dorés, ils sont devenus noisette. Ses cheveux longs dépassent ses épaules. Elle qui ne portait que des souliers plats a chaussé des escarpins à talons hauts qui dévoilent au travers de sa robe-fourreau de longues jambes au galbe parfait. Le haut souligne sa poitrine généreuse enfin mise en valeur.

La jeune femme s'approche de David.

Il recule légèrement.

– J'ai envie de toi, David. Tout de suite.

– Je croyais que tu portais le deuil de Penthésilée.

Elle fait mine de vouloir l'embrasser, mais il la contient.

– Tu peux attendre encore un peu ?

– Combien de temps ?

– Je ne sais pas... dix minutes, par exemple ?

Elle fronce les sourcils.

– Dix minutes pour quoi faire ?

– Avant d'aller plus loin, je voudrais savoir comment c'était entre nous jadis, pour que nous ayons autant de problèmes pour nous aimer dans cette vie. Il n'y a pas qu'une rencontre entre deux personnes, il y a aussi rencontre entre deux âmes.

Elle fait une moue impatiente.

– Tes trucs New Age m'exaspèrent. Je crois que ça te gêne qu'une femme exprime clairement son désir.

Il lui prend la main délicatement.

– Je te propose de rentrer à l'hôtel et de tenter d'accomplir ensemble une séance de Ma'djoba.

– Ta drogue de Pygmée ?

– Un mélange de lianes et de racines. Leur combinaison nous ouvre l'esprit et nous rappelle qui nous sommes vraiment. Alors nos âmes pourront enfin communiquer.

Elle hausse les épaules, déçue.

Elle se tourne et murmure, assez fort pour qu'il puisse l'entendre :

– Rien que des conneries. C'est pas de ça que j'ai envie.

Elle regarde la lune qui semble plus lumineuse, puis soupire, résignée.

96. ENCYCLOPÉDIE : LE POUVOIR DES VÉGÉTAUX

On considère les végétaux sans conscience, pourtant ils sont parfois capables d'agir sur l'esprit d'êtres beaucoup plus évolués qu'eux.

La plupart des animaux consomment des plantes dont l'effet nutritionnel est faible, mais dont l'effet psychoactif est important. Au Gabon, par exemple, les éléphants et les singes ingèrent volontairement de l'iboga, qui est une écorce psychoactive. Les babouins avalent des fruits fermentés de l'arbre Marula au point de finir par ne plus marcher droit et s'effondrer.

Au Canada, les rennes consomment un champignon rouge hallucinogène qui apparaît sur l'écorce des bouleaux et leur procure des vertiges et des spasmes.

Dans le sud des États-Unis, les moutons et les chevaux broutent des astragales, sorte de trèfle, qui les rendent surexcités au point de bondir et de vouloir franchir tous les obstacles pendant des heures.

Plus près de nous, en Europe, les chats laissés en liberté mâchent une plante, la *Nepeta cataria* (aussi nommée cataire) qui provoque des effets proches de ceux de l'ecstasy, au point qu'ils se mettent à mimer une chasse aux souris imaginaire.

La dépendance de l'homme aux végétaux est tout aussi déterminante.

Elle commence par les « végétaux de confort d'esprit » comme les feuilles de tabac, les graines de café, les feuilles de thé, les graines de cacao, et, sous forme fermentée, le jus de raisin, de houblon, de riz, de pomme de terre ou de fruits.

Bien peu d'entre nous pourraient vivre en se privant du réconfort psychologique immédiat qu'apportent les produits sucrés (issus de la canne à sucre ou de la betterave). Jusqu'aux végétaux qui génèrent une totale emprise sur l'esprit, au point de nous manipuler psychiquement : la feuille de marijuana, la feuille de coca, la sève de pavot (avec laquelle on obtient l'opium), l'ergot de seigle (avec lequel on fabrique le LSD).

Pourtant, ce ne sont que des plantes sans système nerveux, donc a priori sans aucune intention à l'égard des animaux complexes que nous sommes.

Encyclopédie du Savoir Relatif et Absolu,
Edmond Wells, Tome VII.

97.

C'est marron, c'est rempli de fibres, et ça pue.

Une odeur de bois décomposé mêlée à des senteurs de terre et de putréfaction organique s'exhale aussitôt.

Dans sa chambre de l'hôtel pour Grands de Flores, David Wells tend cette mixture suspecte à Aurore Kammerer, comme s'il s'agissait d'un présent.

Rien qu'à renifler cette mélasse sombre, la jeune scientifique a un haut-le-cœur.

– Il faut vraiment ingurgiter « ça » ? demande-t-elle avec une grimace de dégoût.

Il hoche la tête d'un air navré.

– C'est comme une rampe de lancement pour une fusée. Une fois passé le décollage, on l'oublie.

– Et c'est quoi exactement ? demande-t-elle en grimaçant.

– Je te l'ai dit, lianes + racines. Quand j'ai mangé ton cassoulet, je n'ai pas posé autant de questions. Je t'ai fait confiance.

– Merci pour la comparaison. Et je dois l'introduire dans ma bouche ?

– Personnellement, le premier contact que j'ai eu avec cette mixture était différent. Les Pygmées me l'ont fait manger avec de la cervelle de gorille. Par la suite, j'ai appris que cette dernière n'était là que pour ajouter un peu de « moelleux » au goût, alors je crois que tu peux le consommer nature.

La jeune femme examine à nouveau la substance étrange. Elle la hume, la renifle, la touche du doigt pour en percevoir la consistance.

– Reconnais que ça a l'air franchement dégueulasse.

– Nous sommes sur Terre pour faire des expériences, élude-t-il avec un sourire.

– Toutes les expériences ne sont pas nécessaires, ni agréables, ni positives. Je n'ai jamais pris de drogue et je ne m'en porte pas plus mal.

– Ce n'est pas une drogue. Ce que tu vas vivre n'est pas une hallucination. Et il n'y a ni réel plaisir des sens ni accoutumance. C'est juste une recette pygmée pour ouvrir une porte dans la tête. Avec le recul, je suis persuadé qu'on peut très bien y arriver seulement avec la volonté et l'imagination, mais pour la première fois c'est plus facile « avec ».

Elle repousse le bol.

– Je n'y crois pas. Je ne crois pas à la vie après la vie. Je ne crois pas en la réincarnation. Je ne crois pas en l'âme. Je ne crois pas en Dieu. Je suis une scientifique, David, tout ça c'est pour les esprits naïfs qui aiment les contes de fées.

Le jeune homme réfléchit, et repose le bol.

– Puisque tu me parles de conte, je vais te raconter une histoire.

Aurore, soulagée, songe qu'elle gagne du temps et qu'elle pourra plus facilement l'éloigner de l'idée de lui faire absorber cet aliment nauséabond.

– C'est l'histoire de deux fœtus jumeaux qui dialoguent à l'intérieur d'un ventre. Le premier dit à l'autre : « Dis donc, tu crois qu'il y a une vie après la sortie du ventre ? – Ça semble peu probable, de toute façon je ne vois pas comment ça pourrait se faire. Et toi ? – J'imagine qu'il pourrait y avoir une sorte de tunnel pour sortir du ventre, avec une lueur au fond. Et une fois que nous sommes au bout, on débarque dans la lumière aveuglante et là on reçoit une grande bouffée d'amour. – En tout cas, de cette soi-disant "vie après la sortie du ventre", comme par hasard, il n'y a aucun témoignage. Personne n'est revenu pour raconter comment c'était à l'extérieur. De toute façon, je ne vois pas comment pourrait exister un monde en dehors de celui où nous vivons actuellement. Nous sommes nourris par le cordon ombilical, à l'extérieur nous ne pourrions pas l'étirer à l'infini. » Alors le premier fœtus répond : « Je pense que nous serons nourris par notre Maman. – Ah ! parce qu'en plus, toi tu crois à la "Maman" ? – Bien sûr. – Et tu l'as déjà vue, cette "Maman" ? – Non, mais je crois qu'elle est autour de nous, elle est partout et c'est elle qui nous a créés. » Le second ironise : « Alors si elle existe vraiment, pourquoi elle ne se manifeste pas ? – Parfois il me semble entendre sa voix, dit le premier. » Et le second conclut : « Je ne crois pas à ces sornettes. En dehors de la vie dans le ventre, il n'y a rien, et les Mamans, ça n'existe pas. »

Aurore éclate de rire, puis se reprend tout en lui caressant le visage d'un geste maternel.

– Horreur ! David, ne me dis pas que tu es… « mystique » !

– Non, la mystique c'est le pouvoir des prêtres. Nous avons inventé une religion pour les Micro-Humains et nous savons que ce n'est qu'un truc artificiel pour soumettre les hommes faibles et leur faire renoncer à leurs responsabilités et leur libre arbitre. Moi, je suis dans le contraire de la religion : la spiritualité. Je crois à la nature, je crois au miracle de la vie, je crois à cet air que je respire à la seconde, je crois en ce ciel étoilé, à cette planète, à cet univers, autant de choses que je peux contempler, même si je ne peux les parcourir physiquement. Je crois en cet instant, ici et maintenant, avec ce que j'ai autour de moi et en face de mes yeux. Je crois en... toi.

– Et tu crois qu'il y a une Maman autour de nous qui nous attend et nous surveille ?

– Si je me souviens bien, quand tu étais chez les Amazones, tu as parlé à Gaïa, la planète Mère.

Cette fois, elle ne trouve rien à répondre.

Un moustique, après avoir tournoyé, se pose sur la main de David et commence à enfoncer son dard dans sa peau. Elle est surprise par son absence de réaction.

– Tu ne chasses pas ce moustique ?

– Cela ne me gêne plus.

Elle le regarde, sans comprendre.

– C'est une forme de vie comme une autre... Après tout ce qui s'est passé, j'ai l'impression que ma capacité d'agacement s'est réduite. Le moustique n'est plus mon ennemi, c'est juste « autre chose de vivant à côté de moi ».

Elle observe le moustique qui pompe tranquillement son sang.

Elle semble fascinée par l'insecte.

Le parasite repart, l'abdomen gonflé.

Puis elle scrute David et lâche :

– OK, j'accepte de goûter ta mélasse qui ressemble à de la crotte et qui est probablement de la drogue, mais je te demande de me jurer de...

– De ?

– ... ne pas te moquer de moi si je dis des trucs débiles ou gênants...

Il hoche la tête.

Aurore goûte l'ignoble substance et grimace.

David insiste pour qu'elle en prenne une bouchée, elle obtempère, dégoûtée, s'enfuit vers les toilettes pour vomir, puis revient.

Il attend quelques secondes, et lui propose de recommencer.

– C'est normal au début.

Elle obéit en inspirant fortement. Quand enfin l'aliment arrive à descendre le long de son œsophage et à rejoindre son estomac sans remonter, elle est secouée d'un frisson.

– C'est vraiment écœurant comme sensation !

David sort la pipe, la bourre de feuilles sèches et l'allume. Il explique à Aurore qu'elle doit placer les deux embouts dans ses narines.

D'un souffle, il propulse la fumée dans ses poumons.

Elle attend.

– Désolée, ça ne me fait strictement rien, j'ai juste envie à nouveau de vom…

Il souffle une seconde bouffée. Elle a un sursaut de surprise, puis ferme les yeux et, d'un coup, s'apaise.

Il se place derrière elle, pour retenir son corps qui part en arrière.

Elle ferme les paupières, et semble s'endormir.

– Tu m'entends, Aurore ?

Elle ne répond pas et sourit.

– Aurore ?

– Zgrew… vrpeuk… Treuzka… vlep, répond-elle.

– Tu dois rester en contact avec ma voix. Il faut que tu répondes à tout ce que je te dirai. Pour cette première visite dans ton inconscient je serai ton guide.

Elle garde les paupières closes, mais son sourire s'efface pour se transformer en moue.

– Il faut que tu visualises un couloir, tu vas le visualiser progressivement. Je vais compter, et quand je dirai zéro, tu seras dans ce couloir. 10… tu commences à le visualiser… 9, 8, 7…

il commence à être de plus en plus précis dans ton esprit... 6, 5, 4, 3... attention tu vas bientôt arriver là-bas : 2, 1, et zéro. Vois-tu le couloir ?

Elle ne répond pas.

Il attend.

– Groui... je le vois, articule-t-elle.

– Vois-tu les portes en bois avec des inscriptions sur des plaques de cuivre ?

– Oui.

– Approche d'une plaque de cuivre et lis ce qui est écrit.

– Serguëi Alinovitch.

– Entrouvre la porte, et dis-moi ce que tu vois.

Ses pupilles bougent sous ses paupières de manière saccadée.

– Un homme est couché au milieu d'un tas de cadavres. C'est à Stalingrad, il est au milieu des décombres, il perd son sang et il attend les secours, mais des infirmiers passent au loin sans le voir. Ils prennent sur la civière un autre type. Serguëi appelle mais les autres sont trop occupés, ils ne l'entendent pas. Il appelle au secours, et puis il n'arrive plus à parler et...

– Ressors. Pas le moment de s'attendrir sur les agonies de tes vies précédentes. C'était juste pour que tu comprennes où tu te trouves. Vois-tu à nouveau le couloir ?

– Il y a d'autres noms, je dois ouvrir une autre porte ? Sur celle-ci c'est écrit Chris Callaghan. J'ouvre.

– Que fait-il ?

– Il charge à cheval, sabre levé contre des lignes adverses. Je crois que c'est la guerre civile américaine. Les autres en face tirent et il prend une balle dans la poitrine et tombe de cheval.

– Ressors.

– J'ouvre une autre porte : Achille Batisti. Je suis un marchand de légumes dans le port de Marseille, et il y a la peste. Les gens sont tous malades et j'essaie de rejoindre ma maison mais je trébuche, mon corps est couvert de pustules, mes poumons me brûlent.

– Arrête d'ouvrir les portes du couloir.

– C'est passionnant. J'en ouvre une autre. Derrière celle-là je suis une paysanne au Brésil, j'ai été baptisée Valentina Mendoza, je travaille près d'un marécage et un serpent me mord.

– Ressors, et n'ouvre plus aucune porte, s'il te plaît. D'accord ?

– Je suis dans le couloir.

– Tu dois voir une porte en face, la seule porte en face, tout au fond. Tu la vois ?

À nouveau les prunelles s'agitent sous la fine peau des paupières.

– Je la vois.

– Vas-y. C'est ta première vie sur Terre, et c'est celle-là qui nous intéresse.

Elle avance, tout en lisant les noms de ses vies précédentes.

Quand elle arrive devant la porte du fond, l'inscription n'est pas en caractères latins.

– Ouvre cette porte, intime David. Que vois-tu ?

Aurore manifeste une agitation nouvelle. De petits tics nerveux crispent son visage.

– Je suis dans une caverne glacée entourée de neige.

Elle semble troublée.

– Ce n'est pas une montagne. J'ai l'impression d'être sous terre, dans une caverne de glace, et ce qui est étonnant, c'est que je n'ai pas froid, j'ai la sensation d'être dans un sanctuaire, protégée de tout ce qui pourrait arriver de mauvais à l'extérieur. Ce sentiment de protection est très agréable... À côté de moi il y a deux hommes, un jeune et un plus âgé, et...

– Ressors et referme la porte.

– Décide-toi. Tu veux que j'explore cette vie ou non ?

David ne la laisse pas poursuivre.

– Tu es dans la bonne vie mais pas au bon point de lecture. Alors il faut que tu recommences ton entrée. Quand tu vas rouvrir la porte, tu verras un pont de liane. Il te permettra d'accéder à cette vie précise, mais en choisissant ton point d'apparition dans le temps. Je voudrais que tu arrives au moment exact que je vais t'indiquer.

– Quel moment exact ?

– Le moment où tu as vécu ta plus belle histoire d'amour.

Sans ouvrir les yeux, Aurore fronce les sourcils, puis obtempère.

– Très bien, je ressors et je rouvre la porte. Cette fois, je vois le pont de liane. Il y a de la brume tout autour.

– Parfait. Avance et rejoins cet instant.

– Lequel ?

– Je veux que tu ailles directement à l'instant où tu vois pour la première fois l'homme de cette grande histoire d'amour.

Après quelques minutes, ses lèvres remuent, mais aucun son n'en sort. Enfin elle articule :

– Je... je suis dans une taverne. Je suis sur une scène, et je danse. J'adore danser, mon corps ondule, ma peau est moite, mes cheveux sont coiffés en fines tresses, et quand je remue la tête, elles me fouettent le visage. Je me déhanche, j'adore ça. La musique est de plus en plus rythmée. Et soudain je vois parmi tous les gens attablés une... une personne que je connais mais que je n'ai jamais approchée jusque-là.

David ne peut s'empêcher de questionner :

– C'est un homme un peu âgé ? demande-t-il.

– En fait, ça faisait longtemps que je rêvais de lui, il est tellement charismatique, tellement distingué.

David ne peut retenir un raclement de gorge.

– Un peu chauve ?

– Il a au contraire de longs cheveux bruns.

– Il est connu pour travailler sur des expériences de biologie ?

– Il est beaucoup plus important que cela. C'est le chaman.
David déglutit.

– ... tu en es certaine ?

– Je l'ai déjà repéré dans cette taverne, et dès que je l'ai vu, je suis tombée amoureuse. Il est si beau, si élégant, c'est lui qui a le privilège de parler avec la planète Mère. Comme je l'envie. Je vais le rejoindre et je lui dis tout le bien que je pense de lui.

– ... Ah ? émet David, de plus en plus décontenancé. Et ensuite ?

– Ensuite nous parlons et je le trouve charmant. Je le raccompagne chez lui et nous faisons l'amour.

– Et c'est ?...

– Extraordinaire. Il me transmet sa force de vie. Ensuite nous parlons de son travail de chaman et il m'explique que parler à la planète est pour lui un grand privilège. Il se sent ambassadeur de son espèce animale auprès de l'entité qui nous héberge.

– Mais..., bafouille David.

– Il me fait visiter la pyramide et nous nous embrassons dans la loge de communication. Il prend son temps pour me renverser en arrière et il caresse mes cheveux et mon cou. J'adore le simple contact de son épiderme. C'est magique.

– Et ?

– Ensuite nous faisons l'amour dans la pyramide, ce qui a toujours été mon fantasme. C'est comme si nous faisions l'amour en étant branchés sur notre planète Mère. La vie connectée à la vie. L'amour connecté à la source même de tous les amours. Je vis un instant incroyable et délicieux.

– Tu es sûre que c'est... enfin... lui... ton amant ? Et que, heu, c'est cet homme précisément le partenaire de ton histoire d'amour ? insiste-t-il.

– Oui. J'ai toujours rêvé de lui. Jamais je n'ai vu un homme aussi viril et aussi lumineux. Et il sait tellement de choses. Il m'apprend à faire des transes pour sortir de mon corps et voyager dans l'espace. Il m'apprend à transformer mon esprit en fluide capable de se déplacer comme je le souhaite. Ainsi je peux aller partout. Y compris au centre de ma planète pour me connecter. C'est une sensation fabuleuse.

David est dépité.

Comment ai-je pu être suffisamment naïf pour croire depuis tout ce temps que ça pouvait être elle ? La probabilité était infime. Quel imbécile j'ai été. Je n'ai plus qu'à essayer de la trouver ailleurs. Nuçx'ia disait qu'on se recroisait par familles d'âmes.

Aurore a toujours les yeux fermés, elle sourit, immergée dans sa grande histoire d'amour avec délice. Puis son visage se transforme et elle affiche une grimace contrariée.

– Non…, lance-t-elle.

– Il y a un problème ?

– Non, non, non !!!!

Elle affiche désormais un air buté.

– Qu'est-ce qu'il y a ?

– En fait, je découvre que je ne suis pas la seule. Il couche avec d'autres femmes et même certaines de mes amies, en même temps qu'avec moi. C'est insupportable !

– Je croyais que tu détestais la possession et la jalousie ?

– Toutes ces filles qui sont avec lui à le regarder avec des yeux de merlan frit !

– Mieux vaut être plusieurs sur une bonne affaire que seule sur une mauvaise.

Elle ne relève pas et poursuit, imperturbable.

– J'ai une discussion avec le chaman et nous convenons de rester amis. Je me sens déçue, mais je ne veux pas faire partie de sa horde d'admiratrices disponibles, ce n'est pas mon style. Il dit qu'il comprend et qu'il n'oubliera jamais nos doux instants ensemble. J'ai envie de le gifler.

David essaie de retrouver une contenance.

– Et ensuite ?

– Ensuite je me remets à étudier et à danser pour tenter de l'oublier.

– Et ?

– Évidemment c'est difficile. Il est si beau. Il est si séduisant et il sait tellement de choses. C'est quand même « LE » chaman de notre cité. Il est le seul, il est inégalable. Il est…

Elle s'arrête, laissant défiler de nouvelles scènes de sa vie passée.

– Quel salaud ! Et puis je rencontre un autre homme.

– Qui ? demande-t-il avec espoir.

– C'est un biologiste spécialisé dans l'étude du vivant… il a beaucoup d'expérience, je le sais… c'est un scientifique très prestigieux.

David se maîtrise.

– Notre première rencontre a lieu, là encore, dans cette taverne. Je danse, je sais qu'il me regarde, je me déhanche plus que d'habitude, je fais des huit avec mon nombril, mes tresses claquent. J'aime la lueur de convoitise dans le regard des hommes. À la fin de ma danse, je tombe en avant, me retenant de justesse sur les mains, ils m'applaudissent, puis je me relève sous les acclamations. Je viens vers lui et je lui dis :

– « J'aimerais travailler avec vous » ? anticipe David.

– C'est exactement ça. Déçue de ne pouvoir continuer à travailler sereinement avec le chaman, je me sens prête à me contenter de travailler avec ce biologiste.

– C'est quand même un homme important…

– Il a, malgré son âge et sa calvitie, un certain charme, mais ce n'est rien par rapport au chaman, évidemment.

– Et alors, comment il réagit, ce « vieux biologiste chauve » ?

– Il est surpris. Je lui explique que j'étudie aussi la biologie. Je lui dis que s'il m'autorisait à travailler avec lui je gagnerais du temps. Ce serait un grand honneur pour moi. Il semble intimidé. Il me répond en me posant des questions sur la danse. Je lui dis que je danse pour mon plaisir, après mes études. Il semble gêné. Je comprends pourquoi, il ressent un sentiment pour moi et il se croit trop âgé. Il est très maladroit en fait. Il me demande mon âge, je lui réponds :

– « 27 ans » ?

– Oui, 27 ans. À mon tour je lui demande le sien, et il me répond :

– « 821 ans » ?

– Exact. À l'époque, les gens pouvaient vivre dix fois plus longtemps parce qu'ils étaient…

– … dans des organismes dix fois plus grands. Il te plaît ?

– Pas vraiment. Je n'aime pas les chauves. Et puis il me semble quand même que 794 ans de différence c'est beaucoup pour faire un couple… mais j'ai rapidement envie d'une autre aventure pour oublier ma grande histoire d'amour avec le chaman.

– Seulement pour ça ?

– C'est important pour moi de ne plus rêver tous les soirs du chaman. Et puis je souffre tellement de cette séparation. Alors j'essaie de m'intéresser à ce scientifique. C'est un choix de raison pour remplacer un choix de passion.

– Ah ? Et vous parlez de quoi ?

– Nous parlons de ses dernières recherches en biologie, et il me dit qu'il travaille sur un projet complètement original visant à inventer un « nouvel humain miniature » qui pourrait accomplir des tâches de précision dans des lieux exigus, là où les gens normaux ne peuvent réussir, notamment dans le domaine de l'astronautique.

Elle s'arrête, semblant écouter quelqu'un à l'intérieur de son crâne.

– Au début, ça ne m'intéresse pas, mais c'est si important pour lui que je fais semblant d'y trouver un intérêt. Il semble obsédé par ses recherches, et aussi par mes... seins. Son regard tombe sur ma poitrine. Je me dis qu'il doit être un peu frustré.

– Ah ? Et il te dit quoi sur ses recherches ?

– Il me noie sous des récits d'expériences. Par simple politesse je lui demande comment il fait pour miniaturiser les plantes et les animaux. Il me répond que c'est juste un coup de main à avoir comme pour faire la cuisine. Ça me fait rire, je me passionne pour la cuisine. Je fais une sorte de potée avec toutes sortes d'ingrédients qui est un peu lourde, mais c'est ma spécialité.

David préfère changer de sujet.

– Et avec lui... ça se passe comment ?

– Comme il a l'air maladroit, et que la description de ma recette ne semble pas l'intéresser, je prends l'initiative de l'embrasser.

– Ah ?

– Il est surpris, il fait un geste pour me repousser, mais il se retient et finalement il accepte mon baiser.

Elle s'arrête, et alors que ses pupilles continuent de s'agiter sous ses paupières, ses lèvres restent immobiles.

– Ensuite ?

Elle met longtemps à répondre.

– Il n'embrasse pas bien. J'ai évidemment la nostalgie du chaman fougueux, stylé, à l'odeur de sueur si suave, mais bon... Ensuite nous faisons l'amour mais je le sens encore très « timide ». Comme si je l'impressionnais.

Nouveau silence.

– Et hum... c'est comment ?

– Étonnant... Pour un homme de 821 ans, il semble moins expérimenté que moi dans l'art de l'amour. Il est comme un adolescent, je prends les initiatives, je le surprends, j'essaie d'utiliser tous mes trucs de danseuse pour faire onduler mon corps sur le sien. Il adore ça. Pour moi c'est plutôt moyen, mais lui semble si heureux. Je pourrais presque croire qu'il fait l'amour pour la première fois.

À nouveau elle se tait et il s'impatiente.

— Et ensuite ?...

— Ensuite il me fait visiter son laboratoire. Il y a des animaux et des plantes bonsaïs, c'est très mignon. Je n'avais jamais vu des chevaux d'à peine 1,50 mètre de haut. Des chiens de 50 centimètres.

Aurore est tellement plongée dans son monde intérieur qu'elle semble avoir oublié que ce sont les tailles normales des animaux qui les entourent.

David ne relève pas.

— Quoi d'autre ?

— Sur de longues étagères se trouvent alignés des œufs de toutes tailles. Il me parle de son expérience sur la miniaturisation des fœtus. Il espère arriver à fabriquer des hommes dix fois plus petits que nous. Il me dit que l'humanité peut exister en deux tailles, et peut-être même un jour en trois ou quatre tailles. Et il me montre une image où l'on voit une main réduite à l'intérieur d'une main moyenne elle-même à l'intérieur d'une main large. Alors je lui demande comment l'humanité peut exister sous d'autres formes, a fortiori en deux ou trois tailles, et il me dit que...

Mais David l'interrompt.

— C'est bon, Aurore, nous en savons assez, tu vas pouvoir te déconnecter de cette vie antérieure. Reprends le pont dans la brume.

— Non, attends, je veux encore rester là-bas. Il faut que je comprenne ce que...

— C'est suffisant. De toute façon, désormais je connais la suite. Je pourrai même te la raconter si tu veux.

Avec regret, Aurore consent à abandonner cet espace-temps si « exotique ». Elle remonte le pont, retrouve la porte, puis le couloir, et lorsqu'elle entend le décompte, elle se prépare à revenir dans le présent, jusqu'à l'instant où il prononce :

– 7... 8... 9... et 10 ! Tu ouvres les yeux.

Elle soulève lentement les paupières.

Alors elle le regarde, puis lui prend violemment la nuque et le tire vers lui, pour un baiser profond, qui dure longtemps.

– Fais-moi l'amour, David, comme tu me le faisais il y a huit mille ans quand tu avais 821 ans et moi 27. Reprenons là où nous nous sommes arrêtés.

Il se raidit.

– Qu'est-ce qu'il y a ? Ne me dis pas que je t'intimide.

– Eh bien...

– Tu es si mignon. Tu as la même mimique gênée que dans ma vision.

Elle a un frisson.

– Comme c'est excitant.

– Tu ne crois pas que...

– Non, dit-elle. Je pense que nos âmes ont envie de se retrouver. Comme disent les Hébreux, tu es « mon autre moitié d'orange ».

Alors elle lui arrache ses vêtements, son pantalon et elle le propulse dans le lit.

– Maintenant tu te tais, tu me laisses faire et tu me fais confiance, comme il y a huit mille ans. Marre des femmes passives qui subissent l'assaut des hommes, accepte que ce soit moi qui prenne les initiatives, tu vas voir, ça va te plaire.

Elle le couvre de baisers puis, à son tour, se déshabille. Et il sent sa peau recouvrir la sienne comme un poulpe avec huit bras et jambes.

Elle est un peu brutale, et s'il n'était un homme il aurait l'impression qu'elle veut le forcer à faire l'amour.

Ainsi, au bout du féminisme, on arrive à ça : le renversement des rôles.

Elle lui plaque les bras sous ses genoux et l'embrasse goulûment sur la bouche. Puis ses lèvres, plus raisonnables, saupoudrent des centaines de petits baisers sur le reste de son corps.

Il ferme les yeux et, après s'être un peu débattu, il se laisse faire et sourit de plus en plus largement.

98.

Je me souviens.

À 3 000 mètres, dans mes profondeurs, au pôle Sud, mes trois derniers humains des origines, Ash-Kol-Lein, Yin-Mi-Yan, Quetz-Al-Coatl œuvraient en silence.

Alors que le chaman dans sa pyramide avait tracé une première ébauche, un brouillon inachevé, de cette fresque qui malheureusement avait été enfouie lors de la disparition de leur île, mes trois derniers humains purent ciseler avec finesse et en détail une version beaucoup plus complète de l'histoire de leur civilisation.

Évidemment, à cette époque, j'étais toujours préoccupée par le surgissement possible d'un astéroïde massif en provenance des confins de l'univers. Cependant ma peur s'était déplacée.

Le danger ne m'obsédait plus autant que jadis.

Pour la première fois, je me faisais du souci pour ces trois humains-là.

Je crois que si la Lune m'a donné la peur, si la vie m'a donné un projet, si les hommes m'ont donné des yeux pour découvrir l'Univers autour de moi, et si les minihumains m'ont donné dans un premier temps des fusées pour agir sur les astéroïdes en les faisant exploser avant qu'ils n'approchent, ces trois derniers survivants m'ont appris... l'empathie.

Pour la première fois, ce n'étaient pas de simples représentants d'une espèce qui me préoccupait, mais des individus, avec des noms et des histoires personnelles que je voulais sauver.

Je ne pourrais pas dire que je me suis prise d'affection pour eux, mais j'ai senti que j'avais un devoir à leur égard, celui d'une créatrice envers ses créatures.

Après tout, n'était-ce pas moi qui avais un jour provoqué la rencontre entre un primate et un phacochère, rencontre qui avait elle-même engendré l'hybride primato-porcin qu'on a plus tard baptisé « humain » ?

LE TEMPS DE LA RÉCUPÉRATION

99.

ANNIVERSAIRE – C'était il y a un an exactement, ce même jour, à cette même heure, naissait l'État microlandais. Rappelons que les Grands étaient à cette époque dans une impasse politique, économique et militaire, et ce n'est que grâce à l'intervention des Micro-Humains, et tout spécialement du commando des huit cents Emachs amazones utilisant des soucoupes volantes (drones militaires modifiés pour l'occasion), que la troisième guerre mondiale a pu être évitée. De même, ils étaient dans une impasse écologique, et ce n'est que grâce au sacrifice d'Emachs que leur centrale nucléaire de Fukushima au Japon n'a pas explosé. Quelques mois plus tard, en remerciement, l'ONU votait à l'unanimité la création de l'État indépendant de Microland.

FÊTE – Le premier anniversaire de l'Indépendance de notre jeune nation va se dérouler ce soir dans les jardins du palais royal à Micropolis. Profitons de cet événement pour faire une rétrospective de cette année d'existence.

DÉMOGRAPHIE – Grâce à notre politique de natalité maîtrisée, l'État de Microland a désormais officiellement 3 millions d'habitants, ceux-ci vivent à 90 % dans la capitale de Micropolis.

ÉCONOMIE – Notre économie a connu une croissance de 42 % pour cette année. Et récemment, une usine de Microland, Puissance 10, vient de présenter un nouveau principe de fabrication d'ordinateurs qui divise par dix la taille de toutes les puces électroniques. Selon nos ingénieurs, les puces de technologie Puissance 10 pourraient multiplier par dix la puissance de calcul de tous les appareils électroniques connus à ce jour.

FINANCE – Notre PNB nous place parmi les nations les plus riches par habitant. La bourse de Micropolis va d'ailleurs bientôt être inaugurée pour que les Grands puissent investir facilement chez nous.

POLITIQUE INTÉRIEURE – La reine Emma 109 a décidé de se marier avec un mâle permanent, il s'agit d'Amédée 1 835, le jeune directeur de l'entreprise Puissance 10. « C'est un mâle de la nouvelle génération, a déclaré la reine. Et il y a certes une grande différence d'âge entre nous, mais cet Amédée s'est illustré en mettant au point toutes les technologies informatiques ultraréduites microlandaises. C'est lui qui a notamment inventé la puce P10 qui va révolutionner l'électronique et accessoirement... je l'aime. Je crois qu'il faut renforcer encore nos lignées fortes, et j'espère donner beaucoup d'enfants à un homme dont le code génétique a permis autant d'avancées scientifiques. »

POLITIQUE INTÉRIEURE TOUJOURS – Les quatre ministres grands de notre gouvernement : le docteur Aurore Kammerer, le docteur David Wells, le colonel Natalia Ovitz et le lieutenant Martin Janicot ont décidé de démissionner de leurs postes et de quitter le pays, considérant que désormais il valait mieux laisser les Micro-Humains se gouverner seuls. Ils ont ajouté qu'ils garderont pour toujours un lien privilégié de cœur avec la nation microlandaise et reviendront souvent pour assister aux évolutions de la jeune nation. « Personne n'est indispensable.

Il y a un moment où les parents doivent se retirer pour laisser les enfants grandir sans eux », a notamment déclaré David Wells en insistant sur le fait que cette démission était dans l'intérêt de l'émancipation de la nation micro-humaine. Cependant, ils ont promis que, même à l'extérieur du pays, sa compagne et lui œuvreraient dans des associations d'amitié « franco-microlandaises ».

SPORT – Football. L'équipe de Microland ne fera pas partie du prochain Mondial de football. Le ministre des Sports, Amédée 456 786, n'est pas arrivé à convaincre les instances internationales de trouver un ballon de taille intermédiaire pour permettre à nos sportifs de jouer avec les Grands. « Qu'à cela ne tienne, nous avons l'intention d'organiser notre propre championnat de football dans notre propre stade à notre propre échelle », a conclu le ministre Amédée 456 786.

TECHNOLOGIE – Grâce à l'implantation des nouvelles puces de fabrication micro-humaine P10, le docteur en robotique Francis Frydman a encore fait évoluer son projet d'androïde équipé de « conscience artificielle ». Il l'a baptisé Asimov 003. Après la mise au point des premiers modèles capables de penser le « moi », il vient enfin d'achever une nouvelle génération de robots dont la psychologie est tellement évoluée que les androïdes souffrent de névroses et de psychoses. Le docteur Frydman prétend même avec fierté avoir repéré les premiers cas de paranoïa et de dépression parmi ses Asimov 003. « Selon moi, ce qui pourrait donner à ces robots le titre d'être humain est précisément leur capacité à être aussi... fous que nous ! Après le débat sur les Micro-Humains, je crois qu'il est temps de redéfinir ce qui constitue précisément un être humain, et ma définition repose sur sa capacité non seulement de penser à lui, mais aussi de devenir névrosé. C'est notre caractéristique d'espèce, et ce qui est probablement à l'origine de notre créativité. J'espère rapidement arriver à faire un robot mégalomane, mythomane ou nymphomane, ce sera l'apothéose de mon travail. » « Pour l'instant, il semblerait que dans la programmation des esprits des androïdes du docteur Frydman, celui-ci ait surtout reproduit ses propres névroses, créant ainsi une sorte de parthénogenèse spirituelle », a pour sa part précisé l'un de ses collègues qui a préféré garder l'anonymat.

MÉDECINE – Le projet du docteur Gérard Saldmain baptisé « Fontaine de jouvence » a été abandonné. Le ministère de la Santé a signalé que les personnes âgées dont on avait remplacé les organes par des neufs présentent, après quelques années, un rejet de ces organes qui entraîne des cancers. Le représentant de la Sécurité sociale a contredit ce diagnostic, signalant que les cas de cancers étaient pour l'instant minoritaires, mais il a précisé qu'il s'agissait plutôt d'un choix politique, la longévité de ces personnes entraînant un important déficit de la Sécurité sociale. « Le ministre de la Santé doit penser qu'il n'est pas souhaitable de voir le pays continuer à payer des pensions et des soins à des retraités improductifs qui n'en finissent pas de vieillir et d'être réparés », a-t-il avancé. Une troisième source ayant souhaité conserver l'anonymat aurait précisé : « Le gouvernement actuel étant socialiste, ils savent que les personnes âgées votent plutôt à droite, ils n'ont donc pas intérêt à voir ces derniers se multiplier. »

IRAN – Le Conseil des Ayatollahs vient d'autoriser la construction d'une bombe atomique de nouvelle génération cent fois plus puissante que toutes celles connues à ce jour, et qui serait, selon sa déclaration, « capable de détruire toute la planète ». La bombe a été baptisée « Paradis pour Tous ». L'Amérique et l'Europe ont appelé à des sanctions économiques pour tenter de dissuader le gouvernement iranien de se lancer dans ce chantier, défini comme « suicidaire pour tous ». Mais la Russie et la Chine ont mis leur veto, au nom du « droit souverain de l'État iranien de fabriquer ce qu'il veut sur son propre territoire ». Le président américain a pointé du doigt ceux qui jouent avec le feu et qui risquent de s'y brûler. Il a dénoncé ceux qui étaient prêts à toutes les compromissions pour vendre leur armement de haute technologie. « Vous êtes en train de tresser la corde qui va tous nous pendre », a carrément déclaré le président Wilkinson à ses deux homologues russe et chinois. « Le temps où l'Amérique était le shérif du monde est terminé, a répondu le président chinois. L'heure est désormais venue pour les Américains de cesser d'imposer au monde leur arrogance et de considérer qu'il y a d'autres points de vue que le leur. Surtout quand on est la première nation endettée du monde. »

PROJET « PAPILLON DES ÉTOILES 2 » – La construction du vaisseau spatial interstellaire à propulsion photonique baptisé *Papillon des Étoiles 2* se poursuit, malgré l'opposition des religieux, des nationalistes et de plusieurs lobbies politiques et économiques qui prétendent que ce sont, je cite, « des lâches qui fuient leur planète ». Le milliardaire canadien Sylvain Timsit a annoncé que les obstacles, loin de le décourager, le motivaient encore plus, et que les protestations et les sabotages qui se multiplient ne font que le « confirmer dans l'idée qu'il faut quitter cette vieille humanité sclérosée pour aller en inventer une autre, neuve et propre, ailleurs, loin dans le cosmos ».

EXPLORATION « FRANCO-MICROLANDAISE » – Après le dernier tremblement de terre qui a touché le golfe du Mexique, une faille aurait été découverte par nos sondes équipées de la nouvelle technologie avancée Puissance 10 microlandaise au milieu de l'Atlantique, entre l'Amérique et les Açores. Un bathyscaphe contenant un équipage micro-humain aurait approché de la faille et découvert des objets manufacturés, peut-être issus d'une civilisation vivant il y a plusieurs milliers d'années sur une île engloutie à cet emplacement. Cette ville submergée est située à une grande profondeur, mais il semble qu'avec les nouveaux scaphandres de technologie Puissance 10, nous puissions parvenir à descendre dans la faille révélée par les sonars. C'est le royaume de Microland et l'entreprise d'électronique privée Puissance 10 qui sponsorisent la première expédition dans les eaux profondes mexicaines, sur les traces de ce que certains nomment déjà « le continent englouti de l'Atlantide ». Les explorateurs pourraient partir dans les jours qui viennent pour avoir la primeur de la découverte de ce lieu d'archéologie sous-marine.

ASTRONOMIE – Un astéroïde géocroiseur de plusieurs centaines de kilomètres de diamètre serait en approche de notre planète. Cependant, les astronomes microlandais, ayant effectué des calculs de probabilité grâce aux nouveaux ordinateurs de Puissance 10, estiment que les risques d'une collision avec la surface terrestre sont très faibles. L'astéroïde baptisé « Théia 8 » devrait passer bien au large de notre atmosphère sans subir la force d'attraction gravitationnelle de notre planète.

MÉTÉO – Les températures sont de nouveau en légère hausse.

100.

Microlandaises, Microlandais,
Vous cherchez un coin avec des reproducteurs de qualité ? Essayez donc le nouveau restaurant La Fourmilière rouge. La Fourmilière rouge est à deux pas du palais royal, à l'angle nord du parc municipal, vous ne pouvez pas le rater. C'est le restaurant branché où les Emachs reproducteurs aiment se retrouver pour écouter les propositions des jeunes femmes emachs motivées et parfois un peu coquines.

Mais, après tout, la vie est trop courte pour ne pas en profiter.

Interdit aux moins de 3 ans.
Entrée gratuite pour les hommes.

À partir de 23 heures : open bar, et le restaurant se transforme en boîte de nuit avec les dernières chansons micro-landaises à la mode interprétées par le groupe vedette « Les Grillonnes stridulentes ».

101. ENCYCLOPÉDIE : RÉTRÉCISSEMENT DES ESPÈCES

Si l'on étudie le passé, on observe que les animaux n'ont cessé de diminuer de taille.

Les dinosaures se sont transformés en lézards.

Les mammouths se sont transformés en éléphants.

Les ailes des libellules qui mesuraient jusqu'à 2 mètres d'envergure sont passées à 12 centimètres.

Mais lorsque la température de la planète augmente, ce phénomène s'accélère.

Ainsi, il y a 55 millions d'années, lorsque la Terre a connu un réchauffement climatique de 6° C pendant 20 000 ans, les glaces fondirent, le niveau des océans monta, et les espèces connurent un rapetissement général.

Chez les insectes : les guêpes, les fourmis, les abeilles, les coléoptères subirent une réduction allant jusqu'à 70 % de leur taille. Les mammifères comme les rats et les écureuils rétrécirent de 40 %.

Actuellement, le nouveau réchauffement climatique agit de même. Sur 85 espèces étudiées, 40 ont considérablement réduit de taille depuis les vingt dernières années : les tortues, les lézards, les iguanes, les serpents, les crapauds, les mouettes, les pinsons, les pigeons, les ours polaires, les cerfs et les moutons.

Pour l'instant, la seule hypothèse avancée par les chercheurs David Bickford et Jennifer Sheridan, de l'université de Singapour, qui se sont penchés précisément sur ce sujet, serait que la montée des températures, en entraînant une plus grande sécheresse, réduit la taille des herbes, des fruits et des céréales (une augmentation de 1° C de la température réduit de 3 à 17 % la taille des fruits). L'augmentation du CO_2 acidifie les océans et réduit la taille du plancton et des algues, mais aussi des coraux et des mollusques. Aussi, ceux qui consomment ces aliments de base seraient-ils moins nourris et verraient-ils du même coup leur croissance freiner, voire s'inverser.

Actualisation de l'Encyclopédie du Savoir Relatif et Absolu,
Charles Wells, Tome VII.

102.

L'avant du bateau fend les flots, produisant une écume argentée. Devant la proue, les poissons volants filent, rasant la surface, mi-aquatiques mi-aériens.

C'est un bateau de Grands spécialisé dans l'exploration des eaux profondes, mais réarmé par les ingénieurs microlandais. Il a été exceptionnellement débaptisé pour prendre un nom plus microlandais : le *Lilliput Victory*.

Après avoir quitté depuis plusieurs jours le port de Micropolis, et s'être éloigné des Açores, le bateau se dirige vers la nouvelle faille qui vient de s'ouvrir entre l'île de Flores et la côte mexicaine.

C'est là en effet qu'une équipe de plongeurs a retrouvé des vestiges de civilisation humaine. Ils ont pu remonter des objets manufacturés. Le carbone 14 les a datés de plus de huit mille ans.

Le *Lilliput Victory* bat pavillon microlandais : mauve à cercle blanc, fourmi noire au centre.

À bord, en plus de l'équipage micro-humain, se trouvent des invités de l'« autre branche de l'espèce » (ce que certains Emachs appellent ironiquement « l'ancienne espèce ») : David

Wells, Aurore Kammerer, le colonel Natalia Ovitz, le lieutenant Martin Janicot.

Désormais, les deux scientifiques inventeurs des premiers Micro-Humains n'hésitent plus à s'afficher en couple. David et Aurore se tiennent par la main et s'embrassent souvent, comme s'ils tenaient à garder sans cesse un contact charnel.

Natalia a elle aussi des gestes tendres envers son immense compagnon, mais avec beaucoup plus de retenue.

– Je sais qu'il est un peu trop « haut », confie-t-elle aux membres de l'équipage du vaisseau, mais... je ne suis pas raciste.

Alors que Martin affiche une mine offusquée, elle lui pince la joue et précise :

– Considérez que c'est l'un des derniers représentants d'une espèce en voie de disparition... hein, mon mammouth ?

Il grogne puis l'embrasse affectueusement.

Sur son tee-shirt, quelques lois de Murphy adaptées à son humeur matinale. Il a choisi comme thème le couple :

111. Les femmes bien et les hommes bien sont déjà pris. S'ils ne sont pas pris, c'est qu'ils ont un problème caché.

112. La séduction est liée pour 30 % à ce que vous avez, et pour 70 % à ce que les autres croient que vous avez.

113. L'amour est la victoire de l'imagination sur l'intelligence.

114. Le mariage est la victoire de l'espoir sur l'expérience.

115. Les qualités qui attirent une femme vers un homme sont en général celles qu'elle ne peut plus supporter trois ans plus tard.

Le dîner est servi dans la salle à manger du *Lilliput Victory*.

Autour de la table en teck sculpté sont disposées des chaises pour les Grands et des chaises pour les Micro-Humains. L'ensemble du mobilier est conçu pour que les regards soient à même hauteur, qu'on soit humain ou micro-humain.

Sont réunis ce soir-là, outre les quatre invités grands, la capitaine du *Lilliput Victory* qui répond au nom d'Emma 103 683, plus quelques officiers micro-humains.

– En tant que Grands, nous sommes très honorés, capitaine, que vous nous accueilliez sur votre navire, signale Natalia. Nous avons suivi, bien sûr, le succès de votre mission de sauvetage des mineurs chiliens.

La capitaine microlandaise amorce un geste large pour désigner le décor.

– C'est moi qui suis comblée de vous recevoir sur ce vaisseau mixte, quatre anciens ministres de Microland parmi les plus prestigieux et les plus célèbres... mais aussi nos créateurs.

David observe la salle de réception du bateau.

– J'ai perfectionné ce décor en pensant à vous, docteur Wells.

Les invités grands s'aperçoivent que les tableaux accrochés aux murs ont tous le même thème : l'évolution. Ils sont composés d'une procession d'hominidés commençant en général par un singe et se terminant par un homme moderne. Mais pour chaque représentation, la chute est différente. Sur l'une d'elles, l'homme le plus évolué est un garçon obèse à lunettes en train de manger des hamburgers devant son ordinateur. Une autre procession est interrompue au milieu par l'arrivée d'un extraterrestre qui apprend à l'homme l'usage de l'outil. Une troisième procession aboutit à un homme dressé qui se voûte à nouveau pour redevenir un singe. Une quatrième aboutit à un homme de plus en plus petit. Une cinquième à un homme qui plonge dans l'eau pour redevenir une sorte de dauphin. Une sixième propose l'évolution vers un homme-insecte équipé d'antennes et qui creuse le sol. Une septième, un homme qui a des ailes comme les chauves-souris et qui s'envole.

La capitaine fait signe pour qu'une Emach sommelière leur serve du vin.

– Chère Emma 103 683, nous pouvons vous appeler 103 ?

La Microlandaise sourit. Natalia connaît leur protocole : depuis quelque temps, par simple esprit pratique, le mot Emma est devenu synonyme de titre de politesse au même titre que « Madame », alors qu'Amédée correspondrait à « Monsieur ».

Les Emachs considèrent que les chiffres des milliers correspondent au prénom et les autres, au nom de famille. Donc le prénom de la capitaine serait dans leur langue 103 et son nom de famille 683 (pour ceux qui sont nés avant le millier, on garde juste le nom générique).

– Bien sûr, approuve la Micro-Humaine.

– Dans ce cas, chère 103, sachez que nous apprécions la qualité de votre hospitalité, et nous espérons que cette expédition sera l'occasion de montrer la complémentarité de nos deux civilisations.

Natalia lève son verre empli de vin microlandais, issu de micrograins de raisin très sucré.

À la droite de la capitaine, se trouvent deux autres Emachs spécialement formées à la spéléologie sous-marine.

– Ce sont elles qui demain descendront dans la faille sous-marine, annonce-t-elle en les désignant.

Elles ont l'air très intimidées par la présence des invités grands et ne prononcent aucune parole de tout le dîner, se contentant de manger et de boire en essayant de faire le moins de bruit possible.

– Nous considérons ce voyage comme une sorte de lune de miel, enchaîne Aurore en levant à son tour son verre de vin.

Ils trinquent à nouveau.

– Aux « lunes de miel » !

La capitaine 103 se tourne vers David.

– Cher David Wells, j'ai entendu dire que votre père avait trépassé lors d'une exploration au pôle Sud. N'avez-vous jamais été tenté d'aller là-bas pour essayer de retrouver ses traces ?

373

David avale de travers et tousse longuement dans sa serviette, avant de retrouver sa respiration.

– Hum… Excusez-moi… En effet, mon père était parti en Antarctique à la recherche de squelettes de dinosaures enfouis dans un lac souterrain à 3 000 mètres sous la surface. Mais il ne les a pas trouvés.

– Ah ? comme c'est intéressant. Et il a trouvé quoi ?

– Des… hum… des… squelettes d'hommes géants.

La capitaine l'observe, dubitative, se demandant si c'est une blague, puis se retient de pouffer.

– Vous voulez dire des hommes plus grands que… vous ?

– Selon lui, dix fois plus grands, vivant dix fois plus long-temps. Enfin, c'est ce qu'il a pensé avoir trouvé dans ce fameux lac Vostok en Antarctique. Il l'a noté dans son carnet, et s'il devait ajouter un dessin à votre collection, ce serait probable-ment une procession partant du singe et allant vers un humain grand qui rapetisse puis… grandit à nouveau.

– Grandir ? Quelle idée surprenante ! Et pourquoi n'avez-vous pas divulgué cette information ? demande insidieusement la capitaine.

Le jeune homme veut répondre, mais c'est Aurore qui prend les devants.

– Ce n'est qu'une hypothèse, il n'y a jamais eu de preuves tangibles de l'existence de géants en prélude à notre humanité. En tant que scientifiques, nous ne pouvons affirmer quoi que ce soit sans le prouver, et un carnet manuscrit n'est qu'un témoignage personnel, pas une preuve objective. Ce carnet a autant de valeur qu'un délire romanesque.

– Alors ces « géants avant vous », vérité ou mensonge ? Nul ne pourra jamais en être certain, résume la capitaine.

Les marins micro-humains leur servent des plats en quantités différentes selon leurs tailles. Alors que les Micro-Humains mangent des cuisses de micro-poulets, on sert aux Grands des dizaines de ces mêmes micro-poulets entiers pas plus gros que des prunes.

– Quand même, ce serait extraordinaire s'il existait pour vous la même chose que pour nous : une espèce précédente plus grande et plus... comment dire, plus...

– ... Polluante ? ironise le lieutenant Janicot.

– Non, je voulais dire : plus expérimentée.

– Vous imaginez 8 milliards d'humains de 17 mètres de haut ! Ce serait pour le moins « encombrant »...

– Et vivant mille ans chacun, précise David.

– Quelle consommation de nourriture ! Ce serait dévastateur pour la faune et la flore !

– Sauf s'ils sont autorégulés et qu'ils apprennent à fonctionner en harmonie avec la nature, se permet d'ajouter Natalia qui semble elle aussi passionnée par le sujet.

– L'éducation ? La morale ? Allons, soyons sérieux, nous voyons bien que ça ne marche qu'un temps, comme une mode, et ensuite l'égoïsme reprend le dessus. Les gens sont fondamentalement jouisseurs. Et un égoïste-jouisseur de 17 mètres vivant mille ans doit faire de sacrés dégâts, vous ne croyez pas ?

Tous réfléchissent.

– En considérant l'hypothèse – purement romanesque – qu'il ait existé des géants sur Terre, bien sûr..., précise la capitaine.

– Ce n'est ni une question de mode ni de consumérisme, dit Natalia. Je crois qu'il peut réellement exister des humains qui, quelle que soit leur taille, peuvent se montrer mesquins ou généreux, égoïstes ou solidaires, avec une vue à court ou à long terme. Ce n'est pas non plus une question de volume crânien, c'est une question de... conscience.

– De conscience ? s'étonne la capitaine en mangeant avec des gestes délicats une cuisse de son poulet. Le mot « conscience » est un fourre-tout. Si vous avez écouté les actualités, le docteur Frydman parle aussi de conscience pour ses robots Asimov, et tout ce qu'il trouve à leur offrir pour y accéder, c'est... la névrose. Comme si être fou était un signe d'évolution !

Elle désigne un coin de la pièce, qu'ils n'avaient pas repéré en arrivant, où une chaîne d'hominidés aboutit à la bombe atomique.

La capitaine 103 semble satisfaite de sa repartie.

Ils mangent des pommes de terre qui, pour les Grands, semblent des olives.

C'est la capitaine microlandaise qui reprend en premier la parole.

– Quand même, s'il existait des géants avant nous sur la Terre, cela confirmerait que l'évolution va vers le rapetissement.

Le vent mugit à l'extérieur et le bateau commence à être secoué par les vagues. Ils retiennent les verres pour éviter qu'ils se renversent.

– Le rapetissement des espèces, c'était le thème de la thèse de David, rappelle Aurore. Inspiré d'un passage de l'Encyclopédie de ton arrière-grand-père, n'est-ce pas ?

– En tout cas, c'est le contraire de ce que prévoyaient vos prospectivistes officiels, il me semble, dit la capitaine. Si je me souviens bien des vieilles archives télévisées qu'on m'a projetées, ces derniers prévoyaient des humains plus grands grâce à une meilleure alimentation des bébés.

Les invités grands reprennent de larges cuillerées de minuscules pommes de terre.

– Et ils évoquaient aussi une plus grande « masculinisation » de la société, compte tenu des échographies qui révélaient le sexe des enfants et des traditions qui voulaient qu'on refuse les filles, notamment en Chine et en Inde. Avouez que notre existence, celle des Micro-Humains, est une sorte d'accident du parcours de l'évolution, qui aboutit au contraire de ce qui était prévu par vos spécialistes.

Elle désigne l'illustration représentant la chaîne qui va vers le rapetissement. Les autres Emachs approuvent. Alors, pour détendre l'atmosphère, la minuscule femme avec sa casquette à galons lève son verre de vin.

– Aux « accidents de l'évolution » !

Mais soudain elle s'interrompt, les regarde intensément.

– Quoi qu'il en soit, c'est vous, vous quatre, qui avez changé le cours de l'histoire. Et je suis sérieuse... pour moi, vous êtes des précurseurs. Mieux que cela : vous sauvez l'image de ceux de votre taille qui, je dois l'avouer, ont ces temps-ci très mauvaise presse chez nous.

Les Grands marquent leur étonnement, car ils connaissent mal les médias microlandais.

– Il est terminé, le temps de la « divinisation des Grands ». Beaucoup d'éditorialistes influents vous critiquent. Les jeunes surtout se montrent plus émancipés.

– C'est-à-dire ?

– Ils considèrent que vous êtes de grands animaux maladroits et brutaux. Ils voient que vous êtes incapables de contrôler vos pulsions. Enfin, beaucoup trouvent que votre hygiène est incomplète et, pour tout dire, vos glandes sudoripares étant plus volumineuses... selon nos sens, vous sentez mauvais.

Un long silence s'ensuit.

– Il faut que vous sachiez que de plus en plus de jeunes Emachs ont tendance à oublier ce que vous avez fait pour nous, poursuit l'officier de marine.

Une autre femme officier approuve.

– Le MIEL existe toujours, c'est un parti politique et il a sa place dans notre assemblée.

Natalia fronce les sourcils. On entend quelques Emachs mastiquer. La capitaine comprend qu'elle aurait mieux fait de ne pas aborder ce sujet, mais ne voyant pas comment revenir en arrière, elle préfère poursuivre :

– Je ne suis pas aussi extrémiste que ceux du MIEL. La théorie des géants avant les Grands est pour moi la preuve que certains Grands comprennent des choses que nous ne connaissons pas encore. Nous avons beaucoup d'enseignements à recevoir de « l'espèce aînée ». Quoi qu'en pensent les jeunes, nous ne pourrons pas en quelques générations de Micro-Humains remplacer la sagesse acquise par l'empirisme de milliers de générations de Grands et a fortiori de Grands eux-mêmes connectés aux souvenirs de leurs géants.

Elle lève à nouveau son verre de vin en l'honneur des invités et les Microlandais, soulagés, s'empressent de l'imiter.

– C'est pour cela que nous sommes ensemble ici, d'ailleurs. Et j'espère que nous trouverons des réponses à ces mystères dans les jours qui viennent. Quoi qu'il en soit, demain nous serons arrivés à destination, là où la première équipe a trouvé les débris.

Le vent se fait plus fort, les vagues plus hautes, et le bateau tangue.

La capitaine fouille dans un sac, en extrait des plaques brunes recouvertes de motifs complexes finement gravés.

– Voici les objets manufacturés trouvés au fond de l'océan. Ce sont les pièces d'un puzzle encore incompréhensible, mais peut-être qu'en ratissant les environs, nous en trouverons d'autres, plus significatives.

Ils sont secoués par une grosse vague. Lorsque les objets renversés sont remis d'aplomb, Aurore revient à la charge.

– Capitaine, vous parlez d'une manière qui ne me plaît finalement pas beaucoup… Vous croyez que vous, les Emachs, êtes plus intelligents que nous, les Grands ?

En une seconde la tension monte.

– Je n'ai pas dit cela, répond la capitaine, mais reconnaissez que…

– Eh bien, si vous êtes si forts, j'ai une énigme pour vous. Une énigme évolutionnaire, dit la femme aux yeux dorés.

– J'adore les énigmes, annonce aussitôt la capitaine 103, trop heureuse de la diversion.

– La voici : « Comment faire un carré avec trois allumettes ? »

Aurore glisse deux doigts dans la poche de Natalia, en tire une boîte d'allumettes, en prélève trois qu'elle tend à la capitaine.

Emma 103 observe l'assistance, hésite, puis saisit les trois allumettes, les pose au sol et commence à jouer avec pour composer des formes géométriques. Elle parvient à réaliser des triangles, mais pas à former un carré.

– Très bien, je relève le défi. Laissez-moi réfléchir un peu…, annonce-t-elle en se prenant au jeu.

La Micro-Humaine essaie de trouver, alors que tous se taisent et l'observent.

– Alors, toujours aussi sûre que les esprits emachs sont plus évolués que ceux des Grands ? ironise Aurore.

– Mais êtes-vous sûre qu'il existe une solution ? Cela me semble quand même un peu… comment dire… irréalisable ?

– Pour un petit cerveau, probablement, pas pour un grand, appuie aussitôt la jeune scientifique.

La Micro-Humaine ne relève pas la provocation.

– Pour ma part, je pense que c'est impossible. Vous me faites marcher.

– Je vous garantis qu'il existe une solution, signale David. Mon arrière-grand-père l'a trouvée.

– Peut-être que pour l'instant, au niveau des jeux d'esprit, vous ne nous avez pas encore égalés, souligne sa compagne.

– S'il y a une solution, je la trouverai, annonce Emma 103.

Et comme pour se convaincre de sa capacité à réussir, elle fixe le dessin montrant l'évolution allant vers des humains plus petits.

Sentant l'air devenir électrique, tous les convives se forcent à sourire poliment, pourtant les remarques de l'officier ont laissé des traces chez les Grands.

Emma 103, pour sa part, reste, les sourcils froncés, à observer les trois allumettes posées par terre.

103.

Vous avez l'impression, quand vous vous promenez au milieu des Grands, qu'ils pourraient vous écraser avec leurs grosses semelles pour peu qu'ils ne regardent pas où ils marchent ? A fortiori le soir quand la lumière décroît. Ils sont si maladroits.

Avec le buzzer Luciol, vous serez non seulement entouré d'un flash lumineux clignotant, mais un buzzer vous rendra visible à plusieurs mètres à la ronde.

Même si les Grands sont saouls. Même s'ils sont myopes.

Avec Luciol, fini la peur d'être écrasé par mégarde en faisant du tourisme chez les Grands.

104.

Et mes trois derniers humains de 17 mètres gravaient scène à scène le souvenir de leur monde disparu.

Cependant, si moi j'étais potentiellement immortelle, eux ne l'étaient pas. Même s'ils vivaient beaucoup plus longtemps que les minihumains, ils finirent par se dégrader.

Ce fut d'abord le plus jeune, Quetz-Al-Coatl, qui mourut. Il était resté longtemps dans une zone fraîche de la caverne et avait pris froid. La fièvre l'emporta en une nuit.

Puis ce fut la femme Yin-Mi-Yan. Elle eut une douleur au cœur. Quelque chose bouchait ses artères. Elle ressentit une pointe dans le sternum et s'effondra.

Ash-Kol-Lein, le plus ancien, resta seul. Il pleura longtemps son fils, puis sa femme, mais il ne voulut pas abandonner sa tâche.

Il continua donc de raconter la saga de sa civilisation disparue avec un acharnement redoublé, comme si seule cette mission donnait un sens à sa survie.

Cette fresque gravée sur les parois s'acheva dans la salle bordée d'un lac. Là, Ash-Kol-Lein œuvra seul, les mains emmitouflées dans des tissus pour éviter les crampes et les ampoules. Il avait de longs cheveux et une barbe blanche qu'il ne coupait plus.

Il raconta le quatrième fléau, l'astéroïde Théia 7, qui avait fait disparaître son île et son peuple, engloutis sous l'eau.

Quand il eut terminé le dernier ciselage, il ressentit l'envie que ressent tout artiste : contempler son œuvre avec un peu de perspective.

Il recula.

Son pied atteignit le bord de la berge, glissa, et il chuta dans l'eau, sans parvenir à remonter. Si bien que cet élément auquel il avait échappé de justesse lors du Déluge finit par le récupérer.

Je fis baisser la température du lieu, et son corps resta à jamais intact dans la glace.

C'était le dernier représentant de ma première humanité.

Il avait rempli sa mission.

105.

À l'avant du pont du *Lilliput Victory*, David et Aurore observent la lune argentée.

– J'ai été stupide de défier la capitaine. Nous allons avoir l'air ridicule demain quand nous allons avouer à Emma 103 que, nous non plus, nous n'avons pas la solution à l'énigme des allumettes… et qu'elle n'existe probablement pas.

– Si mon arrière-grand-père l'a notée dans l'Encyclopédie, c'est que la solution existe. Ce que je ne comprends pas, c'est pourquoi il ne l'a pas inscrite quelque part. J'ai cherché, je n'ai rien trouvé dans le livre.

– Qu'est-ce que je vais dire ? « OK, vous n'avez pas trouvé, mais nous non plus, finalement nos deux civilisations butent au même endroit » ?

– Les sous-entendus étaient lourds. Connaissant Emma 103, elle ne manquera pas de chanter l'anecdote, pour montrer que nous les Grands nous frimons beaucoup mais nous n'assurons pas. Qu'est-ce qui t'a pris de lancer ce défi, Aurore ?

– Je n'aime pas ses petits airs supérieurs. Dès que tu leur colles un uniforme, les gens se sentent investis de tous les droits.

– Tu aurais mieux fait de lui lancer une énigme qui a une solution. Comme celle des six allumettes qui forment quatre triangles équilatéraux lorsqu'on les met en relief pour former une pyramide.

– Non, l'énigme du carré est plus difficile. Depuis que tu me l'as proposée, elle occupe mon esprit en permanence. C'est sorti tout seul. Et puis, ces temps-ci, je n'ai pas envie d'être contredite.

Elle affiche un air mystérieux.

– Qu'est-ce que tu me caches encore ?

– J'ai une bonne et une mauvaise nouvelles, murmure Aurore.

– Commençons par la bonne.

– ... Je suis enceinte.

Il déglutit.

– Depuis le temps que nous fabriquons des humains en éprouvette, ajoute-t-elle, nous avons fini par en fabriquer un nous-mêmes, un mélange de toi et de moi. Comme il y a huit mille ans.

Il inspire profondément.

– ... Et la mauvaise nouvelle ?

– Comme il y a huit mille ans, nos enfants sont au nombre de trois. En fait, ce sont des triplés.

Il observe la lune qui semble se moquer d'eux.

– Hum... depuis combien de temps le sais-tu ?

– Je le savais avant de partir. Mais j'avais peur que tu ne me laisses pas participer à l'expédition. J'ai déjà fait une première échographie. Pour l'instant, ce ne sont que trois... « œufs », enfin je veux dire trois « embryons », mais ils semblent vouloir s'accrocher tous les trois.

– C'est une nouvelle extraordinaire, articule-t-il.

– Pour toi peut-être, pas pour moi. Je vais être transformée en barrique.

Ils se regardent, puis éclatent de rire et s'embrassent.

– Bon sang, tu ne pouvais pas m'annoncer une plus belle nouvelle. Nous sommes désormais immortels. Nos gènes vont s'unir et poursuivre notre histoire dans les générations prochaines de...

– D'Homo sapiens ?

Une étoile filante passe, ils la suivent des yeux.

– Fais un vœu, propose-t-elle.

– Non, je n'en fais pas, il vient de se réaliser. Je n'aurai plus besoin d'en faire avant longtemps.

Elle se serre contre lui.

– Oh, David, si tu savais comme je suis heureuse.

– Tu ne pouvais rien m'annoncer de plus beau.

– Tu m'aimeras encore quand je serai difforme avec mes trois têtards dans le ventre ? J'ai déjà des nausées. Mais je veux à tout prix descendre avec vous sous l'eau !

Il fait la grimace.

– Ce n'est pas conseillé.

– J'en étais sûre ! lance-t-elle. Je n'aurais jamais dû te le dire. Vous les hommes, vous êtes tous pareils, et considérez qu'être enceinte est comme une maladie. Je suis quand même la principale concernée.

– OK. C'est toi qui décides, dit-il. Après tout, c'est toi qui les portes, tes trois « têtards », et les têtards, ça aime l'eau.

L'air iodé emplit leurs poumons.

– Tu m'aimes ? demande-t-elle d'une petite voix.

– Pourquoi tu me le demandes maintenant ?

– J'ai vu dans ton Encyclopédie que ton Edmond Wells disait que l'amour faisait des miracles. « 1 + 1 = 3 », c'était sa devise.

David lui caresse la joue.

– Je vous aime tous les 1 + 3 à venir, ce qui fait : 4.

Ils s'assoient sur une caisse. David semble songeur.

– 1... + 1... + 1... + 1.

Soudain il sursaute.

– Bon sang ! J'ai trouvé.

– Quoi ?

– L'énigme ! Comment faire un carré avec trois allumettes !

Il allume son smartphone pour éclairer le sol, sort trois allumettes d'une boîte et en dépose une au sol.

– Une.

Il dépose une deuxième allumette pour composer une croix.

– Deux.

Aurore se demande comment il va résoudre le problème avec la dernière allumette...

Il pose la troisième allumette en diagonale entre les deux extrémités des allumettes en croix.

– Et trois...

Désormais elle reconnaît la forme.

– ... qui forme le chiffre 4. Et 4... c'est un carré, le carré de 2.

– Quoi ? C'était ça la solution ? Un jeu de mots sur le carré géométrique et le carré arithmétique ?

– Je dirais entre le mot et la signification du mot. Je suis sûr que tous les officiers du *Lilliput Victory* sont en train de plancher là-dessus.

Elle secoue la tête, incrédule.

– C'était ça, la solution ! Mais tu imagines, c'est de... l'arnaque !

Il la nargue.

– Je n'ai jamais dit que c'était une énigme « intellectuelle », ni « honnête » d'ailleurs.

– C'est carrément de la triche.

– Non, il faut basculer dans une autre dimension, où les mots ont un sens différent. N'est-ce pas la meilleure manière de faire avancer les choses ? Nous le savons tous les deux, il me semble.

Il veut à nouveau la serrer dans ses bras, mais elle ne se laisse pas approcher.

– Eh bien moi, je n'ai pas peur de dire que ton arrière-grand-père, le fameux Edmond Wells, n'était qu'un escroc.

Il essaie à nouveau de revenir vers elle en riant.

– Non, ce n'était pas un escroc... c'était un plaisantin. Je ne crois pas qu'il se soit jamais pris au sérieux, malgré tous ses textes de l'Encyclopédie. Il voulait entretenir la curiosité et le pétillement des neurones. Même cette énigme, dont je t'accorde que la résolution est « décalée », a servi à nous faire bouger les méninges. Dans l'Encyclopédie, il a même noté : « Ce qui est intéressant, ce sont les questions, et non les réponses. » Il savait que les réponses sont toujours décevantes.

Elle passe d'un regard réprobateur à un air tendre.

– Je reconnais que c'est cela que ne pourront jamais faire les robots de Frydman : changer de mode de pensée pour résoudre un problème.

– Mais c'est ce que pourront faire un jour les Emachs. C'est en cela qu'ils sont humains.

Elle pose sa main sur son ventre.

– Quand les trois têtards que j'ai derrière le nombril se trans-formeront en humains, nous leur transmettrons les fragments de l'Encyclopédie et les énigmes qui vont avec.

Il pose à son tour sa main sur son ventre et murmure, comme si cette phrase lui ouvrait de nouvelles perspectives.

– En tout cas, je l'espère de tout mon cœur, murmure-t-elle alors qu'une nouvelle étoile filante traverse le ciel noir.

106.

Microlandais, vous vous méfiez d'un client ou d'un associé grand, dont l'entreprise ne semble pas aussi saine qu'il le pré-tend ? Avec la BNM, la Banque nationale microlandaise, vous pourrez bénéficier d'une analyse de fiabilité de votre client grand.

Et vous verrez, contrairement à leur réputation, que tous les Grands ne sont pas des voleurs ou des exploiteurs. Nous pouvons travailler avec eux, pour peu qu'il y ait du respect des deux côtés. Et ce respect, la BNM vous le garantit.

La BNM : le bon numéro pour les investisseurs emachs exigeants.

107.

La sirène du *Lilliput Victory* retentit. Tous se réveillent.

David se désemboîte du corps tiède d'Aurore.

La sirène continue de mugir alors que les deux scientifiques s'habillent rapidement.

La capitaine 103 les réunit dans le poste de pilotage et se fait apporter un objet recouvert d'un tissu.

– C'est le moment de la « levée du voile », annonce-t-elle.

Elle soulève l'étoffe et révèle une forme sombre.

– Voilà ce que nous avons trouvé dans les filets dérivants, ce matin à six heures et quart.

L'étrange trésor passe de main en main, c'est assurément une pièce archéologique de premier plan. David y distingue le tracé d'une silhouette humaine, assise dans un triangle. Un fil relie sa tête à un cœur profondément enfoui sous terre.

– On a l'impression que cet homme dans la pyramide parle au cœur de la Terre, reconnaît la capitaine 103.

Aurore caresse de manière nostalgique l'image qu'elle croit identifier comme celle du chaman dans la pyramide.

– L'ouverture de cette faille, c'est un peu comme si la Terre, après un éternuement, avait eu une déchirure de peau, évoque Natalia.

– Non, un éternuement, c'est ce qui s'est passé au Puy de Côme, là je dirais plutôt un « bâillement », précise la capitaine 103.

Natalia à son tour récupère la pierre et examine le motif.

– La Terre qui nous parle... C'est une jolie idée.

Aurore prend d'un geste complice la main de David puis l'embrasse longuement.

Les Emachs semblent considérer que les mœurs des Grands sont un peu exhibitionnistes et, par pudeur, préfèrent tourner la tête plutôt qu'assister à ces incessants léchages de babines destinés selon eux à rassurer leurs couples, comme l'épouillage rassure les macaques.

Aurore songe que cette pudeur peut s'expliquer par le fait qu'ayant peu de mâles, les Micro-Humaines font peu l'amour, et quand elles le font, ce doit être avec une intensité qui compense la rareté.

En effet, dans l'esprit de la capitaine 103 chemine l'idée :
Nous avons remplacé la quantité sexuelle par la qualité.

Chez nous, les rapports sont moins nombreux que chez les Grands, mais plus intenses. Et nous n'avons pas besoin de faire

semblant pour impressionner les autres en nous donnant en spec-
tacle.

La capitaine 103 connaît le proverbe emach à propos des Grands : « Plus ils en parlent et plus ils le montrent, moins ils le pratiquent. »

Natalia observe la pierre :

– En tout cas, voici la preuve que depuis le début David n'a pas déliré, il y a bien les restes d'une civilisation engloutie sous la coque de ce bateau. Et nous avons un premier indice devant les yeux.

La capitaine du *Lilliput Victory* regarde sa montre.

– Ne perdons pas de temps. Préparez-vous rapidement. Dans une heure nous plongerons. Je propose que nous procédions de la manière suivante : nous utiliserons un engin de Grands capable de transporter des Grands et des Emachs.

– Nous vous remercions de vous donner autant de mal pour nous intégrer dans la mission, insiste Natalia.

La capitaine rajuste sa casquette.

– Hum… Je vous avouerais que si ça n'avait tenu qu'à moi, nous y serions allés sans vous. Mais c'est notre reine 109 qui a insisté pour que la découverte soit faite avec votre concours.

– C'est tout à son honneur, répond diplomatiquement la femme naine.

La capitaine 103 resserre la ceinture de son uniforme.

– Cela dit, vous ne pourrez évidemment pas nous accompagner jusqu'au bout. Nous descendrons ensemble au plus près de la faille et dès que le bathyscaphe ne pourra plus progresser, nous lâcherons deux de nos exploratrices équipées de réacteurs à propulsion hydraulique. Grâce à leur taille adaptée à la situation, elles franchiront la passe étroite que nous avons déjà repérée au sonar et qui semble donner accès à « l'autre côté de la barrière rocheuse ».

Elle précise :

– Vous pourrez suivre l'avancée des plongeuses grâce aux caméras placées sur leurs casques. Vous aurez même la possibilité de leur parler et de leur donner des directives.

– Vous êtes sûre que nous ne pouvons pas descendre en scaphandre nous aussi ? insiste Aurore.

– Même si nous vous autorisions à tenter l'expérience, votre taille vous empêcherait de supporter les hautes pressions.

Puis la capitaine 103 lui fait un signe de connivence.

– Désormais, profitez de « notre différence » sans vous poser de questions. Notre taille nous permet de pénétrer dans les endroits où vous ne pourrez jamais aller. A fortiori les crevasses sous-marines.

Elle fait signe à ses officiers pour qu'on leur apporte les tenues de plongée adaptées, puis supervise chaque geste de son équipage.

– Vous m'avez bien eue, docteur Kammerer. J'ai failli tomber dans le panneau.

– À propos de quoi ?

– De l'énigme des trois allumettes qui font un carré. Avouez-le, votre énigme est impossible à résoudre, n'est-ce pas ?

Elle prend un air mystérieux.

Des Emachs poussent de grands chariots remplis de combinaisons de plongée petites et grandes.

Tous enfilent la tenue mauve aux lettres blanc fluo : « Puissance 10 », suivies du slogan en lettres noires : « L'informatique dix fois plus petite pour dix fois plus de puissance. »

– Pourquoi devons-nous enfiler ces tenues si nous ne sortons pas ? demande Aurore.

– En cas de pépin, vous serez contente de pouvoir vous extraire du bathyscaphe en tenue étanche, répond la capitaine comme s'il s'agissait d'une évidence.

Tout en s'habillant, David sent l'adrénaline monter. L'appel du danger.

Cette même émotion qu'ont dû ressentir ses ancêtres dont il a hérité le goût pour l'aventure.

Il repense à son père, mort au pôle Sud en découvrant des squelettes d'humains géants.

Il repense à son arrière-grand-père, mort en forêt en observant des fourmis.

Et peut-être que bien avant, d'intrépides explorateurs (qui ont plus ou moins bien fini) ont su transmettre à leur progéniture leurs gènes de l'aventure.

Il se dit qu'il ne fait que prolonger une vieille tradition familiale, consistant à essayer de faire communiquer entre elles des civilisations normalement muettes, sourdes et aveugles les unes aux autres. Cette fois, il va essayer de faire communiquer une civilisation du passé avec une civilisation du présent, et peut-être même avec une civilisation du futur.

L'humanité existe en trois tailles, et en trois états d'esprit.

Il tire la fermeture éclair arrière de sa tenue étanche, et une idée l'effleure :

Et si l'égyptologue Champollion était lui aussi la réincarnation du scribe égyptien qui a gravé la pierre de Rosette il y a trois mille ans ?

Il récupère le morceau fossile manufacturé issu des abysses et l'observe.

Dans ce cas, Champollion n'aurait fait que retrouver son propre travail. Comme moi, je vais peut-être bientôt retrouver mon propre travail, non plus en rêve mais en réalité.

108. ENCYCLOPÉDIE : LA PIERRE DE ROSETTE

Le 15 juillet 1799, au nord du Caire, le lieutenant Pierre-François Bouchard, qui participe à l'expédition d'Égypte de Napoléon Bonaparte, est intrigué par une pierre noire

gravée, qui mesure plus d'1 mètre de hauteur sur 70 centimètres de largeur. Elle provient d'un temple, et a servi de matériau de construction pour les fortifications des Turcs de la ville de Rosette, dans le delta du Nil. Phénomène rare, elle est gravée en trois langues, dont une est identifiée comme du grec.

Dès lors, la précieuse stèle est rapportée en France et des copies du texte circulent dans le milieu des linguistes antiques.

La première traduction sera réalisée en 1803. Cependant, il reste à comprendre les deux autres langues qui sont analysées comme étant du démotique (langage courant parlé par le peuple égyptien) et des hiéroglyphes (langage sacré gravé par les prêtres sur les monuments et les tombes).

Ce sera finalement Jean-François Champollion qui, le premier, émettra l'hypothèse que, pour comprendre le langage des hiéroglyphes, il faut associer les dessins aux syllabes phonétiques.

Champollion avait 10 ans lors de la découverte de la pierre de Rosette, mais, très jeune, il se passionne pour les langues et l'Égypte. À 16 ans, son frère Joseph lui fait rencontrer son oncle qui faisait partie de l'expédition de Napoléon. Sa passion pour le décryptage commence avec l'évocation de cette fameuse stèle en trois langues. Champollion décide de mettre toute son énergie à la déchiffrer.

À 18 ans, Jean-François Champollion parle hébreu, arabe, araméen, chinois, copte (avec l'intuition que cette langue parlée par les chrétiens d'Égypte est un dérivé du démotique égyptien).

C'est en 1822 qu'il a la révélation du mécanisme de la langue hiéroglyphique en analysant un cartouche. Il repère le signe solaire Râ (qui est représenté par un rond avec un point au milieu et un trait en dessous) et juste à côté un autre dessin qu'il sait signifier la sonorité Msé (sorte de fouet à trois branches) et enfin un troisième dessin qui signifie un doublement de la lettre Ss (deux crochets semblables à des bâtons de berger).

Cela donne donc :

Râ (le soleil), Msé, Ss.

Phonétiquement : Ra-Msé-Ss.

Métaphoriquement : « Le Soleil lui a donné la vie. »

De là, Jean-François Champollion déduit que ce « Soleil lui a donné la vie » n'est pas seulement une phrase mais un nom. Celui d'un pharaon : Ramsès.

Il vient d'un coup de trouver la clé pour décrypter tous les hiéroglyphes des temples. Ils sont symboliques *et* phonétiques. Ainsi peut-il comprendre le texte de la pierre de Rosette (il s'agit en fait d'un décret de Ptolémée V, rédigé en 196 avant Jésus-Christ, réglant son héritage et l'organisation des prêtres d'Isis), mais surtout, Champollion peut dès lors traduire toutes les inscriptions en langage hiéroglyphique.

C'est toute une civilisation oubliée et mystérieuse qui d'un coup se dévoile aux historiens.

Champollion reste cependant prudent dans ses traductions, car les datations révélées vont bien au-delà de trois mille ans (maximum de temps passé envisagé par le christianisme) et il craint de s'attirer les foudres religieuses en révélant que le calendrier égyptien commence bien avant ce qui est censé être la Genèse du monde avec Adam et Ève.

Il va analyser le zodiaque de Denderah (l'une des premières cartes astronomiques connues de l'humanité), découvrir le texte du *Livre des morts* égyptien et comprendre que ce texte décrit un voyage au Pays des morts qui aboutit à la réincarnation.

Il comprend même que ce voyage est inspiré de l'observation de la mue des insectes (d'où notamment les bandelettes qui font ressembler le corps humain à une larve de fourmi, et le tombeau dans la pyramide qui est à l'emplacement de la loge royale dans la fourmilière).

Il découvre aussi la symbolique du scarabée sacré (son hiéroglyphe se prononce Kheper). La fascination des Égyptiens pour les scarabées est liée au fait que l'insecte pousse une sphère qui, selon eux, représente le Soleil. Dans les textes trouvés dans les tombeaux et sur les temples, le mot Kheper signifie, selon le contexte : transformation, évolution, métamorphose.

À partir des traductions des textes anciens, on va passer en France de l'égyptomanie à l'égyptologie, c'est-à-dire d'une mode dans la bourgeoisie branchée, à une vraie science qui relie la civilisation actuelle à une civilisation disparue, fondée sur le culte de la renaissance par l'observation de la métamorphose des insectes.

Encyclopédie du Savoir Relatif et Absolu,
Edmond Wells, Tome VII.

109.

Mesdames, vous travaillez, vous faites la cuisine, le ménage, vous courez partout et n'avez pas le temps de couver vous-mêmes vos œufs ? Prenez une couveuse individuelle à thermostat régulé « Couvy ».

Avec Couvy, vous pouvez surveiller par échographie la formation de votre fœtus. Avec Couvy, fini les hémorroïdes à force de rester immobile, les fesses collées à vos œufs. Couvy, la marque des mères modernes responsables et exigeantes... aux fesses sensibles qui souhaitent malgré tout une couvaison de qualité.

110.

Le bathyscaphe jaune, baptisé *La Daphnée*, est soulevé par la grue de proue du *Lilliput Victory*. Le bras d'acier pivote et place l'engin d'exploration profonde au ras de la surface des flots.

Par l'échelle supérieure, un à un, les quatre Grands pénètrent dans l'habitacle de l'engin sous-marin.

Sur une échelle plus étroite, la capitaine 103 descend à son tour, accompagnée des deux plongeuses, dans le vaisseau conçu entièrement en titane pour résister à la pression.

L'habitacle est exigu. Chacun s'installe à la place qui lui est attribuée.

Aurore chuchote tout près de l'oreille de son compagnon.

– Tu crois qu'on va reconnaître les lieux où nous nous sommes jadis rencontrés ?

Puis le sas supérieur est refermé.

Chacun attache la sangle de son fauteuil.

De gros hublots hémisphériques leur permettent de voir l'extérieur.

Sous le commandement de la capitaine 103, toutes les manœuvres de vérification sont accomplies, puis l'écran plafonnier qui permet d'entrer en liaison avec le bateau est allumé.

– Paré à plonger ? questionne-t-elle.

– Procédure enclenchée, capitaine, réplique aussitôt le second qui fait office de capitaine de remplacement sur le *Lilliput Victory*, et qui répond au nom d'Emma 555 372.

– Demande autorisation de plonger.

– Autorisation accordée. Mise à l'eau. Libérez *La Daphnée*.

Ils entendent les cliquetis des pinces qui lâchent le bathyscaphe.

Bientôt, l'engin sous-marin est désolidarisé du *Lilliput Victory*.

– Remplissage des sas. Vérification des tanks d'équilibrage.

La capitaine enclenche alors le chassé d'air des ballasts, et surveille le remplissage d'eau de mer. Doucement, le petit engin descend sous la surface.

Puis la capitaine 103 lance les moteurs électriques de direction et *La Daphnée* aborde une descente légèrement oblique.

Au début, ils progressent sans utiliser les projecteurs à l'avant car, comme l'explique la capitaine 103 : « Il faut économiser au maximum l'électricité des batteries. »

L'écran latéral indique :

Profondeur 200 mètres.

Les eaux sont encore bleu clair. Mais elles s'assombrissent peu à peu pour devenir un crépuscule aquatique.

Profondeur 500 mètres.

– Nous avons longtemps cru qu'au-dessous de 200 mètres, la pression, l'obscurité et le froid empêchaient toute forme de vie de proliférer, remarque Natalia Ovitz.

Ils distinguent des petits poissons luminescents avec de gros yeux globuleux.

– ... mais la nature trouve toujours des solutions, conclut-elle.

Ils distinguent à travers le hublot une forme étrange.

– C'est quoi ce bestiau de plusieurs dizaines de mètres de long ? questionne Martin Janicot.

– C'est un siphonophore, annonce David en connaisseur.

– On dirait un large épi de blé qui nage. Il fait bien 40 mètres de long...

– C'est un superorganisme. Le siphonophore est composé d'une colonie de milliers d'individus attachés les uns aux autres comme les wagons d'un train.

– Un animal-colonie ? questionne Natalia, intriguée.

– Ce qui est encore plus fort, c'est que lorsqu'ils sont ensemble, chaque wagon de ce train vivant a sa spécialité : la sexualité, la chasse, la propulsion… ceux de derrière propulsent, ceux de devant mordent, ceux des côtés produisent du poison. C'est encore plus fusionnel que chez les fourmis, les termites ou les abeilles, reconnaît David.

– En poussant plus loin, vous imaginez un superorganisme humain formé de milliers de personnes qui se tiennent en permanence par la main et qui ne se quittent jamais, tout en étant tous spécialisés dans un domaine différent et complémentaire ? suggère Aurore, rêveuse.

– Ce serait une sorte de famille collée en permanence, un vrai cauchemar. J'ai déjà eu beaucoup de mal à couper le cordon avec ma mère ! reconnaît David.

La descente se poursuit en eaux profondes.

Profondeur 1 000 mètres.

La lumière décroît encore.

Profondeur 1 200 mètres.

La lumière disparaît progressivement.

Profondeur 1 500 mètres.

Ils sont dans l'obscurité totale. La capitaine 103 se résigne à allumer les projecteurs.

Tous distinguent par les hublots des poissons de plus en plus clairs, aux yeux de plus en plus demesurés qui les font ressembler à des caricatures monstrueuses. David, qui a toujours eu une passion pour la zoologie, reconnaît des anguilles blanches, des grandgousiers, des murènes argentées, des poissons-rubans.

– Regardez celui-là, c'est quoi ? demande Natalia.

– Un calmar-vampire, il est reconnaissable à son regard bleu saphir qui a inspiré son nom.

– Et celui-là ? demande la femme naine.

– Un poisson-lanterne. Il possède une excroissance frontale qui se termine par une petite lampe. Regardez, il peut moduler l'intensité de sa lumière et même la faire clignoter pour attirer les proies.

– J'en ai vu un qui apparaît et disparaît, c'est possible ?

– En dehors de la colonie et de l'émission de lumière, la troisième stratégie de survie dans ce milieu extrême est la transparence. Celui-là, c'est un calmar Vitronella, s'il le veut, il peut devenir pratiquement invisible.

– Vous imaginez un homme avec une peau si translucide qu'on verrait à l'intérieur de son corps le cœur battre et les alvéoles des poumons se gonfler ? reprend Martin, songeur.

Ils continuent de descendre dans les eaux noires.

– Enclenchement du sonar panoramique ! annonce la capitaine Emma 103 qui ne se laisse pas distraire par les discussions de ses compagnons de voyage.

Elle presse les touches d'un clavier et plusieurs écrans affichent des informations qui semblent la préoccuper.

La descente se poursuit.

Profondeur 1 900 mètres.

Ils progressent au milieu de flocons blancs qui ressemblent à de la neige mais qui, à bien y regarder, se révèlent être des crevettes.

Profondeur 2 600 mètres.

Des multitudes de poissons clairs circulent au milieu de formes tubulaires elles-mêmes recouvertes de crabes blancs.

– On est dans l'obscurité totale et pourtant on dirait que la faune et la flore s'y épanouissent parfaitement, remarque Natalia. Jusque-là je croyais que toutes les formes de vie avaient besoin, de manière directe ou indirecte, de la lumière du soleil.

Ils descendent dans un décor de plus en plus étrange.

La capitaine augmente la puissance des projecteurs faciaux et latéraux. Aussitôt apparaissent à perte de vue des cadavres de baleines.

– Elles viennent toutes mourir ici, articule David.

– Comme le cimetière des éléphants. Ou les anguilles dans la mer des Sargasses, ce sont des espèces qui ont des rendez-vous en des lieux précis de la planète pour des raisons inconnues.

– Et les petits charognards qui sont sur elles ?

– Ce sont des poissons grenadiers, ils dévorent les cadavres de baleines, commente David. Tout finit par descendre au fond des océans pour être recyclé. Ces grenadiers sont les premiers éboueurs, mais regardez, il y a aussi des anguilles à ventouses.

– Vous imaginez si tous les humains, à l'approche de la mort, se sentaient mus par un appel inconscient et se retrouvaient au même endroit de la planète ? reprend Martin, toujours anthropomorphe.

– Pourquoi veux-tu à tout prix comparer l'homme à ces animaux bizarres ? demande enfin Aurore.

– Parce qu'ils sont soumis à un milieu difficile et qu'ils ont trouvé des adaptations de survie surprenantes. Comme nous risquons nous aussi d'avoir à le faire...

– Ah oui, j'oubliais les lois de Murphy : « Tout ira de plus en plus mal, on va devoir être transparent, vivre en colonie en se tenant par la main et puis se retrouver au même endroit pour crever... »

Le lieutenant cherche la position la moins inconfortable pour son grand corps dans l'habitacle exigu, mais il a du mal à la trouver.

– J'aime bien réfléchir à ça, oui. Ce sont aussi des évolutions possibles...

Profondeur 3 200 mètres.

Toutes sortes de poissons blancs ou phosphorescents circulent autour d'eux avec des gueules qui semblent tout droit sorties des tableaux de Jérôme Bosch.

– Fantastique, commente David en prenant son appareil photo. La pression selon cet écran est de 300 atmosphères et la température de 1° C. Pas de lumière, pas de chaleur, peu d'oxygène, et pourtant chacune de ces espèces a trouvé une stratégie pour braver cet enfer.

– Ces processus adaptatifs les ont amenés à ressembler à des monstres, constate Natalia. Et celui-là, c'est quoi ? demande-t-elle en montrant du doigt un animal avec des lampes.

– Cette sole avec un fil sur le front, c'est un poisson-fouet. Tout comme le poisson-lanterne, il utilise un appât lumineux pour attirer ses proies, mais grâce à ce long fouet il peut pêcher de loin, explique David, admiratif.

Un poisson s'approche du hublot.

– Celui-là est équipé d'une vessie natatoire qui lui permet d'accélérer comme s'il était équipé d'un réacteur.

– Et cette tête de gargouille, c'est quoi ? demande Aurore en montrant un poisson aux longues dents effilées comme des aiguilles.

– Un poisson-ogre. Ses dents sont si longues qu'il ne peut pas refermer complètement la bouche.

– Donc il reste en permanence la bouche ouverte ?

– Ils ont tous des gueules demesurées ! C'est une adaptation ?

– Ici, il y a peu de proies, alors quand ils en trouvent, ils ne doivent surtout pas les laisser filer. Celui-là, le grand-gousier pélican, a une mâchoire grande comme la moitié de son corps.

– La nature n'a pas le même sens de l'esthétique que nous, reconnaît Natalia.

– Là, regardez celui-ci à la peau transparente, ses intestins sont noir opaque afin de l'empêcher d'être visible quand il mange des proies luminescentes, commente David.

Alors qu'ils découvrent ces étranges créatures, surgit soudain devant eux un énorme poisson.

– Un requin ! Qu'est-ce qu'il fait aussi profond ? s'exclame Martin.

– C'est un requin griset, celui-là doit bien faire 8 mètres de long. C'est un vrai fossile vivant. Ces requins sont tellement parfaits qu'ils n'ont pas évolué depuis 180 millions d'années. Ils arrivent même à plonger jusqu'à 3 000 mètres, là où tous les poissons ont été obligés de changer de morphologie pour supporter la pression. Ces requins n'ont eu besoin d'aucune modification.

Après avoir tenté quelques morsures exploratoires sur le bathyscaphe et compris que ce n'était pas comestible, le puissant prédateur s'éloigne tranquillement.

La descente continue.

Profondeur 3 400 mètres.

Les tubulures de plus en plus larges forment une forêt de bambous dense où grouillent anguilles et crabes blancs.

Ce décor leur donne la sensation de découvrir une autre planète, avec sa faune et sa flore inconnues, incomparables, en formes et en couleurs, à celles qu'on trouve en surface.

– Vous imaginez si un humain des abysses était parvenu à s'adapter dans un milieu aussi hostile ? demande Martin, toujours inspiré.

Chacun y va de sa proposition et tente d'imaginer une telle hypothèse.

– Ce serait un humain avec une peau transparente, propose Aurore.

– Ou une lanterne sur le front, complète Natalia.

– Ou des muscles luminescents sous sa peau transparente.

– Il vivrait en colonies inséparables.

– Une vessie propulsante aux fesses.

– De longues dents qui l'empêcheraient de refermer la bouche.

La plongée continue et ils découvrent que la nature a trouvé encore bien plus de solutions, pour poursuivre l'aventure de la vie, que les humains ne peuvent en imaginer.

111. ENCYCLOPÉDIE :
MÉDUSE TURRITOPSIS NUTRICULA

Il existe dans la nature un être capable de rajeunir une fois qu'il a atteint son âge de maturité. Il s'agit de la méduse *Turritopsis nutricula*.
Cet animal mesure 5 millimètres et a été pour la première fois découvert dans la mer des Caraïbes.
Sa particularité est la suivante : alors que toutes les cellules animales sont programmées pour vieillir et mourir, celles de cette méduse sont capables de résister au processus d'usure du temps. Arrivée à maturité sexuelle, la *Turritopsis* inverse la programmation de ses cellules et se met à rajeunir pour redevenir... juvénile. Arrivée à un stade adolescent pour elle (qui la fait ressembler à un simple polype), elle se remet à vieillir. Puis de nouveau à rajeunir. Et elle peut recommencer ainsi sans aucune limite. Ce processus est nommé « transdifférenciation ».
Jusque-là, on ne connaissait comme phénomène comparable que la salamandre, qui peut se faire repousser une queue neuve, mais cette méduse sait renouveler la totalité de ses cellules, et ce indéfiniment.
En théorie, la *Turritopsis nutricula* est donc immortelle.
Cependant elle n'est pas indestructible, et elle peut mourir de maladie, ou devenir le repas d'un prédateur, comme n'importe quel autre animal vivant.
On assiste depuis quelques années à sa prolifération, due probablement au réchauffement climatique ainsi qu'à la disparition de ses prédateurs naturels, thons et requins, victimes de la surpêche. La dissémination de cette petite méduse

immortelle dans tous les océans se fait par les sous-marins qui les aspirent dans une mer et les rejettent dans une autre.

Encyclopédie du Savoir Relatif et Absolu,
Edmond Wells, Tome VII.

112.

La Daphnée s'enfonce dans les abysses.

Enfin, après avoir fouillé l'obscurité avec les torches mobiles à l'avant, la capitaine 103 annonce :

– Objectif repéré à 12° bâbord.

Ils peuvent alors contempler à travers les hublots une sorte de plissement du sol, comme si on avait soulevé une vieille moquette.

– Regardez là ! annonce l'officier.

Autour de l'ondulation minérale flottent des objets : vases, assiettes, amphores, tous d'une taille demesurée.

L'écran indique :

Profondeur 3 442 mètres.

La capitaine 103 oriente *La Daphnée* afin que les projecteurs éclairent le pli, qui révèle un orifice sombre au fond duquel scintillent des lueurs.

– Il faut pénétrer dans cette faille, mais le bathyscaphe est beaucoup trop large.

– Et si l'on fait exploser l'entrée ? demande Natalia.

– Nous ne savons pas ce qui se cache derrière.

– Cela a l'air profond. Nos amis Emma 678 912 et Emma 453 223 vont poursuivre l'exploration sous cette plaque de roche.

David reconnaît qu'aucun humain de taille normale ne pourrait y pénétrer, même pas Natalia, les bords du plissement étant écartés de dix centimètres tout au plus.

Les deux plongeuses enfilent prestement leur tenue de sortie. Elles veillent à soigneusement verrouiller les casques qui forment des bulles de verre autour de leur tête.

Elles disposent les lests de plomb autour de leur taille et serrent les courroies du propulseur hydraulique dorsal. Puis elles chaussent les palmes.

Elles pénètrent ensuite dans le premier sas de décompression, qui mène au second sas de transition, et l'eau commence à monter lentement autour d'elles.

Quand toutes deux sont entièrement immergées, la capitaine 103 actionne le système d'ouverture de *La Daphnée* et les deux petites exploratrices sont éjectées dans le monde sombre des profondeurs abyssales.

Elles enclenchent leurs propulseurs dorsaux et utilisent leurs palmes pour orienter leur trajectoire. Au sommet de leurs casques transparents sont placées une torche lumineuse et une caméra vidéo. Elles peuvent avancer, éclairer et filmer simultanément.

Les deux Emachs sont transformées en poissons lumineux au milieu des autres poissons phosphorescents.

Soudain une énorme baudroie des abysses, bardée de longues dents effilées, surgit. Elle est deux fois plus grosse que les Micro-Humaines et, comme elles, pourvue d'une lampe frontale.

– Zut ! On aurait dû les armer d'un fusil harpon ! regrette Natalia.

– Ne vous inquiétez pas, dit la capitaine 103, même si elles ne sont pas transparentes, elles sont débrouillardes, elles sauront trouver une solution.

Le monstre se fait plus inquiétant. La baudroie ouvre sa grande gueule aux longues dents semblables à des aiguilles. C'est alors que se déroule devant les hublots de *La Daphnée* une course-poursuite entre les deux exploratrices et la gargouille lumineuse qui tente de les happer.

Après un ballet compliqué et plusieurs volte-face, les Micro-Humaines se séparent et, alors que la baudroie poursuit la première, la seconde se cache dans les interstices d'un crâne de baleine.

Elle attend que l'animal s'approche, et soudain, poignard en main, elle lui saute sur le dos, le chevauche sur une courte distance et tente de lui enfoncer son arme dans le front, juste au-dessous de son appendice lumineux.

Mais la baudroie des abysses la désarçonne et fonce à sa poursuite, jusqu'à ce que quelque chose attire son attention. Un mâle baudroie. L'animal est dix fois plus petit que sa femelle, il n'est équipé ni de ses mâchoires ni de sa lampe frontale, mais il envoie des messages chimiques dans l'eau qui affolent la femelle.

Dès qu'elle est suffisamment proche, tel un missile il lui fonce dessus et plante ses crocs dans son dos.

– Sauvés par l'amour, murmure Martin.

– C'est quand même bizarre, leur mode d'accouplement, remarque Natalia.

– Chez les baudroies des abysses, c'est vraiment spécial. Le mâle planté dans sa chair va fusionner avec la femelle et il ne la lâchera plus jamais, explique David qui a lu un article là-dessus dans l'*Encyclopédie du Savoir Relatif et Absolu*.

Intriguée par ce concept, Aurore ne peut quitter des yeux le monstrueux poisson qui a failli mettre à mal leur projet et qui semble vivre un instant d'extase.

Elle repère les deux exploratrices qui traversent une zone déserte et, curieuse, lance :

– Vas-y, raconte.

– Non, désolé, répond David, ce n'est vraiment pas le moment, je préfère suivre nos deux aventurières.

113. ENCYCLOPÉDIE : SEXUALITÉ DES BAUDROIES

La baudroie abyssale, aussi nommée poisson-dragon, descend entre 1 000 et 4 000 mètres de profondeur, et vit dans l'obscurité la plus totale. C'est un animal impressionnant, dont l'énorme gueule est bardée de dents acérées, et qui porte une lampe suspendue à son front, au bout d'un long appendice, pour attirer ses proies.

La femelle baudroie a la taille d'un melon et son mâle la taille d'une cerise.

Quand une femelle passe à côté d'un mâle, il se jette sur elle et plante ses deux dents protubérantes dans sa chair. Il ne la lâchera plus.

Dès lors, le mâle va fusionner avec la femelle. Son système respiratoire et son système sanguin seront désormais alimentés par ceux de la femelle.

Le mâle va continuer de vivre ainsi accroché à sa partenaire, mais perdra progressivement tout ce qui ne lui est plus indispensable : ses yeux, ses nageoires, son système digestif, et il ne restera dans la femelle qu'un... testicule toujours actif qu'elle utilisera à sa guise.

Comme il n'est pas très volumineux, la femelle pourra continuer à chasser tout en gardant son mâle (ou du moins ce qu'il en reste) planté dans sa chair.

En retour, la femelle pourra ponctionner dans ce mâle, réduit à l'état de testicule, tous les spermatozoïdes qu'elle souhaite et qu'il continuera de fabriquer indéfiniment.

Lorsque les pêcheurs remontent des baudroies abyssales dans leurs filets, il n'est pas rare qu'ils trouvent des femelles avec plusieurs mâles plus ou moins décomposés accrochés à ses flancs, ou même parfois plantés dans son dos, ses joues ou son front. Ce poisson se retrouve chez le poissonnier et dans nos assiettes, une fois l'abominable tête coupée, sous la dénomination « queue de lotte ».

Encyclopédie du Savoir Relatif et Absolu,
Edmond Wells, Tome VII.

114.

Le président Drouin s'extirpe de son large fauteuil et, après avoir reposé son combiné téléphonique, marche dans la pièce.

– Ainsi ils sont là-bas, les vôtres et les nôtres, et il semble que tout se passe bien.

Il fait le tour de la pièce puis, nerveux, se rassoit et fixe son invitée : la reine Emma 109. Elle est juchée dans un fauteuil spécial, encore plus étroit que celui du colonel Ovitz, qu'il a fait construire spécialement à son intention afin que leurs regards soient à la même hauteur.

– David, Aurore, Natalia sont loin. Au milieu de l'océan, sur la grande faille dorsale de l'Atlantique… ils sont aussi en profondeur, 3 000 mètres, c'est ce qui est important pour qu'ils ne se mêlent pas de politique ces temps-ci. La spéléologie sous-marine est un excellent dérivatif.

La reine regarde le bureau.

– Il paraît que jadis vous aviez des huissiers emachs sur votre table pour tenir vos stylos. Je vois que vous y avez renoncé…

Le président se lève de sa chaise et va vers la table où se trouve le jeu d'échecs heptagonal. Il passe sa main au-dessus des pièces.

– Les choses évoluent. Vous avez failli être éliminée, mais vous êtes à nouveau dans le jeu, Emma 109, ou dois-je vous appeler Majesté ?

– Votre Majesté, ce sera bien. C'est ainsi qu'on m'appelle dans mon pays.

Il hésite à ironiser puis, voyant l'air sérieux de la Micro-Humaine, consent à prononcer :

– OK... Votre Majesté.

En même temps, il dépose le roi mauve sur sa case.

– Merci... monsieur le président.

Il replace toutes les autres pièces, puis, avec la ligne des pions, dessine une avancée du camp des mauves vers le centre.

– Que représente ce jeu ? Cela ressemble à un jeu d'échecs mais en plus... coloré.

– C'est une invention de Natalia Ovitz, ce sont les sept voies du futur symbolisées dans une sorte de nouveau jeu d'échecs à sept camps.

– Et nous, les Micro-Humains, nous sommes...

– Les mauves.

Elle est intriguée.

– Je ne sais pas jouer aux échecs.

– On apprend vite, et parfois on joue aux échecs sans même le savoir. Moi j'y joue depuis l'âge de 6 ans, j'adore cela. Lorsque j'étais jeune, je faisais même des tournois. Je jouais contre des plus grands... enfin je veux dire contre des adultes.

La reine Emma 109 se démène dans son petit fauteuil, regrettant de ne pouvoir se mouvoir comme son vis-à-vis dans la pièce.

– Pourquoi avez-vous tenu à me rencontrer en tête à tête, monsieur le président ?

– Parce que le jeu a évolué et que vous êtes à nouveau dans la partie. Vous êtes donc une voie d'avenir que je tiens à ménager, voire à mettre dans mon camp.

– Et votre camp est lequel, précisément ?

Il a un geste vague.

– Un peu tous, mais actuellement, le vôtre est celui qui m'intéresse le plus, pour ce qui me semble la plus noble ambition d'un chef d'État : bâtir un monde viable pour nos enfants.

Il tourne autour du jeu.

– Alors, dans ce cas, quels sont nos ennemis, monsieur le président ?

Il inspire profondément.

– Il n'y a pas de réels ennemis, les autres sont plutôt « des concurrents ». Chaque camp pense qu'il détient le choix qui va se révéler le meilleur pour le futur.

– Je vois.

– Et puis, tous les camps peuvent gagner en même temps et... tous peuvent perdre en même temps. C'est ce qui rend ce jeu plus subtil que le jeu d'échecs un peu manichéen, entre les blancs et les noirs.

La reine, après avoir hésité, saute depuis son fauteuil pour atterrir sur le bureau de Stanislas Drouin. Elle s'assoit sur un gros livre qui est en fait la Constitution de la République.

– Si nous sommes les mauves, qui sont les autres couleurs ?

– Si je devais résumer rapidement : Blanc : la voie de la consommation. Vert : la voie de la religion. Bleu : la voie des machines. Noir : la voie de la conquête spatiale. Jaune : la voie de la vieillesse. Rouge : la voie de la féminisation. Et donc, Mauve : la voie du rapetissement.

La reine empile quelques livres pour s'en faire un fauteuil encore plus confortable et s'assied.

– Si je vous ai fait venir, Votre Majesté, et si j'ai souhaité cette entrevue, c'est parce que j'ai une proposition précise à vous faire en vue de renforcer nos liens.

– Je vous écoute, monsieur le président.

– En toute honnêteté, je crois que nous allons vers une catastrophe majeure et générale.

Il inspire, puis poursuit.

– Et au-delà des joueurs, j'aurais voulu sauver non pas un camp, mais le jeu dans son ensemble.

Il se dirige vers la mappemonde posée sur son bureau.

– En fait, le jeu est incomplet. Il faudrait ajouter un huitième joueur.

Il fait tourner la mappemonde.

– Le huitième joueur est… notre planète : la Terre. J'ai pris conscience de cela il y a une semaine, alors qu'on annonçait un nouveau tremblement de terre en Indonésie. La Terre est un joueur personnifié par le plateau de l'échiquier lui-même. Et nous faisons tellement attention aux mouvements des pièces que nous ne le voyons plus…

La reine lève un sourcil.

– La Terre… quelle drôle d'idée. Elle n'a pas de système nerveux, il me semble. Donc pas d'intelligence, pas de conscience possible.

– Elle n'a pas de parole, mais pour le reste j'en suis moins sûr. Elle respire, elle agit, elle tourne, pourquoi n'aurait-elle pas sa propre forme de pensée ?

La reine Emma 109 observe à son tour la mappemonde.

– La Terre…, répète-t-elle, songeuse. N'est-ce pas le camp des écologistes qui est chargé de la défendre ? Ils ne sont pas dans le jeu…

– Ils ne forment pas un vrai camp, ils ont été absorbés et récupérés par les politiciens des sept autres camps. Actuellement, personne ne défend à proprement parler la Terre.

– Et vous voudriez que vous et moi nous nous en occupions ?

– Pourquoi pas ?

La reine Emma 109 éclate de rire.

– Mais nous, les Micro-Humains, venons à peine d'apparaître ! Notre propre existence semble précaire.

– Justement, vous êtes les nouveaux joueurs, les plus neufs, les plus modernes, les plus « propres », car vous n'avez pas été entachés par des guerres, des massacres ou des totalitarismes. Vous êtes historiquement « vierges ». Plus j'y réfléchis, plus je crois que les mauves, moi et quelques Grands pleins de bonne volonté, nous pouvons prendre de l'avance et assumer la protection non plus d'un camp, mais de l'échiquier lui-même.

Cette fois, la reine Emma 109 est troublée. Elle se sent flattée que le président d'un des dix États les plus puissants du monde lui accorde autant d'intérêt, et en même temps elle se sent davantage préoccupée par la survie de son fragile et microscopique État que par celle de la planète.

– Plus précisément, nous, les tout petits humains, que pourrions-nous faire pour sauver la planète ?

Le président Drouin rejoint son siège et allume la lampe à l'intérieur de la mappemonde.

– Pour tout vous dire : je n'en sais rien encore. C'est une inspiration qui m'est venue après avoir discuté avec ma femme. Je me suis dit qu'il faudrait que je m'appuie sur vous pour sauver la planète, mais je n'ai pas d'idée encore précise.

– En fait, je crois que ce qui vous pousse vers nous, c'est surtout la méfiance envers les six autres camps, n'est-ce pas, monsieur le président ?

Cette fois, Stanislas Drouin soupire longuement.

– Peut-être. J'ai l'intuition, le sentiment, la sensation qu'avec l'épidémie de grippe A-H1N1 nous avons eu comme une réplique du premier fléau de l'Apocalypse. Et je crains qu'il n'en reste encore trois à venir. Je voudrais être... je voudrais que nous soyons les guetteurs des trois cavaliers tueurs surgissant de l'horizon.

La reine Emma 109 se lisse les cheveux.

– Je comprends, monsieur le président... Et je suis flattée de votre confiance. À vrai dire, j'ai longtemps considéré que les Grands ne nous traiteraient jamais complètement en égaux. Votre étrange proposition me donne pour la première fois la sensation que non seulement vous me parlez comme à une partenaire politique, mais aussi comme à quelqu'un à qui vous accordez un certain pouvoir. J'essairai de m'en montrer digne.

La Micro-Humaine se lève et touche la mappemonde éclairée.

– Après tout, c'est nous les nouveaux locataires... et plus j'y réfléchis, plus j'ai l'impression d'avoir une proposition originale pour vous aider, et aider le « huitième joueur ».

115.

Un petit point jaune scintille au fond d'un repli de l'immense dorsale de l'océan Atlantique.

Après l'exposé rapide du scientifique sur la sexualité des baudroies, tous font la grimace et préfèrent ne plus encourager David à étaler ses connaissances zoologiques.

– Des cadavres de mâles accrochés en collier-trophée au cou de grosses femelles, décidément la nature n'a pas les mêmes codes esthétiques et moraux que nous, remarque Martin Janicot.

– Non, mère Nature vise à l'utilitaire. Pour les baudroies, elle réduit le mâle à sa fonction la plus indispensable, ironise Aurore, dont le féminisme trouve dans cette anecdote son meilleur substrat.

– Tout ça, c'est dans ton Encyclopédie ? s'étonne Martin.

– Personnellement, je n'aime pas les livres, dit la capitaine 103. J'ai toujours trouvé les écrivains grands très prétentieux avec leurs connaissances livresques.

– La question importante n'est pas : « Qui l'a écrit ? » mais : « Qui l'a compris ? », rétorque David.

L'officier emach ne relève pas et, après avoir cherché une réponse, apprécie finalement la subtilité et les sous-entendus de cette phrase.

411

Ils observent par les hublots le décor éclairé par les projecteurs.

Les deux exploratrices, ne perdant plus de temps, se dirigent vers la faille.

Elles franchissent le passage dans la roche, et tous les passagers de *La Daphnée* perdent le visuel des deux petites nageuses alors que, sur les écrans vidéo placés dans l'habitacle, apparaissent les images du monde qui, progressivement, se découvre à elles.

Leurs torches éclairent un peigne à cheveux, indéniablement façonné par la main humaine.

Plus elles s'enfoncent dans le tunnel rocheux, plus les fossiles se font présents.

Elles éclairent ensuite une fourchette, un gobelet. Le temps et les coraux les ont transformés en semi-minéraux.

– Le Petit Poucet a laissé des cailloux pour nous montrer le chemin, remarque Martin.

– Je me demande ce que nous allons trouver au bout de ce tunnel, renchérit Natalia.

À un moment, le goulet est obstrué, et même les deux Emachs ne peuvent plus progresser. Elles ont beau frapper avec leurs poignards, rien ne cède. Elles sortent des pioches de leur sac et commencent à essayer de creuser, mais les pointes sont inopérantes.

– C'est fini, annonce la capitaine 103, déçue. J'espérais que la faille s'élargirait, mais ce n'est pas le cas.

– Il existe forcément un moyen de poursuivre, déclare David qui ne veut pas se résigner.

– Non, l'aventure s'arrête là, docteur Wells. Il y avait une issue mais elle est bouchée. Il nous reste à analyser les objets qu'elles vont glaner.

– Et pourquoi ne pas forcer le passage ? propose Natalia.

La capitaine réfléchit, dubitative.

– Nous ne pouvons pas…

– Vous en êtes sûre ?

– Eh bien... il y aurait une solution extrême... les explosifs..., reconnaît-elle, mais c'est risqué.

– Au point où nous en sommes, mieux vaut prendre ce risque que rentrer bredouille, signale Aurore.

La capitaine 103 hésite, puis donne l'ordre aux plongeuses d'utiliser les explosifs. Elles les déposent sur le bouchon rocheux, et s'éloignent jusqu'à sortir complètement du tunnel.

Installées à bonne distance, elles déclenchent l'explosion.

116.

Aïe.

Ça m'a piqué au niveau de la mer du Mexique.

Ils ont provoqué une explosion en grande profondeur.

Ils ont déjà foré dans ce golfe en avril 2010, mais à cause de leur maladresse des tuyaux s'étaient rompus et ils avaient répandu mon sang noir dans l'océan.

Toujours s'agiter, creuser, courir, explorer, mettre de la lumière, du bruit et de la chaleur partout.

Ils ne peuvent donc pas se calmer ?

Et ceux-là, qu'est-ce qu'ils vont encore fouiner dans une zone que je pensais protégée de leur curiosité...

Oh, mais ce n'est pas seulement en profondeur extrême, c'est une zone vraiment très particulière.

L'ancien sanctuaire des premiers humains.

117.

Un rayon violet filtre à travers les vitraux.

La reine Emma 109 a fait reconstituer le jeu d'échecs heptagonal à sa taille, et l'a installé dans une salle spéciale de son nouveau palais. C'est une pièce ronde en haut d'une tour, les fenêtres sont des vitraux représentant les fleurs de l'île.

Emma 109 grignote des friandises. Elle adore le sucré. Cela la détend et lui donne des forces. Elle est devenue boulimique, mais elle sait que c'est le prix à payer pour son activité intellectuelle intense.

Il faut des sucres et des graisses pour nourrir le cerveau.

Elle a appris très rapidement les règles du jeu d'échecs et maintenant il lui semble comprendre les enjeux cachés derrière les enjeux visibles.

Elle tourne autour de l'échiquier heptagonal.

La papesse entre dans la pièce.

– Majesté…

La Micro-Humaine porte une robe somptueuse, rouge écarlate, rehaussée de dentelles.

– Entre, 666, et contemple le monde tel qu'il est perçu par certains Grands. Un jeu de stratégie avec sept camps, sept visions, sept gagnants ou perdants potentiels.

La monarque explique ce que lui a énoncé le président français, et la papesse saisit aussitôt les enjeux.

– Sept joueurs… plus le socle lui-même : notre planète, le huitième joueur, conclut-elle. Nous sommes désormais partie prenante de ce jeu, que nous le voulions ou non.

– Quelle couleur pour nous ? demande Emma 666.

– Nous sommes les mauves.

Elle désigne les pièces de leur camp.

– Bien vu. La première étape consistait à entrer dans le jeu, la deuxième consiste à y rester, la troisième pourrait être…

– D'essayer de vaincre ? complète la papesse.

Les deux Micro-Humaines s'observent, complices. Autant l'une est ronde et lourde, autant l'autre est mince et légère.

La reine propose des friandises à sa compagne, qui refuse poliment. Alors elle ouvre la fenêtre de la tour et contemple l'horizon marin où le soleil couchant étend un rose orangé.

– Il va falloir imaginer un futur idéal pour nous, propose la reine Emma 109, une évolution positive, afin que le jeu tourne en faveur des mauves.

La minuscule prêtresse contemple l'échiquier, qui la fascine de plus en plus.

– Nous n'avons pas le choix, c'est le sens de « notre évolution d'espèce » : nous devons gagner ou disparaître. Ne pas avancer, c'est reculer.

Emma 666 a l'impression que les pièces d'échecs piaffent d'impatience, pour se retrouver au centre du jeu et s'entre-déchirer.

– Nous ne sommes pas obligés d'aller vite, précise la papesse. Nous pouvons procéder lentement et par étapes successives, sans à-coups et sans violence. Juste en ne commettant pas d'erreurs.

– Nous avancerons en profitant des erreurs des autres joueurs. Les Grands, j'ai appris à les connaître. Eux sont violents et peu coopératifs. Eux sont avides de posséder et de jouir vite.

La reine a déjà bougé les pièces pour répercuter l'actualité récente.

– De manière lente ? Pourquoi pas. Ou de manière plus spectaculaire, afin de frapper les esprits.

– À quoi penses-tu, Majesté ?

– Je crois que j'ai un plan, articule-t-elle en souriant.

Et elle plonge la main dans les friandises roses.

118.

Les résidus de l'explosion, encore en suspension, mettent quelques minutes à se dissiper. Grêlons tombant au ralenti, ils se transforment en flocons, puis en nuage de poussière, en brouillard, et enfin l'eau redevient translucide sous leurs projecteurs.

Les deux plongeuses reprennent leur progression vers le goulet rocheux.

À l'intérieur du bathyscaphe, les passagers de *La Daphnée* fixent les deux écrans correspondant aux deux caméras des casques des nageuses, et découvrent le décor sous leurs torches frontales.

Elles évoluent dans un couloir étroit, et soudain les rayons de lumière ne rencontrent plus de paroi.

Elles avancent dans l'eau sombre.

– Nous ne voyons plus rien. Qu'est-ce qu'il se passe ? demande Aurore.

– Elles sont dans une nouvelle caverne, mais elle doit être si vaste que leurs torches n'éclairent rien devant. Les photons n'ont aucune paroi pour rebondir.

La capitaine 103 regarde l'écran et remarque qu'elles sont à 3 607 mètres de profondeur.

– C'est peut-être une sorte de « bulle de croûte terrestre ». Mais une bulle vraiment énorme.

– Liée au dernier séisme ?

– À en juger par les sédiments du goulet d'entrée, c'est beaucoup plus ancien. À mon avis... cela pourrait être le résultat d'une chute d'astéroïde, signale David qui semble aussi avoir une bonne connaissance de la spéléologie sous-marine.

– Un astéroïde ? répète Aurore, songeuse.

– Comme celui qui s'est écrasé à Chicxulub il y a 65 millions d'années, et a causé la disparition des dinosaures, précise le jeune scientifique. Celui-là se serait écrasé dans le même coin, il y a huit mille ans, et aurait causé la disparition des habitants de cette île.

Ils suivent du regard la trajectoire des deux exploratrices qui poursuivent leur progression dans la caverne sombre.

– C'est immense, elles n'ont toujours pas trouvé la moindre paroi en face de leurs torches, s'étonne Natalia.

Soudain, ils distinguent une courbe qui s'élève.

– C'est quoi ? Une stalagmite ? demande Natalia.

– Une côte de dinosaure ? propose Aurore.

– Non plus, c'est autre chose..., murmure David.

Les plongeuses éclairent la colonne courbe.

– Une côte ! Un os appartenant à un thorax titanesque ! s'exclame la capitaine 103.

Les deux Emachs éclairent d'autres côtes, une colonne vertébrale, un crâne.

– Il est énorme.

– Regardez ce front arrondi, cette mâchoire en angle droit, cet orifice nasal triangulaire. Il n'y a pas de doute, c'est un squelette d'humain géant, affirme Natalia.

Deux petites méduses blanches sortent de la bouche du crâne, comme des phylactères d'une bande dessinée.

La respiration des nageuses résonne dans les haut-parleurs à un rythme de plus en plus rapide. Celle des passagers s'harmonise.

Les deux plongeuses pénètrent dans les cavités oculaires.

– Un Atlante..., murmure Aurore.

– Quoi ? demande la capitaine 103.

– Une civilisation qui, selon les légendes, aurait jadis vécu sur une île entre l'Europe et l'Amérique, mais nous ne savions pas qu'en plus ils étaient de taille démesurée, explique Natalia.

– Enfin la preuve palpable que mon père avait raison..., reconnaît David.

Aurore lui prend la main et la serre très fort.

Après avoir révélé un premier squelette, les deux petites nageuses en éclairent un second, puis un troisième. Ils gisent au fond de l'eau, à demi ensevelis dans le sable et la vase. Des poissons phosphorescents viennent leur donner d'inquiétantes lueurs de vie.

Soudain, face à Emma 678 912, surgit la baudroie des abysses qui l'avait précédemment prise en chasse. L'émoi de la rencontre avec le mâle une fois passé (celui-ci est encore planté dans son flanc), l'animal têtu est parti à leur poursuite et les a retrouvées.

Elle fonce sur eux.

La baudroie ouvre à nouveau sa gueule armée de longues dents acérées. Elle poursuit la Micro-Humaine qui a le réflexe de donner un coup de propulseur et, sortant deux poignards, se place au-dessus de la tête du monstre et enfonce d'un seul geste ses deux lames dans les yeux globuleux. Du sang blanc jaillit, alors que le mâle, toujours soudé à la femelle, marque des mouvements de surprise, percevant dans son propre corps la douleur de sa partenaire.

Il ne peut cependant se dégager.

Le couple fusionnel renonce à la poursuite mais déjà des prédateurs attirés par l'odeur du sang viennent pour les achever.

Les deux exploratrices, soulagées, peuvent poursuivre leur visite.

Après les squelettes, apparaissent les objets d'une civilisation humaine : chaises, tables, meubles. Elles éclairent ce qui semble des rues et des maisons de taille titanesque. Dans la ville déserte, circule une multitude de poissons luminescents qui donnent à la ville une allure de fête.

Un long frisson parcourt la colonne vertébrale de David.

Je reconnais cet endroit.

Les images rêvées se superposent à celles qu'il découvre en direct sur l'écran.

Aurore serre plus fort encore la main de son compagnon d'aujourd'hui et d'hier.

Elle n'a pas besoin de parler, elle sait qu'ils pensent aux mêmes choses, au même moment.

Je me suis déjà promené dans cette avenue il y a longtemps.

Sous les pinceaux de lumière se révèlent des maisons de deux étages, de plusieurs dizaines de mètres de hauteur.

Les deux exploratrices franchissent le seuil de l'une d'elles.

Les marches des escaliers sont si hautes que, face aux Micro-Humaines, elles semblent être des falaises. Heureusement, les propulseurs dorsaux sont assez puissants pour leur permettre de monter tels des insectes dans les étages jusqu'aux toits.

Les deux nageuses se placent au-dessus d'une maison. De là, l'impression d'une cité illuminée de lampions en suspension est encore plus saisissante.

– Si vous progressez tout droit dans cette avenue, vous allez tomber sur la pyramide centrale, déclare Aurore.

– Comment le savez-vous ? s'étonne la capitaine 103.

– Une intuition… une intuition forte. Il m'a semblé avoir vécu ici. Enfin, je veux dire « en rêve », précise-t-elle.

Suivant ses indications, les deux nageuses poursuivent leur avancée dans la travée aussi large qu'une vallée.

– S'il vous plaît, dit la jeune scientifique aux yeux dorés, prenez la troisième rue à gauche.

Les deux Emachs obtempèrent.

Elles tombent sur une bâtisse qui contient une vaste salle avec des tables, des chaises, une scène.

– C'est la taverne où j'ai… rêvé… que je vivais ma « plus grande histoire d'amour », murmure Aurore en repensant à son aventure avec le chaman.

– Moi aussi, répond David. Moi aussi, j'ai rêvé cela.

Au sol, des chopes et des assiettes. Au fond de la salle principale, une estrade avec des colonnes.

– C'est là que tu dansais, dit-il, ne prenant plus la peine de se justifier.

Comme pour répondre à cette évocation, surgit un siphonophore d'une trentaine de mètres de long qui dandine ses longues protubérances, comme s'il voulait imiter la danseuse. L'animal semble avoir non plus des milliers, mais des millions d'habitants.

Ce n'est plus une sorte de murène, c'est une ville entière qui danse à l'unisson.

Emma 453 223 s'approche pour la filmer.

– Attention, les siphonophores ont des venins foudroyants, rappelle David.

La nageuse évite en effet de justesse un coup de fouet de cette colonie de petits animaux complémentaires et hyperspécialisés.

Puis, sur les indications d'Aurore, les deux Micro-Humaines quittent la taverne pour reprendre l'avenue principale, à la recherche d'une nouvelle rue.

Les projecteurs de leurs casques révèlent une maison à deux étages en tout point similaire aux autres.

– C'est ici ! s'écrie David.

Elles entrent par la fenêtre du deuxième étage et éclairent l'intérieur.

– C'était notre salle à manger, annonce spontanément Aurore, surprise d'avoir une information aussi précise en mémoire. Pouvez-vous aller au fond, mesdemoiselles, s'il vous plaît ?

Les deux exploratrices progressent dans l'appartement démesuré.

– Là, c'est notre chambre, et c'est notre lit, précise David, lui aussi étonné de la précision de ses souvenirs.

Une murène argentée surgit de sous le lit, mais, après avoir évalué l'intérêt de gober ces deux trublions aquatiques, elle y renonce.

– C'est sur ce lit, il y a huit mille ans, que nous nous sommes aimés. Et que nous avons rêvé d'une humanité plus petite que nous avons fabriquée, murmure Aurore.

Un long silence suit, ponctué par les bruits de respiration des exploratrices.

Des poissons-lanternes, prenant les plongeuses pour des congénères, commencent à faire clignoter leur lampe frontale en appels sexuels. Aussitôt la pièce semble transformée en boîte de nuit aux projecteurs multicolores à effets stroboscopiques.

– Désolée, annonce la capitaine 103, l'instant de nostalgie de vos « rêves » est passé, il nous faut poursuivre nos explorations « sérieuses » et rentrer. Même si nos poumons sont dix fois plus petits, les bouteilles d'oxygène ne sont pas inépuisables.

Sur les indications des Grands, les deux nageuses emachs quittent la maison et remontent l'avenue jusqu'à la grande pyramide qui en marque l'extrémité. Le bâtiment leur semble une montagne mais, là encore, leurs propulseurs dorsaux se révèlent efficaces.

– Il faut entrer par une petite porte qui se trouve dans un bâtiment à l'extérieur de la pyramide, c'est la seule issue, je vais vous indiquer où elle se trouve, explique David.

Elles trouvent le passage. La voix de David les guide. Elles s'aventurent dans le bâtiment proprement dit et parviennent dans une première salle.

– Ici, c'était la salle d'envol, se souvient Aurore. C'est là que nous faisions des décorporations pour effectuer nos voyages astraux, parfois seuls, parfois en couple, parfois en groupe de cinq ou six. Le chaman était notre... guide.

David indique qu'il faut monter à l'étage supérieur dans la loge du chaman.

Alors les deux lampes des plongeuses révèlent une pièce avec un squelette unique.

– Lui ?! s'exclame Aurore.

Une fresque est gravée dans la roche.

– Il est mort dans sa pyramide, complète David. En train de travailler.

Les deux Emachs l'éclairent, et tous peuvent observer sur les écrans les murs illustrés.

– C'est beau.

À nouveau, les poissons-lanternes qui les poursuivent surgissent derrière elles et du même coup éclairent par intermittence la fresque sur toute sa largeur. Dans *La Daphnée*, les passagers peuvent en distinguer les détails sur leurs écrans.

– Il semble que votre chaman ait voulu raconter l'histoire de sa civilisation avant qu'elle ne disparaisse, dit la capitaine 103.

– À voir ces scènes, les Atlantes ont fabriqué des êtres plus petits. Ils les ont envoyés dans l'espace afin que ceux-ci fassent exploser les astéroïdes, s'émerveille Natalia.

Les images de scènes quotidiennes défilent, racontant l'histoire d'un monde désormais disparu.

La capitaine 103 enclenche le processus d'enregistrement haute définition, et ordonne aux deux exploratrices de filmer lentement les fresques, image par image.

Les passagers de *La Daphnée* découvrent la fresque dans toute son ampleur.

À travers chaque scène, Aurore et David revivent leur passé.

– Cette saga est incomplète, remarque la jeune femme. Selon moi, le chaman a été interrompu par leur dernier cavalier de l'Apocalypse : le Déluge.

– Dans ce cas, poursuit David, d'autres ont dû continuer dans un lieu plus protégé...

– ... loin des risques de séisme ou de tsunami.

– Le pôle Sud. C'est ce que mon père a découvert au lac Vostok, comprend tout à coup David. Ils ont donc fait deux fresques géantes en témoignage de l'existence de leur civilisation. Une saga courte en Atlantide et une saga longue en Antarctique.

– Subtil. Ils multipliaient ainsi les chances qu'elles puissent être retrouvées un jour par des spéléologues, confirme Natalia.

Une nageuse revient vers le squelette du chaman. Près de sa main, un outil ressemble à un pistolet.

– La dernière image représente une vague qui submerge une cité.

– Ensuite la paroi est lisse comme une feuille blanche attendant la suite du récit, ponctue Natalia.

Les deux plongeuses annoncent que leur réserve d'oxygène s'épuise, la capitaine 103 leur ordonne de revenir à bord de *La Daphnée*.

David prend la main d'Aurore et ferme les yeux, comme s'il souhaitait intérioriser toutes les émotions provoquées par ces découvertes, auprès de celle qui, de tout temps, fut la personne la plus importante pour lui.

Il embrasse la jeune femme, et leurs deux esprits fusionnent.

Durant ces quelques secondes, se succèdent en lui, par des flashes rapides, tous les autres instants qui l'ont mené vers cette minute particulière.

Il revoit la première rencontre avec Aurore dans une salle de l'université de la Sorbonne.

Puis tout se succède en un diaporama.

La mort de son père figé dans le cube de glace.

Le voyage au Congo.

La fuite devant les fourmis magnans.

Son sauvetage par Nuçx'ia.

La découverte du village pygmée et la première séance de Ma'djoba avec le sorcier.

Le premier rêve d'Atlantide.

Aurore dansant dans le night-club Apocalypse Now.

Le premier œuf humain qui se fendille et la main de la première Micro-Humaine qui en sort.

L'épidémie de grippe A-H1N1.

La mort de sa mère, Mandarine Wells, au milieu de Paris, en plein chaos.

Le sauvetage des Micro-Humaines fuyardes en Autriche.

La bataille du Puy de Côme et sa victoire in extremis.

La mort de Nuçx'ia dans ses bras.

Le coup de force à l'ONU.

L'inauguration de Micropolis sur l'île de Flores aux Açores.

Et enfin la plongée dans les abysses et la découverte de l'Atlantide engloutie.

De son côté, Aurore songe elle aussi à tout ce qui l'a menée vers cet instant.

La première rencontre avec David à la Sorbonne.

La visite à son père qui l'avait abandonnée et qui semblait si surpris qu'elle existe.

Le voyage en Turquie et le typhon qui a emporté son hôtel.

La rencontre avec Penthésilée et la course à cheval au milieu des cheminées de fées minérales.

L'initiation amazone, où elle a été recouverte d'abeilles puis a eu l'impression de parler à sa planète.

Le regard gêné de David dans la boîte de nuit l'Apocalypse Now.

Le rejet de son père au milieu de Paris en plein chaos.

Le premier baiser de David.

La mort de Penthésilée.

Le discours de David sur « Qu'est-ce qu'un homme ? ».

Le second baiser à Flores, aux Açores.

Leurs bouches restent soudées.

Chaque seconde vécue prend un sens éclatant, qu'ils mémorisent et remettent en perspective de ce présent si riche en sensations.

Puis leurs lèvres se séparent, leurs mains se décrispent, sans se lâcher.

– Crois-tu que tout ne fait que recommencer sans cesse ? demande-t-elle. Ce qui s'est produit se reproduira encore et encore ?

– Mon père pensait que les quatre cavaliers de l'Apocalypse sont une description du passé et non du futur. Ce serait ce qui est arrivé aux Atlantes. Le Déluge. Les perturbations climatiques. La guerre. L'astéroïde. Peut-être que c'est ce que toutes les civilisations doivent connaître : quatre gifles. Certaines réveillent, d'autres peuvent tuer.

– Désormais, nous savons qu'il y aura encore de grandes épreuves pour faire évoluer notre humanité. Chaque fois, l'espèce peut disparaître, résume Natalia.

David repense au slogan de la publicité : « KRISS, quatre lames, la première lame tire, la deuxième coupe, la troisième coupe plus, la quatrième arrache la racine. » Il se dit qu'avec la grippe ils n'ont eu que la première lame, le premier cavalier de l'Apocalypse.

Les trois autres lames restent à venir.

Il observe les deux exploratrices en scaphandre qui ont franchi le premier et le deuxième sas et apparaissent maintenant devant la vitre transparente, alors que le niveau d'eau baisse progressivement.

– L'espèce peut disparaître… à moins qu'une « autre » humanité prenne le relais, prononce David en regardant la capitaine 103 qui réconforte ses deux nageuses épuisées.

Aurore sourit à son tour et approuve.

– Si c'est le sens de l'évolution de notre espèce…

119.

Je n'aime pas qu'ils viennent me chatouiller si profondément.
Qu'est-ce que je vais bien pouvoir faire pour les calmer ?
Peut-être encore le coup du tremblement de terre, c'est un classique qui marche.
Quoique… non, je détecte Aurore et David dans le vaisseau.
J'ai besoin de ces deux spécimens d'humains particuliers pour ma mission SPM.

Tant pis, pour l'instant, je renonce à les punir. Je vais frapper ailleurs, plus tard, autrement.
Combien faudra-t-il encore en tuer pour qu'ils deviennent raisonnables ?
Combien faudra-t-il encore en effrayer pour qu'ils me respectent ?
Combien pour qu'ils me protègent ?
Même si j'ai enfin trouvé les deux humains les plus aptes à m'écouter, ils sont tellement lents à intégrer les informations.
Et puis, je me sens si seule et si fragile dans le vaste univers...
Que je le veuille ou non, mon sort est lié au leur.
Une fois de plus, tout dépend du facteur d'évolution de leur conscience.
Reste donc la question : l'humanité peut-elle évoluer ?
À ce stade de mon histoire, je crois que oui. Mais je sais que pour eux comme pour moi, le plus dur reste à venir.

FIN DU TOME 2

TABLE

Composition Nord Compo
Impression Imprimerie Lebonfon Inc. en septembre 2013
Editions Albin Michel
22, rue Huyghens, 75014 Paris
www.albin-michel.fr
ISBN : 978-2-226-24982-1
N° d'édition : 20851/01. N° d'impression :
Dépôt légal : octobre 2013
Imprimé au Canada